ro
ro
ro

Hortense Ullrich

1000 Gründe, sich ~~nicht~~ zu verlieben

1000 Gründe, ~~nicht~~ zu küssen

Rowohlt Taschenbuch Verlag

Originalausgabe
Veröffentlicht im Rowohlt Taschenbuch Verlag,
Reinbek bei Hamburg, August 2008
«1000 Gründe, sich nicht zu verlieben»
Copyright © 2003 by Rowohlt Verlag GmbH,
Reinbek bei Hamburg
«1000 Gründe, nicht zu küssen»
Copyright © 2004 by Rowohlt Verlag GmbH,
Reinbek bei Hamburg
Lektorat Silke Kramer
Umschlag: Illustration und Reihengestaltung Birgit Schössow
Gesamtherstellung CPI – Clausen & Bosse, Leck
Printed in Germany
ISBN 978 3 499 21421 9

1000 Gründe, sich ~~nicht~~ zu verlieben

Für Leandra und Allyssa
und Paco und Lucky
und natürlich Michael

Inhalt

1. Kapitel, in dem
Sanny beschließt, sich zu verlieben 9

2. Kapitel, in dem
Konny auf den Hund kommt 16

3. Kapitel, in dem
Sanny von einem Ungetüm angefallen wird 23

4. Kapitel, in dem
Konny ein ernstes Gespräch mit seinem
Vater hat 29

5. Kapitel, in dem
Sanny eine stürmische Begegnung mit Rob hat 35

6. Kapitel, in dem
Konny bei Kim abblitzt 45

7. Kapitel, in dem
Sanny sich verlieben übt 52

8. Kapitel, in dem
Konny einen Eimer bekommt 59

9. Kapitel, in dem
Sanny eine Verabredung mit Rob bekommt 68

10. Kapitel, in dem
Konny eigentlich in der Schule sein sollte 72

11. Kapitel, in dem
Sanny ihren Bruder nicht wieder erkennt 81

12. Kapitel, in dem
Konny Kim gesteht, dass er in sie verliebt ist 85

13. Kapitel, in dem
Sanny Nachhilfe bekommt 94

14. Kapitel, in dem
Konny kein Wort mit Kim redet 103

15. Kapitel, in dem
Sanny herausfindet, dass ihr Vater ihr
Leben ruiniert 109

16. Kapitel, in dem
Konny eine heimliche Haushälterin engagiert 115

17. Kapitel, in dem
Sanny ein ernstes Gespräch mit ihrer
Mutter führt 123

18. Kapitel, in dem
Konny eine zweite Chance von Kim bekommt 128

19. Kapitel, in dem
Sanny versucht, Rob mit einer Banane
zu ködern 133

20. Kapitel, in dem
Konny seinen ersten Kuss verpasst 141

21. Kapitel, in dem
Sanny mit Kim Schluss machen soll 150

22. Kapitel, in dem
Konny seine Pausen auf dem Klo verbringt 156

23. Kapitel, in dem
Sanny von Pixi und Dixi überrascht wird 167

24. Kapitel, in dem
Konny bei Kim in Ungnade fällt 173

25. Kapitel, in dem
Sanny einen Hund sucht, aber etwas
anderes findet 177

1. Kapitel, in dem Sanny beschließt, sich zu verlieben

«Ach, und was ist, wenn er dich gar nicht toll findet?», gab Liz zu bedenken.

Ich schaute sie groß an. «Wen kümmert's?! Jetzt geht es erst mal darum, dass ich mich verliebe! Da können wir uns nicht mit solchen Kleinigkeiten aufhalten.»

«Ehrlich gesagt, Sanny, verstehe ich immer noch nicht, wieso du dich nicht verlieben kannst.»

Ich verdrehte die Augen. «Ach Liz, das hab ich dir schon hundertmal gesagt: Es liegt an meinem Bruder!»

Mein Versagen in puncto Verlieben lag ganz eindeutig daran, dass ich einen gleichaltrigen Bruder habe. Einen Zwillingsbruder. Einen nervigen, hirnlosen Zwillingsbruder. Wer mit so einem Typen wie meinem Bruder Konstantin aufwächst, verliert einfach den Glauben an die gesamte Männerwelt und an die Liebe.

Ich bin dreizehn und war noch nie verliebt. Das konnte nur an ihm liegen. Alle anderen in meiner Klasse sind seit drei Jahren ständig in irgendwen verliebt.

Auch Konny war dauernd verliebt. Er verliebt sich

in alles, was sich bewegt, lange Haare hat und sich nicht schnell genug in Sicherheit bringen kann. Dass er dabei zwei Tage lang auch mal einem langhaarigen Jungen nachstellte, brachte ihn nicht weiter aus dem Konzept. «Ups», meinte er bloß, als ich ihn darauf aufmerksam machte, «also von hinten sah der echt niedlich aus.»

Ich seufzte.

Liz schaute mich zweifelnd an: «Und du bist sicher, dass jetzt der Zeitpunkt gekommen ist?»

«Ganz sicher!», nickte ich. «Ich bin im richtigen Alter und will jetzt endlich wissen, wie das ist!»

«Na gut», sagte Liz, «dann machen wir weiter.» Sie beugte sich wieder über unser Schulfoto.

«Was ist mit dem?», fragte ich und deutete auf einen Typen aus der zehnten Klasse. Er sah ganz süß aus.

«Sanny! Der ist zu alt für dich.»

«Das ist egal, ich will ihn ja nicht heiraten, ich will mich bloß verlieben.»

«Aber du kannst dich doch nicht aufgrund eines Fotos in jemanden verlieben!»

«Woher willst du das denn wissen?»

«Weil es bei dir mit den Filmstars auch nicht geklappt hat. Jeder Anfänger verliebt sich erst mal in einen Filmstar. Oder einen Musiker. Bloß du nicht.»

«Das liegt aber nur daran, dass ich das potenzielle Opfer nicht kennen lernen kann. Wir gehen jetzt die Jungs aus unserer Schule durch», entschied ich energisch, «ich wähle einen aus, und morgen suchen wir ihn auf dem Schulhof, und ich verliebe mich in ihn.»

«Okay. Aber dann lass uns die aus der Achten anschauen.»

Ich war einverstanden. Außerdem war da einer, der ganz nett aussah. Obwohl das eigentlich egal war – war ja nur ein Experiment.

Ich tippte auf den Jungen auf dem Schulfoto, Liz betrachtete ihn und meinte: «Gute Wahl! In den sind die Mädchen reihenweise verknallt.»

«Sehr gut, dann kann es ja nicht so schwer sein, sich in ihn zu verlieben.»

Liz nickte. «Wenn du es je schaffst, dann bei ihm!»

Nach kurzem Nachdenken fügte sie hinzu: «Wenn es mit ihm nicht klappt, dann kannst du die Sache ein für alle Mal aufgeben.»

«Okay, abgemacht. Der oder keiner! Weißt du, wie er heißt?»

«Rob.»

«Cooler Name. Das ist schon mal wichtig. Stell dir vor, ich müsste sagen: ‹Klaus-Dieter holt mich heute Mittag ab.› Oder: ‹Karl-Friedrich und ich gehen heute ins Kino.›»

Liz lachte. «Also eigentlich heißt er Robert, aber er wird Rob genannt. Klingt besser, oder?»

Ich nickte. «Allerdings!»

Liz klappte das Jahrbuch unserer Schule zu. «Hoffentlich funktioniert's.»

«Das wird schon, keine Sorge», beruhigte ich sie.

«Ist Konny in seinem Zimmer?», fragte sie unvermittelt – und völlig unnötig, denn von nebenan dröhnte die Musik so laut durch meine Zimmerwand, dass sich die Tapeten im Rhythmus hoben und senkten.

«Ja», nickte ich und verdrehte die Augen.

«Gut. Er hat nämlich noch mein Matheheft, ich will es zurück.»

«Was macht er mit deinem Matheheft?»

«Er hat behauptet, er müsse was nachtragen», winkte Liz ab.

Liz wollte gerade aufstehen, da wurde die Tür zu meinem Zimmer aufgerissen.

«Hey, Streberin», grölte Konny, «erklär mir doch mal kurz ...» Er brach ab, als er Liz sah.

«Liz!», rief er und setzte sein James-Bond-Gesicht auf. Das war seine neueste Masche. «Du Schönste aller Frauen, was sehen meine entzückten Augen!»

Ich machte eine Geste, als müsste ich mich gleich übergeben.

Konny brachte das nicht aus dem Konzept. «Eigentlich wollte ich meine Schwester, das Superhirn, was Mathematisches fragen. Aber wenn ich dich sehe, vergesse ich jedes Matheproblem. Kommst du mit zu mir?», flirtete er Liz an.

«War gerade auf dem Weg», meinte Liz kurz angebunden. «Ich hab nämlich auch ein kleines Matheproblem ...»

«Immer doch, jederzeit, frag mich», strahlte Konny.

«Klar, mein Bruder und Mathematik – zwei fremde Galaxien treffen aufeinander!», warf ich ein.

Konny ignorierte mich, zog Liz vom Stuhl hoch und schaute ihr tief in die Augen.

Liz schüttelte den Kopf: «Ich will bloß mein Matheheft zurück, Konny.»

«Jeder Wunsch von dir ist mir Befehl», meinte Konny völlig unbeeindruckt.

Liz zappelte ungeduldig: «Mein Matheheft!»

«Deine Augen funkeln wie Sterne am Nachthimmel.» Konny war nicht zu bremsen.

Liz wandte sich genervt von ihm ab und ging zur Tür. «Dann hol ich es mir selbst.»

Konny sprintete hinter ihr her. «Du hast Recht. Lass uns gehen, Sanny erträgt es nicht, so viel Glück und Harmonie zu sehen, davon kriegt sie Pickel.»

«Raus hier!» Ich warf ihm ein Kissen an den Kopf.

Liz verdrehte die Augen. «Der ist wirklich nicht zu ertragen.»

Liz hatte null Interesse an meinem Bruder, aber er übersah diese Tatsache großzügig.

Als die beiden draußen waren, schwor ich mir: So wie Konny würde ich mich nie im Leben benehmen, nicht einmal, wenn ich verliebt wäre. Ich würde das mit kühlem Kopf und Würde angehen.

Ich grübelte. Würde es mir je gelingen, mich richtig zu verlieben? Hatte ich für mein Vorhaben den richtigen Jungen ausgewählt?

Ich konnte nicht bis morgen auf eine Antwort warten. Pixi und Dixi mussten mir helfen. Die beiden sind meine Orakelfische.

Ich hatte Pixi und Dixi schon seit vielen Jahren, und unsere Wahrsagemethode folgte einem ausgeklügelten System: Ich stellte ihnen eine Frage und streute dabei Futter ins Wasser. Wenn sie fraßen, hieß es ‹Ja›, wenn nicht, war das ein eindeutiges ‹Nein›.

Die Ja-nein-Futtermethode war die einfachste Form der Prophezeiung. Und sie ging blitzschnell. Nachteil war, dass es nur die Antworten ‹Ja› oder ‹Nein› gab.

Bei komplizierteren Sachverhalten musste man die Objektmethode anwenden. Dazu hielt ich einen Gegenstand ins Aquarium, der das fragliche Objekt darstellte. Dann musste man beobachten, was geschah. Und das konnte dauern. Deshalb war diese Methode nicht für Notfälle geeignet.

Ich ging zu meinem Aquarium, nahm etwas Fischfutter und streute es ins Wasser. Die entscheidende Frage war: «Hab ich mit Rob die richtige Wahl getroffen?» Pixi und Dixi waren nirgends zu sehen. Ich klopfte an die Scheibe. «Hey, ihr Schlafmützen, ich hab euch was gefragt!»

Pixi und Dixi sausten erschreckt nach oben.

«Hey, was ist, hier ist Futter!» Ich steckte den Finger ins Wasser und rührte ein wenig herum.

Pixi und Dixi verzogen sich wieder. Wahrscheinlich war es kein guter Moment, eine Frage zu stellen. Ich musste es später noch einmal versuchen.

2. Kapitel, in dem Konny
auf den Hund kommt

Ich wollte gerade mit Liz in meinem Zimmer verschwinden, da kam meine Mutter die Treppe herauf.

«Hausaufgaben gemacht, Konny?», fragte sie, als sie im Stechschritt auf Liz und mich zumarschierte.

«Bin gerade dabei», sagte ich.

Meine Mutter blieb stehen und musterte zuerst mich, dann Liz.

«Liz erklärt mir Mathe», versuchte ich die Situation zu erläutern.

Meine Mutter legte die Stirn in Falten: «Liz hat in Mathe eine Fünf.»

«Ach ja, ich erklär Liz Mathe», änderte ich kurzerhand meine Aussage.

Meine Mutter lachte. «Na toll. Du hast doch auch eine Fünf. Zwei Blinde helfen sich beim Sehen?!»

«Konny hat mein Matheheft ausgeliehen, und ich will es zurückhaben», sagte Liz knapp.

Na ja, so kann man es auch formulieren.

«Konny, gib Liz das Heft und komm mit, ich habe eine Aufgabe für dich», kommandierte meine Mutter.

Ich versuchte Widerstand zu leisten. «Ach, und was ist mit Mathelernen?»

Meine Mutter grinste: «Als ob das bei dir etwas nützen würde!»

«Was denn! Kein Zutrauen zu deinem eigen Fleisch und Blut?»

«Nee, dafür kenn ich dich zu lange. Du wirst sowieso nichts lernen, du wirst wieder versuchen abzuschreiben, wirst erwischt werden, kriegst wieder eine Fünf und gleichst das dann im Zeugnis wieder mit der Eins in Deutsch aus. Los, komm», befahl sie und ging zur Treppe.

Ich holte Liz' Heft, gab es ihr und lief kopfschüttelnd hinter meiner Mutter her.

«Ich weiß wirklich nicht, ob dein pädagogisches Konzept klug durchdacht ist!», tadelte ich sie.

«Mach dir darüber mal keine Sorgen. Das hab ich im Griff.»

Ich gab mich geschlagen und trottete hinter ihr die Treppe runter. Sie ging ins Wohnzimmer, auf der Couch saß Konny. Konny Nummer zwei. Mein kleiner Bruder. Nicht dass meine Eltern keine neue Idee für einen weiteren Namen gehabt hätten. Mein Bruder heißt eigentlich Kornelius.

Nur mein Vater, ein «Kornblum» von Geburt, hat die volle K-Macke. Merkt man sofort bei unseren Namen. Kassandra! Konstantin! Kornelius! Unser Vater heißt Konrad, unsere Mutter Susanne. Sie wusste ja nicht, dass sie mal einen Kornblum mit K-Macke heiraten wird. Außerdem kämpft sie heimlich gegen Vaters K-Nummer. Sie war nämlich diejenige, die anfing, Kassandra Sanny zu nennen. Und als mein Vater protestierte und meinte: «Nenn das Kind nicht Sanny, das hört sich ja an, als würde es nicht zu unserer Familie gehören», fauchte meine Mutter ihn an: «Was soll denn das? Mein Name fängt doch auch nicht mit K an. Hast du ein Problem damit, dass ich Susanne heiße?!» Mein Vater zuckte ertappt zusammen, und seither heißt Kassandra Sanny. Als dann unser kleiner Bruder auf die Welt kam und Kornelius genannt wurde, war die Welt meines Vaters wieder in Ordnung.

Kornelius ist inzwischen fünf, und er hat durchgesetzt, dass man ihn ebenfalls Konny nennt, so wie mich. Kann ich verstehen, ich bin eben sein großes Vorbild. Seither gibt es einen «großen» und einen «kleinen» Konny in der Familie.

«Ich muss einkaufen», erklärte meine Mutter und deutete mit dem Kopf auf meinen kleinen Bruder. «Ich hab ihn gerade wieder eingefangen und will nachher nicht wieder die ganze Gegend nach ihm absuchen. Deshalb passt du auf ihn auf. Spielt irgendwas. Beschäftige ihn!»

«Kein Problem», meinte ich sofort. Es ist nämlich wichtig, meiner Mutter nie zu widersprechen, das erträgt sie nicht. Es ist einfacher, erst mal ja zu sagen und dann zu machen, was man will.

«Glaub bloß nicht, du kannst dich verdrücken, sobald ich zur Tür raus bin», warnte sie mich.

Warum durchschaute sie mich so schnell?

«Wenn ich zurückkomme, will ich Konny noch am selben Platz vorfinden. Verstanden?!»

«Klar doch!», nickte ich.

Meine Mutter atmete tief aus. Sie hatte keine Wahl.

Es wäre bestimmt alles gut gegangen, wenn nicht drei Minuten später Kai gekommen wäre. Mein Vater mag Kai. Aber ich glaube, das liegt daran, dass sein Name auch mit K anfängt, denn laut meiner Mutter ist Kai ein noch schlimmerer Chaot als ich.

Kai stand plötzlich bei uns vor der Tür und hatte einen Hund dabei. Einen ziemlich großen, eine Mischung aus Bobtail und Golden Retriever. Sah etwa aus wie eine überdimensional große Klobürste auf vier Beinen.

«Hab dir 'nen Hund mitgebracht», begrüßte mich Kai.

«Hey, klasse», meinte ich. «Andere Besucher bringen höchstens mal eine Tafel Schokolade mit.»

Ich streichelte den Hund, der freute sich, sprang an mir hoch, und ich fiel hintenüber. Ich lag auf dem Rücken, der Köter stand über mir und leckte mir das Gesicht.

«Gut, ich sehe, ihr versteht euch. Also dann», meinte Kai, drehte sich um und ging.

«Hey, halt, warte mal!», brüllte ich, schob den Hund weg, sprang auf und hielt Kai am Ärmel fest.

«Was soll das?!», wollte ich wissen.

«Was?»

«Na, mit dem Hund?!»

«Was soll mit dem sein? Ist 'n Geschenk für dich.»

«Danke, aber vielleicht sagst du mir noch zwei, drei Worte dazu. Wem gehört er denn?»

«Dir!»

So kamen wir nicht weiter. Kai war von der schlichten Sorte.

«Und wem hat er bis vor zwei Minuten gehört?»

«Mir.»

«Was? Seit wann hast du denn einen Hund?!»

Kai schaute auf die Uhr. «Seit genau anderthalb Stunden.»

Mit Kai musste man Geduld haben und die richtigen Fragen stellen.

«Okay, und wo hast du ihn her?»

«Aus dem Tierheim.»

«Und wieso hab ich ihn jetzt?»

«Meine Mutter mag keine Hunde.»

«Und warum hast du das nicht vorher geklärt, bevor du ihn aus dem Tierheim geholt hast?»

«War 'n Versuch. Ich habe sie gefragt, sie hat nein gesagt, aber ich hatte gehofft, sie ändert ihre Meinung, wenn sie Frankenstein erst mal sieht.»

«Frankenstein?»

«Ja, cooler Name für 'n Hund, was? Ist mir selbst eingefallen.»

Nee, also mit dem Namen hätte er bei uns in der K-Familie keine Chance.

«Ich werde ihn Karl nennen.»

«Wie du willst», nickte Kai großzügig.

«Und die vom Tierheim haben ihn dir einfach so mitgegeben?»

«Nur auf Probe. Ich muss morgen Bescheid geben, ob wir ihn nehmen. Kannst du ja dann machen. Hier ist die Adresse», sagte Kai und gab mir einen Zettel.

«Jetzt komm doch erst mal rein», versuchte ich Kai zu überreden.

Doch der schüttelte den Kopf. «Muss in zehn Minuten wieder daheim sein. Meine Mutter ist völlig ausgerastet, ich hab Hausarrest für den Rest des Tages. Durfte nur den Hund zurück ins Tierheim bringen.»

«Und wieso bringst du ihn dann zu mir?»

«Du wohnst näher, hatte keine Lust, wieder den ganzen Weg zurückzulaufen.»

Das leuchtete mir ein. Kai ging.

Hm, nun hatten wir also einen Hund.

Hey, mit Hund kann man bestimmt superleicht Mädchen kennen lernen. Das würde ich gleich mal testen. Ich nahm Karl und ging los.

Am Gartentor fiel mir Konny wieder ein. Ich raste zurück ins Haus. Hoffentlich war es noch nicht zu spät.

«Hey, Konny, komm mal her, schau mal, was ich habe!», rief ich voller Hoffnung.

Keine Antwort.

«Konny, wir haben einen Hund!»

Nichts.

Mist! Mir war zwar klar, was passiert war, aber ich lief trotzdem nochmal zurück ins Wohnzimmer, um mich zu vergewissern. Tatsächlich: Der Platz, auf dem Konny gesessen hatte, war leer. Die Terrassentür stand auf. Verflixt!

Ich schaute auf den Hund: «Kannst du Spuren lesen?», fragte ich ihn und hielt ihm einen Hausschuh von Konny unter die Nase. Der Hund jaulte auf und ging drei Schritte zurück.

Ich nahm die Leine in die Hand und zog den Hund zur Tür raus.

«Los, komm, das ist jetzt die Chance für dich, ein Held zu sein. Damit ist dir ein Schlafplatz in diesem Haus sicher.»

Die Sache sah nicht gut aus für mich.

Ich konnte nur hoffen, der Hund würde den Ernst der Lage begreifen.

3. Kapitel, in dem Sanny
von einem Ungetüm angefallen wird

«Konstantin! Kassandra!», brüllte meine Mutter durchs Haus. Wenn sie wütend ist, ruft sie uns bei vollem Namen.

Sie stand unten in der Diele, den kleinen Konny an der Hand, und schnaubte vor Wut. «Wo ist dein Bruder?»

Da sie den Träumer an der Hand hatte, schloss ich messerscharf, dass sie den Chaoten meinte. Ich ging die Treppe runter.

«Keine Ahnung. Hat er was angestellt?»

«Allerdings: Verletzung der Aufsichtspflicht. Er sollte auf Konny aufpassen, während ich einkaufen war. Auf dem Heimweg habe ich den Kleinen bei Flohmüllers im Apfelbaum entdeckt.»

«Was hast du denn im Apfelbaum gemacht?», wandte ich mich an meinen kleinen Bruder.

«Geguckt.»

«Wie, geguckt? Wonach hast du denn geguckt?»

«Nur so. In die Gegend geguckt.»

«Das kannst du doch auch vom Boden aus, dafür musst du doch nicht auf einen Baum klettern.»

Der kleine Konny schaute meine Mutter fragend an.

«Sanny hat Recht», meinte sie. «Zum Gucken musst du nicht auf einen Baum klettern.»

Konny war empört über so viel Unverstand: «Natürlich muss ich auf einen Baum klettern, wenn ich von oben gucken will.»

Meine Mutter überlegte kurz und nickte: «Stimmt.» Dann bückte sie sich und nahm sein Gesicht in beide Hände. «Konny, ich hab dir doch schon so oft gesagt, du darfst nicht weglaufen.»

«Ich lauf nicht weg, ich erledige immer nur was.»

Meine Mutter nickte geduldig: «Okay. Aber wir machen uns Sorgen, wenn du nicht hier bist und wir nicht wissen, wo du bist.»

«Aber ich komme doch immer wieder zurück.»

«Ja, schon, aber nie von selbst. Immer müssen wir dich suchen. Du bist noch nie von alleine wieder nach Hause gekommen.»

«Ich war ja auch noch nie fertig mit Erledigen. Immer kommt jemand vorher. Ich würde schon von alleine wiederkommen, wenn ich fertig bin.»

Meine Mutter seufzte. Unermüdlich erklärte sie dem kleinen Konny, dass man nicht einfach so aus dem Haus läuft, wenn man eine Idee hat.

Sie stand auf, streichelte ihm über den Kopf und meinte: «Komm mit in die Küche, wir machen Abendessen, Papi kommt gleich heim.» Dann schaute sie mich an: «Ist Liz noch da?»

«Nein.»

«Hilfst du mir?»

Bevor ich antworten konnte, gab es heftiges Gepolter vor der Haustür, und ich hörte Konstantin fluchen. Meine Mutter horchte auf und postierte sich angriffslustig gegenüber der Haustür.

Ich wollte nicht länger auf den Ärger warten, den Konstantin bekommen würde, und riss die Tür auf.

Hätte ich besser nicht getan, denn ein riesengroßes Ungetüm sprang mich an und warf mich zu Boden. Meine Mutter schrie auf und zog den kleinen Konny schützend an sich.

Ich kreischte, als das Ungetüm über mich hinwegsetzte und Konny plötzlich auf mir landete. Der große Konny. Der mehrere Kilo schwerer war als ich.

«Keine Panik», rief er meiner Mutter im Liegen zu, «ich hab alles unter Kontrolle.»

Als Konny sich berappelt hatte und aufstand, konnte ich sehen, was passiert war: Der Oberchaot hing an der Leine eines riesigen Hundes. Meine Mutter hatte sein Halsband ergriffen und ihn dadurch zum Stehen gebracht.

Konny grinste: «Entspannt euch, Leute. Alles im grünen Bereich.»

Von wegen. Ich flüchtete die Treppe hoch. Aus sicherer Entfernung rief ich: «Ein Hund!»

«Danke für den Hinweis, Sanny, wir hätten ihn alle für ein Meerschweinchen gehalten!»

«Konstantin!», fauchte meine Mutter wütend. «Was soll der Hund hier?»

«Na, denkst du, mir macht es Spaß, einen Spürhund zu organisieren und die ganze Gegend zu durchstreifen, um meinen kleinen Bruder zu suchen?»

«Darum hatte ich dich ja auch gar nicht gebeten. Du solltest den Kleinen nicht aus den Augen lassen! Du solltest verhindern, dass er wegläuft und wir ihn suchen müssen.»

«Hab ich ja!», rief Konny instinktiv. Dann begriff er, dass er damit ziemlich danebenlag, die Tatsachen erzählten eine andere Geschichte. «Hab ich ja versucht», korrigierte er sich. «Aber du weißt doch, wie er ist, eine Minute kehrt man ihm den Rücken, und schon ist er weg.»

Meine Mutter stöhnte. «Okay, ich hab jetzt keine Lust auf eine Gardinenpredigt, schaff den Hund weg.»

Konny zögerte einen kleinen Moment, dann sagte er so selbstverständlich wie möglich: «Das ist unser Hund.»

«Wie bitte? Das ist nicht unser Hund. Als ich vor zwei Stunden das Haus verlassen habe, hatten wir noch keinen Hund!»

«Tja, so schnell kann das gehen. Nun haben wir einen.»

«Haben wir nicht!», fauchte meine Mutter zurück.

«Ich will keinen Hund!», schaltete ich mich ein.

«Ich will aber einen Hund», rief mein kleiner Bruder, ging zu dem Zotteltier und legte seine Arme um seinen Hals. «Ich nenn ihn Puschel.»

«Er heißt aber Karl», widersprach Konstantin.

«Halt, stopp!», rief meine Mutter. «Kommt überhaupt nicht in Frage!»

«Na gut», meinte Konstantin versöhnlich, «wenn dir Karl nicht gefällt, kannst du einen Namen für ihn aussuchen, Mam.»

Meine Mutter schnappte nach Luft. «Ich will keinen Hund hier im Haus. Keinen Karl und keinen Puschel. Es ist anstrengend genug mit euch!»

Konny machte ein beleidigtes Gesicht. «Also, weißt du, da macht man sich Gedanken, gibt sich Mühe, treibt einen Hund auf, damit der kleine Bruder einen Spielkameraden hat, und was passiert? Undank. Vorwürfe.»

«Jetzt mal langsam, Konstantin! Wenn wir ein Haustier in unsere Familie aufnehmen, dann wird das erst besprochen. Du kannst nicht einfach einen Hund anschleppen und erwarten, dass ich hier vor Freude auf und nieder springe.» Ihr Blick fiel auf den kleinen Konny, der den Hund herzte und küsste. «Auch wenn es noch so nett gemeint war.»

«Ich will aber einen Hund!», rief mein kleiner Bruder erneut.

Meine Mutter blitzte Konstantin wütend an und meinte: «Wir sprechen später darüber.»

Sie ging in die Küche und hatte glücklicherweise

vergessen, dass ich ihr helfen sollte. Ich huschte schnell in mein Zimmer.

Kurze Zeit später hörte ich das Auto meines Vaters vorfahren. Hoffentlich hatte der genug Verstand, den Hund wieder vor die Tür zu setzen. Wenn ich viel Glück hatte, vielleicht sogar zusammen mit Konstantin.

4. Kapitel, in dem Konny
ein ernstes Gespräch mit
seinem Vater hat

Meine Mutter hatte meinen Vater wohl dazu verdonnert, ein Verhör mit mir durchzuführen. Aber das war kein Problem. Er kam aus dem Büro und war müde, wie jeden Abend. Da hörte er eh nicht richtig zu und wollte bloß seine Ruhe haben.

Er zitierte mich ins Wohnzimmer, setzte sich auf die Couch und schaute mich wortlos an. Erst dachte ich ja, er wäre sauer, aber dann bemerkte ich, dass er nur angestrengt nachdachte.

«Was wollte ich von dir?», murmelte er.

Da ich meinen Vater mag, half ich ihm. Außerdem wollte ich dieses Gespräch hinter mich bringen, wir führten es ja nur seiner Frau zuliebe.

«Es geht um den Hund.»

«Ach ja», strahlte er. «Also, wo hast du diesen Hund her?»

«Das war gar nicht so leicht. Ich hab ihn Kai abgequatscht», erläuterte ich. «Hat keinen Pfennig gekostet.» So was mochte mein Vater.

Er war tatsächlich beeindruckt.

«Und wenn man seine Größe bedenkt, also für geschenkt ist das ziemlich viel Hund», fuhr ich fort. «Winzige Hunde kosten manchmal schon 500 Euro und mehr.»

«Tja, aber je größer die Hunde sind, desto mehr fressen sie auch», gab mein Vater zu bedenken.

Hm, er war doch etwas wacher, als ich angenommen hatte.

«Der nicht», beruhigte ich ihn. «Der frisst kaum was.»

«Sagt wer?»

«Kai.»

«Kai, der Schmalspur-Einstein, ja, ja», nickte mein Vater freundlich.

Okay, da hatte mein Vater einen Punkt, dieses Argument war nicht überzeugend.

«Aber er kann sich doch selbst sein Futter besorgen. Ist ja schließlich ein Hund, und in der freien Wildbahn müssen die sich ja auch irgendwie durchschlagen. Und du meckerst doch immer über die Kaninchen und die Maulwürfe im Garten, die kann sich Karl fangen.»

«Karl?», wiederholte mein Vater.

Treffer!

«Na klar: Karl! Oder denkst du, ich würde mir einen Hund schenken lassen, dessen Name nicht mit K anfängt?»

Mein Vater strahlte über so viel Familiensinn.

Okay, der Hund blieb.

Meine Mutter hatte Konny inzwischen ins Bett gebracht und kam nun ins Wohnzimmer. Sie setzte sich bequem in den großen Sessel. «Und? Hast du ihm erklärt, dass der Hund wieder geht?», erkundigte sie sich bei meinem Vater.

«Karl?»

«Nenn ihn nicht Karl, als ob er bereits zur Familie gehört!», schimpfte sie.

«Ach komm, wieso sollen wir denn keinen Hund haben?»

«Aus einem einzigen Grund: weil es mir zu viel Arbeit ist!»

«Na hör mal, so viel Arbeit macht so ein Hund gar nicht. Und du bist doch eh den ganzen Tag zu Hause, hast bloß den Haushalt und den kleinen Konny. Die Großen sind doch keine Belastung! Vieles erledigt sich inzwischen doch von selbst!»

Ich schöpfte Hoffnung. Wenn sie dieses Thema anschnitten, dann bestand für mich die große Chance, bald raus zu sein.

Ich stand auf, um mich möglichst unauffällig zu verdrücken. Bevor ich an der Tür war, hörte ich ihn sagen: «Also dein Leben möchte ich haben. Ich würde sofort mit dir tauschen, daheim bleiben und den Haushalt und die Kinder versorgen, statt mich tagtäglich im Büro abzuplagen, mit nervigen Angestellten und schlecht gelaunten Kunden.»

«Wie bitte?», zischte meine Mutter am Rande der Beherrschung.

Jetzt wurde es spannend! Ich blieb stehen.

«Na, ist doch wahr!», setzte mein Vater nach. «Du kannst dir deine Zeit frei einteilen. Wenn du heute keine Lust hast, zu waschen oder aufzuräumen, dann machst du es halt morgen. Du bist dein eigener Chef.»

«Ich bin überhaupt nicht mein eigener Chef, ich bin der Familiensklave!»

«Sag Bescheid, wenn du tauschen willst», meinte mein Vater.

Fehler. Megagroßer Fehler.

Meine Mutter wurde auf einmal ganz ruhig, stand auf, stellte sich vor meinen Vater und meinte kühl und gelassen: «Okay, wie du willst, mein Lieber, wir tauschen. Du machst den Haushalt und kümmerst dich um die Kinder, ich geh ins Büro.»

Mein Vater begriff den Ernst der Situation nicht und lachte. «Wenn das so einfach wäre! Glaub mir, ich wäre der Erste, der begeistert darauf einginge.»

«Gut!» Die Stimme meiner Mutter wurde noch eine Spur eisiger. «Es ist ganz einfach. Ab morgen geh ich ins Büro.»

Ich grinste. Das war gar nicht so unmöglich, wie es sich vielleicht anhörte, denn meine Eltern haben ein Architekturbüro, in dem meine Mutter sowieso schon von Zeit zu Zeit mitarbeitet. In den entscheidenden Dingen, wie etwa Entwürfen, war sie ebenso fit wie mein Vater. Er traf sich mit Kunden und stiefelte über Baustellen, gab Handwerkern Anweisungen und hielt die Sekretärin und die Reinzeichner auf Trab. Und Leute auf Trab halten konnte meine Mutter ebenso gut. Das wusste ich am allerbesten.

«Äh, ehm, ist ja alles gut und schön, aber du stellst dir das ein bisschen zu leicht vor.» Meinem Vater war mulmig geworden.

«Na, lass es mich mal versuchen. Du bekommst mein schönes Leben. Und ich nehme dein anstrengendes!»

Mein Vater wollte sich nicht so leicht geschlagen geben. «Wir können doch nicht einfach so mir nichts, dir nichts die Rollen tauschen.»

«Und wieso nicht? Es ist doch unser Büro, da können wir machen, was wir wollen!»

«Na, also ich weiß nicht», murmelte er.

Meine Mutter war nicht mehr zu bremsen: «Lassen wir's drauf ankommen. Ich kümmere mich ums Geschäft, und du kümmerst dich um den Haushalt. Und wenn du die Nase voll hast von Haushalt und Kindern und mich auf Knien anflehst, wieder arbeiten gehen zu dürfen, dann tauschen wir wieder.»

«Pff», machte mein Vater mit letzter Kraft, «auf den Knien anflehen ...» Dann sank er in sich zusammen.

«Dann ist also alles klar!», rief meine Mutter triumphierend und hatte erschreckend gute Laune.

Ich grinste meinen Vater an: «Wenn du jetzt Frau Kornblum wirst, sollen wir dich dann Mam nennen? Oder lieber Mami oder Mutti?»

«Raus!», knurrte mein Vater.

Meine Mutter wies schon die ganze Zeit mit ausgestrecktem Zeigefinger zur Tür und sah mich böse an.

«Macht ihr das tatsächlich, tauscht ihr beide jetzt die Rollen?»

«Raus!», fauchte meine Mutter nun ebenfalls.

Plötzlich waren sie wieder einer Meinung.

Das war kein gutes Zeichen.

5. Kapitel, in dem Sanny
eine stürmische
Begegnung mit Rob hat

Rob! Rob! Rob! Morgen früh würde ich mich in Rob verlieben! Ich konnte an nichts anderes mehr denken.

Wie würde unsere erste Begegnung verlaufen? Ich brauchte genaue Informationen. Pixi und Dixi mussten mir helfen. Ich hängte meine Halskette mit dem kleinen Herz ins Aquarium. Beide Fische kamen angeschwommen und kreuzten so knapp vor dem Herz, dass es fast nach einem Zusammenstoß aussah.

Was wollten sie mir damit sagen? Stürmische erste Begegnung? Liebe auf den ersten Blick? Große, immer währende Liebe?

Während ich noch rätselte, kam Konstantin in mein Zimmer gestürmt.

«Hey, gute Nachrichten: Unsere Eltern tauschen die Rollen!»

«Was soll das denn heißen?»

«Paps bleibt zu Hause, Mam geht arbeiten.»

«Und wer kümmert sich um den Haushalt?»

«Na Paps.»

«Paps kann das gar nicht!»

Konny nickte strahlend: «Ja. Das ist das Gute! Das

wird Chaos pur! Das wird die beste Zeit unseres Lebens!»

Ich schaute ihn verwirrt an, dann verstand ich und grinste. «Ach so!»

Konny nickte: «Genau. Keine Pflichten, keine Kontrolle, keine Vorwürfe, keine erzieherischen Maßnahmen mehr – wir sind frei!»

«Prima, dann sei jetzt mal so frei und verlass mein Zimmer.»

Ich musste dringend das Frage-Antwort-Spiel mit Pixi und Dixi weiterführen.

Aber Konny dachte nicht daran. Sein Blick fiel in meinen Wandspiegel, er fuhr sich selbstgefällig durch die Haare, lächelte bemüht cool und sagte: «Hi, mein Name ist Kornblum. Konny Kornblum.»

Ich würgte. «O nein, nicht die Bond-Nummer!»

«Sie kommt aber gut an bei den Frauen.»

«Nicht die Bohne. Und hör endlich auf, deine glitschigen Sprüche an meinen Freundinnen zu testen.»

«Ich teste keine Sprüche, ich bin verliebt!»

«Ach was?! In *alle* meine Freundinnen?!»

«Ja. Was kann ich dafür?!»

«Du spinnst! Das geht doch gar nicht. Man kann nicht in ein halbes Dutzend Mädchen gleichzeitig verliebt sein!»

«Ach?! Sagt die Expertin in Sachen Verliebtsein. Fang du erst mal mit einem einzigen Opfer an, bevor du mir etwas über Liebe erzählst.»

«Vielleicht will ich mich ja gar nicht verlieben.»

Konny lachte. «Das würde ich auch sagen, wenn ich zu dämlich dazu wäre!»

«Ich habe Gründe, mich nicht zu verlieben!»

«Ach? Nenn mir einen.»

«Ich nenn dir tausend, wenn du willst.»

Konny nickte herausfordernd: «Schieß los!»

«Grund Nummer eins: Man muss sich nicht mit einem solchen Torfhirn wie dir abgeben.»

Konny grinste.

«Grund Nummer zwei: Man muss sich nicht derartiges Dumm-Gesülze wie ‹Deine Augen sind wie funkelnde Sterne am Nachthimmel› anhören.»

Konny grinste noch breiter. «Ich sehe, du hast keine stichhaltigen Gründe. Die Trauben sind sauer, weil sie zu hoch hängen!»

Jetzt kam ich in Fahrt. «Blöde Sprüche sind deine Stärke! Ich kann dir seitenlang Gründe aufzählen, die gegen die Liebe sprechen.»

«Gegen Liebe kannst du eh nichts machen, die kommt von ganz alleine.»

«Hach! Von wegen!», rief ich. Ich war das beste Gegenbeispiel. «Ich halte Liebe für eine Erfindung von Werbeleuten, die damit ihre Produkte verkaufen wollen.»

«Tzz», machte Konny nur, «wie wäre es mit einer Verschwörung vonseiten der Regierung?»

«Die Filmindustrie hat garantiert ebenfalls ihre

Hände mit im Spiel.» Ich war in meinem Element. «Das beste Beispiel ist doch der Weihnachtsmann. Es gibt massenhaft Filme über den Weihnachtsmann, dabei weiß doch jeder, dass es ihn in Wirklichkeit gar nicht gibt. Aber weil er sich gut verkauft, hält man eisern an dem Glauben fest, es gäbe ihn.»

«Und?»

«Und? Denk doch nach, Torfnase! Mit der Liebe ist es genauso. Es gibt tausend Filme über die Liebe, also lassen uns die Marketingleute in dem Glauben, es gäbe sie. Und du bist das beste Beispiel, wie leichtgläubig die Leute sind. Du bist voll drauf reingefallen!»

Konny lachte dröhnend.

Ich war sauer: «Nenn du mir doch *einen* Grund, der dafür spricht, dass man sich verlieben sollte!»

«Es gibt *tausend* Gründe, wieso man sich verlieben sollte!», meinte Konny.

«Also pass auf, ich hab keine Lust, weiter mit dir zu streiten: Du schreibst eine Liste – ich schreib eine Liste. Dann werden wir ja sehen, ob es mehr Gründe dafür oder dagegen gibt!»

«Kein Problem, die kann ich dir in einer Viertelstunde geben. Wenn das eine Wette werden soll, verlierst du.»

«Pfhh ... glaubst du doch selbst nicht.»

Bevor Konny noch etwas erwidern konnte, platzte unsere Mutter dazwischen und schickte uns ins Bett.

Am nächsten Morgen wartete Liz bereits ungeduldig auf dem Schulhof. «Na endlich! Wo steckst du denn? Wir haben doch was vor!»

«Wo ist Rob? Hast du ihn schon gesehen?», erkundigte ich mich aufgeregt.

«Da ist er!», flüsterte sie mir zu und zeigte quer über den Schulhof.

Tatsächlich! Da stand Rob. Mit ein paar anderen Jungs. Er sah in Wirklichkeit noch besser aus. Er war perfekt. Diesmal würde es klappen. Ich war mir sicher.

«Und?», fragte Liz.

«Was ‹und›?»

«Spürst du ein Kribbeln im Bauch?»

«Nein.»

«Ist dir flau im Magen?»

Ich überlegte. «Ein bisschen.»

Liz strahlte. «Sehr gut. Das ist das erste Zeichen für Verliebtsein.»

Ich schüttelte den Kopf. «Überhaupt nicht. Das liegt daran, dass ich heute Morgen Orangensaft auf nüchternen Magen getrunken habe, das vertrag ich nicht so gut.»

«Schade! Schlägt dein Herz schneller?»

«Nein.»

«Feuchte Hände?»

«Nein.»

«O Sanny, dann hat es wieder nicht geklappt», meinte Liz enttäuscht.

«Ach was, ich hab doch mit dem Verlieben noch gar nicht angefangen.»

«Und was machst du jetzt?»

Ich fixierte Rob. «Ich schau ihn mir ganz genau an.»

«Und? Was passiert?», fragte Liz.

«Nichts.» Es war wirklich verflixt schwierig.

Liz atmete tief aus. «Dass du dich auf den ersten Blick in ihn verliebst, war Plan A. Jetzt kommt Plan B.»

«Ich muss ihn kennen lernen?»

«Ja, genau.»

Das hatte ich befürchtet.

Liz schaute mich erwartungsvoll an. «Du musst etwas machen, damit du ihm auffällst.»

«Ja, klar», nickte ich. «Aber was?»

«Was wir gestern besprochen haben. Lach laut, wirf den Kopf zurück, schüttle deine Haare und streich sie dir aus dem Gesicht.»

«O nein, das tu ich nicht», widersprach ich energisch. «Das ist absolut unwürdig! Außerdem ist er weg.»

Wir sahen uns um. «Himmel, Liz, es hat längst geklingelt. Wir sind die Letzten auf dem Schulhof. Wir müssen rein!»

Wir rannten zur Eingangstür.

In dem Moment kam jemand rausgerannt. Treffer! Wir prallten zusammen, und ich lag auf dem Boden. Liz hatte Glück gehabt, sie war rechtzeitig ausgewichen. Machte sie mir deshalb das Daumen-hoch-Zeichen?

«’tschuldigung, hab dich nicht gesehen», meinte mein Unfallgegner und hielt mir die Hand hin, um mir beim Aufstehen zu helfen.

Mir war fast schwarz vor Augen, nur ein paar helle Sternchen sah ich kreisen. Und Liz, die mich anstrahlte.

Ich rappelte mich hoch und fauchte den Typen an: «Kannst du nicht aufpassen!»

Liz kam entsetzt dazu: «Das meint sie nicht so!»

«Natürlich mein ich das so!», blaffte ich. Was war denn mit Liz los?

Der Typ kümmerte sich nicht weiter um uns und lief zur Tür raus.

Liz schüttelte ärgerlich den Kopf. «Das war Rob! Wie kannst du nur! So eine einmalige Chance! Und ich war schon total stolz auf dich, weil ich dachte, wie clever du Plan C eingefädelt hast!»

«Plan C?»

«Körperkontakt!», schimpfte Liz. «Es war perfekt, und du verdirbst alles!»

Ich war mit Rob zusammengeknallt?

Ich schaute auf den Schulhof. Tatsächlich. Dort war Rob und holte seine Schultasche, die er wohl vergessen hatte. Er sah wirklich süß aus.

Ich war mit Rob zusammengeknallt!

«Und, spürst du was?», fragte Liz.

Ich nickte.

Liz strahlte. «Sehr gut. Was?»

«Einen unangenehmen Schmerz in der Steißbeingegend.»

Liz stöhnte. «Ich rede von einem freudigen Schreck oder so. Etwas, woraus wir schließen könnten, dass du dich in ihn verliebt hast.»

Ich schüttelte den Kopf.

«Das ist kein gutes Zeichen!», unkte Liz.

«Quatsch, ist doch alles bestens. Plan B hat hervorragend geklappt. Ich hab ihn kennen gelernt. Sobald ich mal länger mit ihm gesprochen habe, werde ich mich in ihn verlieben. Ganz bestimmt.»

Während des Physikunterrichts dachte ich nach. Was wäre, wenn ich mit meiner Vermutung Recht hätte und Liebe nur eine Erfindung war? Was wäre, wenn Liebe nicht wirklich existierte? Warum fielen dann alle drauf rein?

Ich schlug mein Heft auf.

Ganz ohne Zweifel war es gut, dass ich mich nicht verliebt hatte. Denn wenn ich jetzt in Rob verliebt wäre, dann würde ich permanent an ihn denken. Ich könnte mich im Unterricht nicht mehr konzentrieren, weil ich nur noch Rob im Kopf hätte. Und nachmittags könnte ich keine Hausaufgaben mehr machen, weil ich mich erstens nicht mehr an den Unterricht erinnern würde und zweitens ja auch dann nur Rob im Kopf hätte. Meine Noten würden sich drastisch verschlechtern, ich bräuchte Nachhilfe, aber auch das würde nichts nützen, weil ich mich auch dann nicht konzentrieren könnte. Womöglich würde ich all meine Schulhefte mit seinem Namen voll kritzeln und überall Herzchen hinmalen. Ich wäre nicht mehr ich selbst. Ich würde eine Persönlichkeitsveränderung durchmachen, meine Eltern würden …

Ganz schwach, wie aus weiter Ferne hörte ich jemanden meinen Namen rufen. Dann bekam ich einen Stoß in die Seite und Liz zischte: «Sanny.»

Ich schaute sie erstaunt an. «Was denn?»

Liz deutete mit dem Kopf nach vorn.

Unser Physiklehrer schaute mich erwartungsvoll an und mit ihm die gesamte Klasse.

«Also, Kassandra, nachdem du jetzt wieder unter uns weilst, wärst du bitte so nett und würdest uns dein Ergebnis vorlesen?»

«Äh, ehm, klar», ich war ziemlich verwirrt, offensichtlich hatte der Unterricht begonnen, ohne dass ich etwas davon mitbekommen hatte. Ich schaute in mein Physikheft und erschrak: Dort stand mindestens zehnmal der Name «Rob». Ich blätterte in Panik durch das Heft: Gott sei Dank keine Herzchen.

«Was ist, Kassandra? Hören wir heute noch von dir?»

Ich wurde rot und murmelte zerknirscht: «Tut mir Leid, ich hab nicht aufgepasst.»

Na, das waren doch mindestens ein Dutzend Gründe, wieso man sich nicht verlieben sollte!

Jemand anders kam dran.

Plötzlich fiel es mir auf: «Mein Gott!»

Das war's! Ich hatte meine «stürmische Begegnung», wie von Pixi und Dixi vorhergesagt. Der Zusammenprall mit Rob! Die Zeichen stimmten. Pixi und Dixi hatten Recht. Hach! Rob war der Richtige. Ich durfte nicht aufgeben!

«Fühlst du dich nicht wohl, Kassandra?», fragte mein Physiklehrer besorgt.

Ich strahlte ihn an: «Ich fühl mich pudelwohl!»

6. Kapitel, in dem Konny
bei Kim abblitzt

«James Bond, sag ich euch! Der kommt gut an!» Kai und Felix erfuhren in der Pause auf dem Schulhof von meinem neuesten Erfolgsgeheimnis bei Mädchen.

Felix nickte und grinste: «Genau, das sehen wir ja bei dir. Mit deiner Bond-Nummer kriegst du immer die meisten Lacher bei den Mädchen.»

«Blanker Neid!», knurrte ich. Felix hatte keine Ahnung.

«Also ich bin echt beeindruckt, Konny», tröstete mich Kai. «Ich finde es klasse, wie du Mädchen anquatschst. Aber wieso reagieren einige genervt?»

«Sie reagieren nicht genervt, sondern unsicher, weil sie verliebt sind.»

«In wen?», fragte Kai.

«In mich, du Trottel.» Kai brauchte dringend Nachhilfe in Sachen Liebe. «Wenn man verliebt ist, legt man manchmal ein etwas ungewöhnliches Verhalten an den Tag. Um seine echten Gefühle zu verbergen, ist man manchmal unverschämt zu jemandem, den man eigentlich gerne mag.»

Felix wieherte vor Lachen. «Du musst's ja wissen!»

«Was ist? Zweifelst du an meinen Fähigkeiten, ein

Mädchen zu erobern? Nenn mir irgendeine aus unserer Klasse, und ich geh morgen mit ihr ins Kino. Oder heute noch, wenn du willst!»

Felix überlegte. «Aus unserer Klasse?»

Ich nickte.

Er schüttelte den Kopf. «Zu leicht, die Hühner liegen dir ja eh fast alle zu Füßen.»

«Sag ich doch.»

Felix blickte auf dem Schulhof umher, sein Blick blieb an Kim hängen. «Wie wäre es mit einer aus der Parallelklasse?»

Mist! Bitte nicht Kim! Bloß nicht Kim! Kim ist total süß. Und total schwierig.

«Kim!», grinste Felix.

«Wieso Kim?», fragte Kai.

«Weil Kim ihn immer wieder abblitzen lässt.»

«Kim lässt mich nicht abblitzen. Sie ist einfach schüchtern», stellte ich sofort klar.

Felix machte eine einladende Geste: «Beweise es!»

Verflixt!

Kim kam direkt auf uns zu.

Hey! Sie lächelte.

Oje. Wenn Kim lächelte, bekam ich immer Kreislaufprobleme. Mein Gott, sie strahlte ja förmlich. Jetzt cool bleiben.

Sie winkte auch noch.

Mein Herzschlag setzte aus. Mist, so nah am Ziel und dann tot.

Ich versuchte meinem Arm den Befehl zu geben, sich lässig nach oben zu bewegen und zurückzuwinken.

«Alles okay?», fragte Felix und rückte ein wenig von mir ab.

Meine Hand wedelte in der Luft herum, als wollte ich Mücken verscheuchen.

«Soll ich mitwinken?», fragte Kai hilfsbereit.

Mist, Mist, Mist. Immer bin ich cool, nur bei Kim stell ich mich an wie ein Neandertaler.

Kim stand fast vor mir. Jetzt aber volle Konzentration.

«Hey, Kim», wollte ich mit dunkler, verführerischer Stimme raunen. Aber leider kam nur ein nervöses Kieksen heraus, das nach Schluckauf klang.

«Luft anhalten und dreizehnmal hintereinander trocken schlucken», half Kai.

Ich räusperte mich und startete einen neuen Versuch. «Hey, Kim!»

Kim reagierte nicht.

«Hey, Kim», brüllte ich nun. «Was hältst du von einem Kinonachmittag. Du und ich. Wir beide?»

Kim hatte offenbar ernsthafte Probleme mit ihren Ohren. Der ganze Schulhof hatte sich bereits nach mir umgesehen, aber Kim rauschte an mir vorbei, als wäre ich Luft. Ich drehte mich um und sah, wie sie hinter mir zwei Mädchen um den Hals fiel. Verdammt!

Sie hatte den Hühnern hinter mir zugewinkt und nicht mir. Sie hatte mich gar nicht wahrgenommen.

Liz und Sanny hatten mich dafür umso mehr wahrgenommen, und Sanny grinste schadenfroh. Immerhin hatte die gute Liz einen Anflug von Mitleid im Gesicht.

«Na, erfolgreich gewesen?» Felix' Stimme holte mich wieder in die Welt der Tatsachen zurück.

Mir war total schlecht! Grottenerbärmlich hatte ich mich angestellt. Teufel auch! Wie konnte das nur passieren! Jetzt hieß es Haltung bewahren, immer schön cool bleiben. Ich hatte schließlich einen Ruf zu verlieren.

Ich drehte mich zu Felix und Kai und meinte betont lässig: «Nur nichts überstürzen!»

«Soll ich mal ein gutes Wort für dich bei Kim einlegen?», fragte Felix.

Ich fand, nun trieb er es doch auf die Spitze.

«Bei Kim hab ich eine andere Strategie», sagte ich knapp und hoffte, das Thema damit erledigt zu haben.

«Klar, die ‹Ich-mach-mich-zum-Deppen-Strategie›», grinste Felix blöd.

Nach dem Unterricht lungerten Kai, Felix und ich noch etwas vor der Schule rum und quatschten Mädchen an. Ich wollte unbedingt meine Blamage von heute Vormittag wieder gutmachen und war so eifrig dabei, dass ich aus Versehen sogar meine eigene Schwester anflirtete, als sie mit Liz an mir vorbeiging.

Plötzlich stand Kim vor mir.

Erst als Sanny mir auf den Arm klopfte, erkannte ich

sie. Jetzt oder nie. Ich musste sie einfach dazu bringen, mit mir zu reden. Ich holte tief Luft.

«Hey, Kim», ich lächelte sie verführerisch an, «du Sonne meiner dunklen Tage!»

Kim blickte mich verächtlich an. «Lern doch mal ein paar neue Sprüche.»

Ich zuckte leicht zusammen. Okay, die Nummer zog bei ihr nicht. Zweiter Versuch. «Wann gehen wir mal zusammen ins Kino?»

«Wenn Schweine fliegen oder die Hölle zufriert.»

Alles klar. Dritter Versuch.

«Und wenn ich heute Nachmittag unbändige Sehnsucht nach dir empfinde, wo kann ich dich treffen?»

Kims Augen verengten sich zu schmalen Schlitzen, dann lächelte sie plötzlich und sagte: «Auf dem Spielplatz im Park.»

Wow, ich konnte es nicht glauben.

«Ich werde da sein!», versprach ich.

Kim lächelte süßlich: «Ich kann es kaum erwarten!»

Sie drehte sich um und ging. Ich schaute ihr verträumt nach. Ich hatte eine Verabredung. Mit Kim. Plötzlich hatte ich wieder das Kreislaufproblem. Und eine Ganzkörper-Totallähmung.

Als die Körperstarre nachließ und ich mich wieder bewegen konnte, schleppte ich mich zurück zu Kai und Felix.

«Habt ihr das eben gesehen?», jubelte ich ihnen zu.

«Was?», fragte Felix.

Ich konnte es nicht fassen, diese Trottelnasen hatten sich doch tatsächlich miteinander unterhalten und den großen Augenblick meines Triumphes verpasst.

«Ich bin mit Kim verabredet!», rief ich. «Ich hab eben mit ihr gesprochen!»

«Ja, klar. Und wovon träumst du nachts?!», lachte Felix.

Ich schaute ihn ärgerlich an. Ich würde es ihm beweisen. «Hey, was haltet ihr davon, wenn wir heute Mittag zusammen den Hund ausführen?»

Kai strahlte: «Frankenstein?»

«Karl!»

«Hat deine Mutter dich dazu verdonnert, mit dem Hund Gassi zu gehen?», fragte Felix.

«Natürlich nicht! Aber ein Hund ist ein Mädchenmagnet. Alle Mädchen lieben Hunde. Das ist eine total sichere Sache», versuchte ich Felix zu locken.

«Aber eigentlich wollten wir doch angeln gehen!», warf Kai ein.

«Mir ist heute nicht nach Fischstäbchen», winkte ich ab.

Die Sache mit den Fischstäbchen war unser bestgehütetes Geheimnis. Felix, Kai und ich gingen nämlich regelmäßig angeln. Und unsere Beute verspeisten wir stets an Ort und Stelle, nachdem wir sie auf einem zünftigen Grillfeuerchen gebraten hatten. Zumindest war das der Plan. Als sich jedoch gleich beim ersten Mal herausstellte, dass keiner von uns dreien bereit war, einen der geangelten Fische zu töten, warfen wir die Fische wieder ins Wasser und grillten stattdessen Fischstäbchen. Keiner von uns war besonders scharf auf Fisch, auch nicht auf Fischstäbchen, aber Fischstäbchen kamen unserem eigentlichen Plan immerhin am nächsten.

«Also, wir sehen uns dann um drei bei mir», beendete ich die Diskussion.

Felix würden seine dummen Sprüche schon vergehen, wenn er Augenzeuge eines Treffens mit Kim wurde.

Und Kim würde bestimmt kommen!

Oder?

7. Kapitel, in dem Sanny
sich verlieben übt

«Verliebtsein lenkt von den wirklich wichtigen Dingen im Leben ab. Während man Tagträumen nachhängt, läuft das Leben an einem vorbei.» Ich sollte Hausaufgaben machen, saß aber über meiner Liste mit den 1000 Gründen, warum es besser war, sich nicht zu verlieben. Konny hat noch nicht mal angefangen, ich würde ihn lässig schlagen.

Wenn ich jetzt noch ein paar körperliche Beschwerden aufzählen könnte, die durch Verliebtsein verursacht werden, hätte ich sogar medizinische Gründe, die dagegensprachen.

Tzz! Ich würde meinem Bruder schon beweisen, dass er auf dem Holzweg war. Ich konnte gar nicht so schnell schreiben, wie mir Gründe einfielen.

Außerdem konnte ich anhand der Liste auch erklären, warum ich mich nicht verliebte, wenn ich mich nicht verliebte. Was allerdings nicht bedeutete, dass ich aufgab. Und Rob schon gar nicht. Er war wirklich ganz süß.

«Bist du endlich fertig mit den Hausaufgaben?», drängelte Liz, die mir gegenüber am Tisch saß. Sie war nach der Schule bei mir vorbeigekommen.

«Noch nicht», sagte ich und schob schnell mein Heft unter ein paar Schulbücher. Liz sollte möglichst nichts von meiner Liste mitbekommen. Das würde sie sonst bestimmt frustrieren, wo sie sich doch so viel Mühe gab, mir beim Verlieben zu helfen. Ich holte mein Physikheft raus und radierte erst mal alle offensichtlich in geistiger Umnachtung hingekritzelten «Robs» weg. Hatte ich das eigentlich auf meiner Liste notiert? Dass man sein eigenes Eigentum beschädigte? Ohne dass man dessen gewahr wurde. Geistige Umnachtung eben. Das zählte zu den medizinisch wichtigen Gründen gegen das Verlieben. Und das sogar nur bei dem Gedanken an Liebe. Denn ich war ja nicht verliebt, ich hatte ja bloß darüber nachgedacht. Wie schlecht musste es einem gehen, wenn man richtig verliebt war?

Ich kramte meine Liste doch nochmal vor.

«Liebe führt zu Vandalismus», schrieb ich dazu. Sieht man ja an den beschmierten Hauswänden. Sachbeschädigung, eindeutig. «Liebe macht kriminell.»

«Bist du jetzt fertig? Los, lass uns Plan C besprechen. Deine Hausaufgaben kannst du auch noch später machen», entschied Liz und stellte sich ungeduldig hinter mich.

Ich hatte meine Liste wieder versteckt und machte mir deshalb eine geistige Notiz: «Man macht keine Hausaufgaben mehr, wenn man verliebt ist.»

Liz schob meine Schulsachen zur Seite und setzte sich auf meinen Schreibtisch.

«Vielleicht lassen wir das mit Rob lieber, das scheint zu kompliziert zu sein», meinte sie.

«Nein!», rief ich sofort. Ich war eindeutig auf dem richtigen Weg. Pixi und Dixi waren dafür, sie hatten die stürmische Begegnung vorausgesagt, und ich hatte mir geschworen: Rob oder keiner. «Ich muss nur noch mehr üben, ich krieg das schon hin.»

Liz machte ein zweifelndes Gesicht.

«Es bleibt bei Rob!», entschied ich energisch.

Liz grinste: «Hast du dich etwa doch schon in Rob verliebt?»

«Nein, ich glaube nicht. Aber wir haben ja auch noch nicht alles probiert. Lass uns jetzt nochmal Plan B angehen. Wie komme ich mit ihm ins Gespräch, sodass er sich in mich verliebt?»

«Wir müssen flirten üben.»

Den ganzen Nachmittag probierte ich Liz' Vorschläge aus. Den Kopf neigen, lächeln, Augenaufschlag und so weiter.

Liz lag lachend auf dem Fußboden. «Ein Naturtalent bist du sicher nicht, Sanny!»

«Wie kommst du bloß auf die Idee, dass ein solch albernes Getue wirklich etwas bringen soll?!», schimpfte ich.

«Na, in jedem Film kann man das sehen. So schafft es die Heldin immer, den Mann ihrer Träume zu erobern. Wenn du dich genau an diesen Ablauf von Gestik und Mimik hältst, führt das unweigerlich dazu, dass sich dein Gegenüber in dich verliebt und dich küsst.»

Ich knurrte. «Filme! Hollywood! Werbung! Das ist ein groß angelegtes Komplott! Die legen uns alle rein! Verdienen sich dumm und dusselig daran, dass sie uns die ganze Sache mit der Liebe einreden.»

Liz schüttelte den Kopf: «Wo hast du denn diesen Unsinn her?»

«Ach Liz! Es kann einfach nicht der richtige Weg sein, wenn ich mich auf dem Schulhof vor ihn hinstelle und den Kopf schief lege», schimpfte ich.

«Doch, du musst nur üben. Es muss ganz natürlich aussehen. Am besten, du probierst es an deinem Bruder aus.»

«Nie im Leben», rief ich entsetzt.

Liz nickte. «Ja, blöde Idee. Dann an einem seiner Freunde.»

«Kai?», fragte ich spöttisch.

Liz schüttelte den Kopf. «Nein, den erschreckst du bloß. Kai ist noch zu naiv. Der kapiert das nicht. Der dackelt nur immer hinter deinem Bruder her und weiß gar nicht, worum es geht. Nimm besser Felix.»

«Felix?! Der ist einen halben Kopf kleiner als ich.»

«Hör zu, die Zeit drängt, wer weiß, wann du Rob wieder begegnest, du kannst also nicht besonders wählerisch sein!», mahnte Liz. «Du musst üben!»

Okay, verstanden. Üben, üben, üben. Von wegen: Liebe kommt von selbst!

Meine Liste mit den Gründen, die gegen das Verlieben sprachen, wurde immer länger.

Liz sprang auf. «Ist Felix gerade bei deinem Bruder?»

«Hoffentlich nicht.»

«Hoffentlich doch, komm, lass uns nachsehen!»

Konnys Zimmer war glücklicherweise leer.

«Ich brauch was zum Knabbern, ich bin nervös», sagte ich.

Wir gingen runter Richtung Küche, um Chips zu holen.

Meine Mutter stand am Fenster, schaute nach draußen in den Garten und lächelte versonnen. «Ich glaube, Konny mag den Hund. Er ist heute noch kein einziges Mal weggelaufen. Vielleicht war die Idee mit Puschel doch nicht so übel.»

«Er heißt Karl!», hörte ich Konstantins ärgerliche Stimme aus dem Wohnzimmer.

Liz und ich gingen in die Küche und durchstöberten den Schrank.

«Keine Chips?», beschwerte ich mich bei meiner Mutter.

Sie tat total theatralisch: «O mein Gott, keine Chips! Es tut mir so Leid! Was bin ich doch für eine schlechte Mutter! Wie kann so was passieren!»

Liz kicherte, ich ärgerte mich.

«Chips gehören zu den Grundnahrungsmitteln von Teenagern! Wie soll ich ohne Chips denn denken!»

Meine Mutter grinste: «Was baldowert ihr denn wieder aus?»

«Wir üben sich verlieben.»

«Liz!», fauchte ich ärgerlich.

«Mit Chips?», fragte meine Mutter.

«Nein, aber Sanny kann sich besser konzentrieren, wenn sie dabei Chips isst», setzte Liz unbekümmert das Gespräch mit meiner Mutter fort.

«Sich verlieben muss man nicht üben, das kommt von selbst», erklärte meine Mutter Liz.

Liz zuckte die Schultern: «Nicht bei Sanny. Sie kann sich nicht verlieben.»

«Sie kann sich ja von Konny Nachhilfe geben lassen.»

«Pah», mischte ich mich nun in das Gespräch der beiden ein, «ich will ja Erfolg haben und keine Lachnummer werden wie er.»

Meine Mutter schaute mich interessiert an. «Wie kommst du auf die Idee, dass du dich nicht verlieben kannst?»

«Na, weil's nicht klappt. In meinem ganzen Leben war ich noch kein einziges Mal verliebt!»

«Kind, du bist erst dreizehn. Lass dir Zeit!»

«Okay, selbst wenn ich mich aufs Warten einlassen würde, dann frag ich dich aber, wieso sich kein Junge in mich verliebt!»

«Na, weil Jungs dieselben Probleme damit haben wie Mädchen. Man verliebt sich nicht auf Kommando.»

Ich schaute sie spöttisch an, sie wusste, was ich sagen würde, und kam mir zuvor: «Konny ist kein gutes Beispiel. Er ist nicht normal.»

«Du willst mich ja bloß trösten!», schimpfte ich.

Meine Mutter nickte. «Würde ich wirklich gern. Ich weiß nur nicht genau, wie.» Dann lächelte sie. «Ach weißt du, Sanny, du darfst das alles nicht so ernst nehmen. Du hast wahrscheinlich einfach noch nicht den richtigen Jungen getroffen!»

«Wir haben durch Konny jede Menge Jungs im Haus!»

«Ich glaube nicht, dass Jungs, die mit Konny befreundet sind, eine gute Wahl wären. Du musst mal andere Jungs kennen lernen!»

Wollte ich ja!

Ich zog Liz aus der Küche und schimpfte: «Wie kannst du nur mit meiner Mutter darüber reden! Ich glaub's ja nicht!»

«Wieso denn? Was ist denn dabei?»

«Was versteht denn meine Mutter davon?!», zischte ich.

«Aber sie ist doch verheiratet.»

«Mit meinem Vater!»

«Los, lass uns weiterüben», drängte Liz.

«Ja, aber nicht mit Felix. Lieber wieder vor dem Spiegel!«

8. Kapitel, in dem Konny
einen Eimer bekommt

Kai, Felix und ich hatten es mit Karl bereits bis zum Gartentor geschafft, da riss meine Mutter die Haustür auf: «Konny! Du hast Konny vergessen!», und schob den Knirps zur Tür raus.

Verflixt.

«Sag mal, könnt ihr euch keinen Extranamen für deinen kleinen Bruder leisten?», fragte Felix.

«Schnauze», knurrte ich bloß.

Felix musste sich ständig darüber lustig machen, es ging mir wirklich auf den Keks.

«So unpraktisch ist das gar nicht», fing nun auch noch Kai an. «Wenn man …»

«Klappe, Kai», befahl ich.

Konny kam angelaufen und nahm mir die Leine aus der Hand. «Ich nehm Puschel», meinte er.

«Puschel?!», fragten Felix und Kai entgeistert.

«Der Hund heißt Karl», korrigierte ich.

«Nein, er heißt Puschel», widersprach Konny.

«Sag mal, mit Namen habt ihr's ja wohl», fing Felix wieder an. «Na, das wird ja ultracool, wenn Konny im Park steht und ‹Puschel› ruft. Da liegen uns die Mädels reihenweise zu Füßen.»

«Ich muss ihn ja nicht rufen, er ist angeleint», versuchte ich Felix zu beruhigen.

«Und was sagst du, wenn dich ein Mädchen fragt, wie der Hund heißt?»

«Karl, sag ich dann. Er heißt ja Karl.»

«Er heißt Puschel», mischte sich Konny wieder ein.

Ich sah da ein echtes Problem auf uns zukommen. Aber Felix hatte eine Idee.

Er legte meinem kleinen Bruder die Hand auf die Schulter und meinte: «Hör mal zu, Konny ...»

«Ich heiß auch Puschel, genau wie mein Hund», fiel Konny ihm ins Wort.

Felix starrte mich an, ich zuckte die Schultern.

«Ähm, also Puschel, pass mal auf ...»

«Wen meinst du jetzt?», fragte der Knirps. «Puschel, den Hund, oder Puschel, der früher mal Konny hieß?»

«Dich mein ich», sagte Felix und bohrte seinen Zeigefinger in die Brust meines Bruders. «Also, wir gehen jetzt zum Spielplatz ...»

«Zum Spielplatz?», fragte Kai erschüttert.

«Ja», beruhigte ich ihn, «da hängen die Mädchen rum.» Und Kim. Aber das sagte ich nicht.

«Auf dem Spielplatz?», quiekte Kai schon wieder. «Dann würde ich doch lieber angeln gehen. Ich hab keine Lust, eine Freundin für deinen kleinen Bruder zu suchen.»

«Du Knallerbse. Da hängen die Mädchen in *unserem* Alter rum.»

«Ach, wirklich?», wunderte sich Kai.

«Also, wenn wir auf dem Spielplatz sind», setzte Felix sein Gespräch mit Konny fort, «dann spielst du irgendwas. Okay?»

«Was denn?», erkundigte sich mein Bruder.

«Na, irgendwas halt, du schaukelst oder so, das ist egal. Wichtig ist nur, dass du so tust, als ob du nicht Konnys Bruder wärst. Okay?»

«Okay», nickte der Kleine.

Felix schaute mich triumphierend an. «So, Problem gelöst.»

Der kleine Konny zupfte ihn am Ärmel. «Soll ich so tun, als ob ich dein Bruder wäre?»

Felix schaute ihn entsetzt an. «Nein! Du tust so, als ob du uns nicht kennen würdest. Als ob wir Fremde wären. Verstanden?!»

Konny überlegte eine Weile, dann nickte er. «Kann ich machen.»

Ich war derart aufgeregt, dass ich es kaum schaffte, einen Fuß vor den anderen zu setzen. In wenigen Minuten würde ich Kim treffen!

Felix schaute mich an: «Sag mal, wenn ich dir kräftig auf die Nase boxe, kriegst du dann das dämliche Grinsen aus deinem Gesicht?!»

«Bitte? Was soll'n das!»

Kai ging dazwischen und meinte: «Ist doch schön, wenn Konny gute Laune hat.»

Ich hatte danach leider keine gute Laune mehr, und als wir auf dem Spielplatz ankamen, bekam ich sogar ausgesprochen schlechte Laune, denn es sah so aus, als ob trotz sorgfältiger Planung die ganze Aktion der totale Reinfall werden würde.

Außer ein paar Müttern mit Kleinkindern war niemand auf dem Spielplatz.

Ich schluckte und versuchte locker zu bleiben. Kim hatte sich bestimmt nur verspätet.

«Ich geh schaukeln», rief Kai.

«Mensch, Kai, ich glaub, dein Hamster bohnert! Du kannst dich doch nicht auf eine Schaukel setzen!», schimpfte ich. Immerhin konnte Kim ja jederzeit kommen.

«Wieso gehen wir auf einen Spielplatz, wenn ich mich nicht mal auf eine Schaukel setzen darf?», maulte Kai.

«Wir setzen uns hier auf die Bank», entschied ich. Von hier aus hatte ich den besten Überblick.

«Klasse, sehr cool, voll rentnermäßig», meckerte Felix.

Im selben Moment erschienen zwei Freundinnen von Kim. Gott sei Dank, ich atmete erleichtert aus. Kim konnte nicht weit sein.

«Siehste», meinte ich triumphierend zu Felix. «Ich weiß, wo die Mädels sind.»

Kai deutete mit ausgestrecktem Zeigefinger auf die beiden, schaute mich böse an und meinte: «Die haben einen Sandeimer und eine kleine Schaufel dabei, und ich darf nicht mal schaukeln.»

Die beiden hatten tatsächlich einen Spielzeugeimer dabei.

Ich grinste Felix an: «Hey, ist das jetzt in? Statt Handtasche?»

Die beiden Mädchen setzten sich auf die Bank am anderen Ende des Spielplatzes und tuschelten. Plötzlich schauten sie zu mir rüber und winkten mich zu sich.

Felix war sehr misstrauisch, Kai schaute sehnsuchtsvoll auf die Schaukel. Ich ging lässig zu den Mädchen rüber.

Mein kleiner Bruder hatte den Hund auf eine Art Karussell gesetzt und drehte den armen Kerl dauernd im Kreis.

Eine von Kims Freundinnen musterte mich. «Du bist also Konny?», fragte sie kichernd.

Ich lächelte mein bestes James-Bond-Lächeln.

«Wie er leibt und lebt und liebt.»

Jetzt kicherten beide um die Wette. Bevor ich weiterreden konnte, reichten sie mir Eimer und Schaufel. «Schöne Grüße von Kim. Sie meint, das würde wohl in etwa deinem Alter entsprechen.»

«Waaas?!»

Großes Gelächter.

Automatisch griff ich nach dem Eimer, ging zurück zu Felix und Kai und versuchte sehr angestrengt, möglichst lässig und cool auszusehen. Was etwas schwierig war, mit dem Eimer in der Hand.

«Was ist das?», fragte Felix interessiert und schaute auf den Eimer.

«Ein Geschenk von Kim.»

«Ich hab ja schon gehört, dass jemand einen Korb bekommt, aber einen Eimer ...»

Felix fing an zu lachen und wieherte immer wieder: «Einen Eimer!»

Nun stimmte Kai auch noch ein.

«Der ist für meinen kleinen Bruder, ihr Sülzköpfe!»

«Ach, Konny, vergiss doch die Weiber! Lass uns angeln gehen!»

Ich nickte. Bloß weg hier. «Gehen wir.»

«Aber ich dachte, wir sind hier, um Mädchen kennen zu lernen», schaltete sich Kai ein.

«Sag mal, hast du denn nur Mädchen im Kopf?», schimpfte ich.

Kai zuckte zusammen, aber dann strahlte er: «Hey, kann ich dann jetzt auf die Schaukel?»

«Nein!»

Kai schielte auf meinen Eimer, aber ich knurrte sofort: «Vergiss es!»

Wir wollten gerade gehen, da standen die beiden Mädchen von ihrer Bank auf und schlenderten zu meinem kleinen Bruder und dem Hund.

«Du hast aber einen süßen Hund», sagte die eine zu Kornelius.

Konny strahlte.

Ich hielt inne und schaute Felix und Kai triumphierend an. «Sag ich doch: Hund ist immer gut.»

Kai nickte, Felix zuckte die Schultern.

«Willst du ihn mal streicheln?», bot Kornelius großzügig dem Mädchen an.

«Klar», meinte sie, und der Knirps bemühte sich, das Karussell anzuhalten.

Kai beobachtete die Szene höchst interessiert. «Was ist, gehen wir jetzt zu den Mädchen? Und wenn ja, was sagen wir?»

«Frag sie, ob sie mit dir schaukeln wollen!», schlug Felix vor.

«Idiot!», zischte ich.

Felix schaute auf den Eimer. «Ich finde, du solltest ihnen den Eimer wieder zurückgeben, Konny, mit einem coolen Spruch.»

Gar keine schlechte Idee. Eimer zurück an Kim. Cooler Spruch. Jawohl!

Ich setzte mich in Bewegung.

Die zwei Mädchen taten, als würden sie mich nicht sehen.

«Den blöden Eimer könnt ihr Kim zurückgeben!», sagte ich.

Toller Spruch! Darüber hätte ich besser vorher mal nachgedacht.

Die beiden ignorierten mich immer noch. Der Eimer fiel in den Sand.

«Der kleine Junge ist ja niedlich», sagte die eine und lächelte Kornelius an.

Gut, dann eben so. Ich änderte meinen Plan, lächelte charmant und sagte: «Das ist mein Bruder.»

«Wirklich?», meinte das Mädchen interessiert.

«Stimmt nicht!», rief mein kleiner Bruder.

«Sicher stimmt das», sagte ich sofort.

Kornelius wandte sich an die beiden Mädchen. «Ich kenn den nicht, das ist ein Fremder.»

«Ach, der Kleine erzählt Unsinn», winkte ich ab. «Er ist mein Bruder, und das ist mein Hund Karl.»

«Der Hund heißt Puschel», widersprach Kornelius.

«Gut, dann heißt er eben Puschel», gab ich nach.

Das andere Mädchen stemmte die Arme in die Seiten und fragte lauernd: «Also, wie heißt der Hund? Wenn es dein Hund wäre, würdest du es ja wohl wissen.»

«Puschel», knurrte ich leise.

«Ja, das sagst du jetzt, weil der Kleine dir das vorgesagt hat.»

«Der Kleine ist mein Bruder und er spinnt.» Langsam wurde ich ärgerlich. «Los, sag ihnen, dass du mein Bruder bist.»

Konny schaute mich schräg von der Seite an. «Wie heiß ich denn?», fragte er listig.

Ich kam ins Schleudern. Natürlich wusste ich, wie mein Bruder hieß, aber ich wusste nicht, was ich sagen musste, um ihn zu besänftigen.

«Puschel?», probierte ich es vorsichtig.

«Ich heiß Kornelius!», rief er triumphierend. «Mein Hund heißt Puschel!»

Jetzt war ich obersauer. Ich drehte mich zu Felix und Kai um und rief: «Los, nun sagt doch auch mal was!»

«Wir müssen los», meinte Felix, die feige Socke, und zog Kai mit sich fort.

Na toll. Ich hatte die Nase voll.

Ich nahm Kornelius am Arm. «Wir gehen jetzt heim.»

Er riss sich los und rief: «Du bist ein Fremder, mit Fremden darf ich nicht mitgehen.»

Die beiden Mädchen beobachteten das Ganze immer misstrauischer, dann hielt eins der Mädchen meinem kleinen Bruder ihre Hand hin und meinte ganz lieb: «Komm, Kleiner, wir bringen dich nach Hause. Weißt du, wo du wohnst?»

«Klar», meinte Kornelius, zwinkerte mir zu, nahm die Hand des Mädchens und zog Karl vom Karussell. Karl torkelte runter und übergab sich. Auf meinen Schuh.

Die Mädchen wandten sich angewidert ab.

Ich schaute auf den Eimer. Wenn ich das hätte kommen sehen, hätte ich Karl den Eimer vorhalten können.

Ich schwor Rache! Aber wem?

9. Kapitel, in dem Sanny eine Verabredung mit Rob bekommt

«Und, wie fühlst du dich?», begrüßte mich Liz am nächsten Morgen auf dem Schulhof. Wir waren beide besonders früh dran, um Rob nicht zu verpassen.

«Blendend!», rief ich. «Wo ist Rob?» Ich fühlte mich optimal auf ein Treffen mit ihm vorbereitet.

Gestern Abend hatte ich mit Pixi und Dixi den ultimativen Test gemacht. Ich hatte Robs Bild aus dem Jahrbuch ausgeschnitten und es im Aquarium versenkt.

Wenn Pixi und Dixi das Bild nicht beachten würden, dann wäre Rob nicht der Richtige.

Ich wartete gespannt und konnte mein Glück nicht fassen: Die beiden hatten in Windeseile Robs Bild aus dem Sand aufgestöbert und daran geknabbert. Und das hing bestimmt *nicht* damit zusammen, dass ich es mit meinen Fischfutterhänden angefasst hatte.

Es war ein Zeichen: «Rob ist zum Fressen süß» hieß das. Also: grünes Licht vom Fischorakel.

Liz und ich liefen suchend über den Schulhof, konnten Rob aber nirgends entdecken. Sollte ich umsonst fast eine Stunde eher aufgestanden sein?

In der Pause zog mich Liz aus dem Klassenraum runter auf den Hof. Die ganze Zeit hielten wir aufmerksam Ausschau nach Rob. Da sah ich ihn endlich, er stand an einen Baum gelehnt und quatschte mit einem Mädchen. Mit einem Mädchen! Was hatte das zu bedeuten?

«Da ist er!», rief Liz.

«Er unterhält sich gerade. Was machen wir jetzt?»

«Egal! Trotzdem hingehen.»

«Nein, warte», versuchte ich Liz zu bremsen. «Das ist nicht die richtige Situation.»

Von einem Mädchen war nämlich nichts in meinem Aquarium zu sehen gewesen!

«Unsinn, das ziehen wir jetzt durch!», entschied Liz energisch, lief auf die beiden zu und zerrte mich hinterher.

Wenn ich wenigstens Pixi und Dixi nochmal befragen könnte!

«Lass uns lieber bis morgen warten!», versuchte ich mit Liz zu verhandeln.

«Jetzt oder nie!», flüsterte sie mir zu.

Wir waren bei den beiden angekommen, und Liz war in ihrem Element. «Hallo!», rief sie freundlich. «Darf ich mal kurz stören?»

«Hi», meinte Rob und hob lässig die Hand zum Gruß. Erkannte er mich wieder? Erinnerte er sich an unseren Zusammenprall?

«Tut uns Leid, dass wir euer Gespräch unterbrochen haben», fuhr Liz fort.

«Ich hab Jana gerade Mathe erklärt. Sie braucht ein bisschen Nachhilfe.»

Liz war begeistert. «Na, das ist doch genau der Mann, den wir suchen. Sanny braucht nämlich dringend Mathe-Nachhilfe.» Sie deutete auf mich.

Ich schaute Liz verwirrt an. Seit wann denn das? Und ausgerechnet Mathe, mein Lieblingsfach!

Rob sagte nichts.

«Sonst ist ihre Versetzung gefährdet! Kannst du ihr nicht Mathe-Nachhilfe geben?» Liz schaute ihn von unten nach oben durch ihre Wimpern hindurch an und meinte flehentlich: «Bitte!»

Wollte sie flirten oder ich?

Rob zuckte die Schultern. «Kann ich machen. Fünf Euro die Stunde.»

Liz strahlte: «Abgemacht! Wann hast du Zeit?»

«Heute Nachmittag.»

«Gut, komm um drei Uhr bei Sanny vorbei. Hier ist ihre Adresse.» Sie überreichte ihm einen Zettel mit meiner Adresse. Rob steckte ihn ein und wandte sich wieder Jana zu.

Na toll! Das war ja bestens gelaufen. Ich war sauer auf Liz. Was sollte das? Ihm einfach meine Adresse zu geben! Behaupten, ich bräuchte Mathe-Nachhilfe! Sie hätte das vorher mit mir besprechen müssen! Ich drehte mich um und ging. Liz kam hinter mir her.

«Wieso rennst du weg? Wir hatten doch gerade erst angefangen, uns zu unterhalten!»

«Also, mit mir hat sich niemand unterhalten, und ich hatte auch keine Chance, mit jemand zu reden. Weil jemand anders die ganze Zeit geredet und behauptet hat, ich bräuchte Mathe-Nachhilfe.»

«Mensch, Sanny, jetzt stell dich nicht so an. Du hast eine Verabredung mit Rob! Das ist es, was wir wollten! Heute Nachmittag kommt er bei dir vorbei, ihr redet ein bisschen, und dann muss er sich nur noch in dich verlieben!»

«Ja», knurrte ich. «Kostet mich nur fünf Euro. Ein Schnäppchen! Und überhaupt, wieso läufst du mit einem Zettel mit meiner Adresse rum?»

«Na, genau für so einen Fall. Das ist Plan D.»

Ich knurrte unwillig, obwohl ich zugeben musste, dass Liz' Plan gar nicht so schlecht war.

«Und jetzt hör auf zu meckern, sag mir lieber, wie du dich fühlst!»

Ich blieb stehen und konzentrierte mich. «Weißt du was? Ich glaube, ich habe mich verliebt.»

Liz riss begeistert die Augen auf: «Ist nicht wahr! Woran merkst du es?»

«Ich hab ein flaues Gefühl im Magen!», strahlte ich.

«Hast du schon dein Pausenbrot gegessen?»

«Nein.»

«Iss das mal. Wenn du dann immer noch ein flaues Gefühl im Magen hast, ist es Liebe. Ansonsten war es Hunger.»

Leider war es Hunger. Schade.

10. Kapitel, in dem Konny eigentlich in der Schule sein sollte

«Konstantin!», brüllte es die Treppe hoch. Ah, die liebliche Stimme meiner Frau Mutter.

Ich schlurfte die Treppe runter, sie stand schon in der Diele, geschniegelt und gestriegelt.

«Beeil dich, sonst kommst du zu spät in die Schule, Sanny ist schon weg, und ich muss jetzt auch los.»

«Los? Wohin?», fragte ich schlaftrunken.

Meine Mutter strahlte: «Heute ist mein erster Arbeitstag.»

Richtig. Hatte ich ja fast vergessen. Heute fing mein Leben an!

«Viel Spaß!», rief ich meiner Mutter gut gelaunt zu und schlurfte in die Küche. Keiner da.

Ich raste zurück, riss die Haustür auf und brüllte meiner Mutter hinterher: «He, da ist niemand in der Küche. Und auch kein Frühstück.»

Meine Mutter drehte sich am Gartentor fröhlich um. «Ich weiß, ich hab deinen Vater schon dreimal geweckt. Probier du's jetzt mal, vielleicht hast du mehr Glück. Und sei leise, damit du den Kleinen nicht weckst, mit viel Glück schläft er bis neun. Tschüs!»

Mit einem Schlag war ich hellwach. Ich brauchte Frühstück. Ohne Frühstück konnte ich meinen Tag vergessen.

Ich stürmte hoch ins Schlafzimmer meiner Eltern. «Paps, aufstehen, du hast verschlafen!»

Mein Vater schoss erschrocken in die Höhe.

«Mam ist schon weg», teilte ich ihm vorwurfsvoll mit.

Mein Vater wischte sich mit der Hand über die Augen und strahlte plötzlich: «Mein erster freier Tag. Ich bleib im Bett.»

«Waas? Du hast keinen freien Tag, du bist jetzt hier die Hausfrau! Du musst aufstehen, Frühstück machen und so.»

«Unsinn, du bist alt genug, das kannst du alleine.»

«Und was ist mit dem Kleinen?»

Mein Vater ließ sich wieder in die Kissen sinken. «Deine Mutter hat gesagt, der schläft bis neun, also hab ich noch Zeit.» Er drehte sich um und knurrte nur noch: «Mach die Tür zu und sei leise.»

Ich war wie vor den Kopf geschlagen. Das durfte nicht wahr sein.

Ich setzte mich auf die Treppe und versuchte nachzudenken. Aber mit leerem Magen konnte ich nicht denken.

Ich duschte erst mal und zog mich an, ging in die Küche und schaute mich um.

Plötzlich schlug mir jemand kumpelhaft auf die

Schulter: «Na, mein Sohn, was machen wir heute? Zeit für einen Vater-Sohn-Tag, was?»

Mein Vater war mittlerweile doch aufgestanden und hatte ausgesprochen gute Laune.

Ich schaute ihn empört an: «Ich sollte schon längst in der Schule sein!»

«Ach, und warum bist du nicht?»

«Wegen dir! Weil du verschlafen hast!»

«Was hat denn das mit mir zu tun?»

«Na hör mal, du bist doch jetzt für uns zuständig, dann musst du dafür sorgen, dass wir morgens etwas zu essen haben und pünktlich in die Schule gehen.»

«Wieso denn das?»

«Weil Mam das auch immer so gemacht hat.»

Mein Vater lachte: «Genau, und deshalb war sie immer so genervt und erschöpft und unzufrieden. Ich werde den Laden hier erst mal umorganisieren.»

«Ach, kein Frühstück mehr, oder was?»

«Jetzt hör mir bloß mit deinem Frühstück auf. Du kannst dir doch wohl selbst etwas zu essen machen.»

«Klar kann ich das, aber dann muss ich eine halbe Stunde früher aufstehen.»

«Na bitte, da haben wir doch schon die Lösung für dein Problem! Aber um dir zu beweisen, dass ich ein guter Vater bin, mach ich uns Frühstück. Setz dich hin.»

Ich setzte mich gehorsam und wartete ab.

«Wo sind die Eier?», erkundigte sich mein Vater.

«Im Kühlschrank.»

«Aha.»

Er holte zwei Eier aus dem Kühlschrank und begann Schubladen aufzuziehen. «Kochtöpfe?»

«Unten im Schrank links. Wasser kommt aus dem Wasserhahn.»

«Schlauberger!», kommentierte mein Vater, immer noch gut gelaunt. «Wo ist das Salz?»

«Bei den Gewürzen, erste Schranktür von rechts.»

«Aha. Hat alles seine Ordnung hier, sehr gut», lobte er. «Und wo ist das Brot?»

«Im Brotkasten», knurrte ich, «steht auf der Anrichte.»

Mein Vater öffnete den Brotkasten und schaute rein. «Haben wir auch Toast?»

«Ja, aber nur eingefroren, wird nicht viel verlangt.»

Mein Vater hielt inne und schaute mich stolz an: «Junge, du kennst dich ja wirklich hier gut aus.» Dann trat er einen Schritt zurück und überlegte. «Man müsste vielleicht doch einige Dinge anders einsortieren, das sind viel zu viele unnötige Bewegungen, die man hier in der Küche machen muss. Man sollte alles Wesentliche von einem Fleck erreichen können.»

«Ich hab Hunger», erinnerte ich ihn an seine eigentliche Aufgabe.

«Klar», meinte er sofort. «Wo sind denn die Eier?»

«Im Kühlschrank, und du hast bereits welche rausgeholt.»

«Ja, ich weiß, aber wo hab ich sie hingetan?»

«Du hast die Eier verlegt? Paps, das wird nie gut gehen. Entschuldige dich bei Mam, kriech zu Kreuze und geh wieder ins Büro.»

Nun wurde mein Vater plötzlich ernst: «Nie im Leben. Ich lass mir doch nicht weismachen, ich könne keinen Haushalt führen!»

Er schaute sich erneut nach den verloren gegangenen Eiern um. Vergeblich. Er gab auf und holte zwei neue aus dem Kühlschrank.

Eigentlich esse ich mein Frühstücksei immer weich gekocht, aber als mein Vater fragte, wie ich mein Ei haben möchte, sagte ich nur: «In der Schale, Härtegrad egal.» Man muss ja ein bisschen kooperativ sein.

Als er sich dann zu mir an den Tisch setzte, mir ein gekochtes Ei in die Hand drückte und mir den Toast reichte, leider noch tiefgefroren, sagte ich nichts weiter. Er hatte sich ja wirklich Mühe gegeben.

«Ich wusste nicht, wo die Eierbecher stehen», entschuldigte er sich, während er das Ei in einer Serviette hielt und versuchte, es zu köpfen.

Er schaute sich um. «Hm, es fehlt doch was? Richtig, Kaffee. Trinkst du auch schon Kaffee?»

«Klar», meinte ich, fügte dann aber noch wahrheitsgemäß hinzu: «Ohne Koffein.»

«Gut so», lobte mein Vater. Dann schaute er auf die Kaffeemaschine. «Weißt du, wie man sie bedient?»

Ich stand auf, nahm ihm den gefrorenen Toast aus

der Hand und schob ihn in den Toaster, holte zwei Eierbecher raus und machte Kaffee. Ich stellte Marmelade, Käse und Wurst auf den Tisch, holte Joghurt aus dem Kühlschrank und presste Orangen aus.

Kurze Zeit später saßen wir wieder zusammen am Tisch und frühstückten gemütlich.

«Also, ich muss schon sagen», meinte er, als er über den Küchentisch hinwegblickte, «euch geht's ja wirklich gut. Ganz schön üppiges Frühstück.»

Ich nickte ergeben.

Er lachte: «Und du dachtest, ich könne kein Frühstück für euch machen!»

Ich verzog die Mundwinkel und wünschte mir meine Mutter zurück.

Mein Vater wollte gerade in seinen Toast beißen, da rief es von oben: «Papiii!»

Er strahlte mich an. «Hast du das gehört? Papi hat er gerufen! Nicht Mami!»

Ich zuckte mit den Schultern und kaute weiter. Das konnte nichts Gutes bedeuten.

«Jaaa, was ist denn?», rief mein Vater fröhlich nach oben.

«Kannst du mal kommen?», brüllte Kornelius.

«Ich frühstücke gerade. Was hast du denn?»

«Ich hab ein Problem.»

Na bitte.

«Kannst du das auch alleine lösen?»

«Ich kann's versuchen.»

«Braver Junge.»

Er biss in seinen Toast. «Siehst du, so macht man das. Eure Mutter hätte bestimmt ihr Frühstück unterbrochen, wäre ihm zu Hilfe geeilt und hätte mir abends wieder vorgejammert, sie könne noch nicht mal in Ruhe frühstücken in diesem Haushalt.»

«Konny ist ziemlich anstrengend», gab ich vorsichtig zu bedenken.

«Ich weiß», nickte mein Vater.

«Er stellt immer die unmöglichsten Dinge an.»

«Hab ich gehört. Wieso ist er eigentlich nicht mehr im Kindergarten?»

«Weil er immer wegläuft. Sie haben sich geweigert, ihn weiterhin zu betreuen.»

Mein Vater schüttelte den Kopf. «Ausgebildete Pädagogen, und dann können sie noch nicht mal mit einem etwas lebhafteren Kind umgehen. Man muss ein solches Kind nur richtig motivieren.»

Ich nickte und seufzte.

«Papiii!», rief es wieder von oben.

«Ja, mein Junge», brüllte mein Vater zurück.

«Jetzt hab ich aber nasse Füße!»

«Nimm ein Handtuch und trockne sie dir ab.»

«Okay.»

«Bitte, wieder ein Problem gelöst», meinte mein Vater stolz zu mir.

Ich räusperte mich. «Solltest du ihn nicht vielleicht mal fragen, *wieso* er nasse Füße hat?»

Mein Vater schaute mich irritiert an, tat mir aber dann den Gefallen.

«Wieso hast du denn nasse Füße, mein Schatz?», rief er nach oben.

«Weil hier im Badezimmer Wasser ist.»

Mein Vater nickte mir zu, nach dem Motto: Aha, das ist doch eine gute Erklärung.

Ich hielt es nicht mehr aus, sprang auf und raste nach oben.

Konny stand bis zu den Knöcheln im Wasser. Der gesamte Badezimmerfußboden war überschwemmt, die Klospülung lief, und aus dem Klo floss das Wasser auf den Boden.

«Paps!», brüllte ich nach unten. «Ich glaube, es ist besser, du kommst doch mal hierher.»

Ich nahm Konny auf den Arm, trug ihn in sein Zimmer und trocknete ihm die Füße ab. «Wie ist denn das passiert?»

«Das kam ganz von selbst. Ich hab bloß auf die Klospülung gedrückt. Ganz oft, aber es wurde nicht besser.»

Ich nickte. «Und was ist vorher passiert, bevor du die Klospülung betätigt hast?»

«Da ist meine Schlafanzughose reingefallen.»

«Ins Klo?»

«Klar.»

«Und wie kam das?»

«Das weiß ich nicht mehr, das ist jetzt schon zu lange her.»

«Und wieso hast du dann die Klospülung gedrückt?»

«Weil Papi gesagt hat, ich soll das Problem lösen. Und ich dachte, es löst sich im Wasser auf.»

«Okay, komm, zieh dich jetzt an, und dann gehst du zu Papi und erklärst ihm die ganze Geschichte.»

Ich ging runter, mein Vater saß immer noch am Frühstückstisch.

«Was war denn?», fragte er.

«Am besten gehst du selbst gucken. Ich muss jetzt dringend in die Schule. Wenn ich mich beeile, bin ich noch vor Ende der großen Pause da.»

So schnell war ich noch nie aus dem Haus und in der Schule.

Auf dem Weg dorthin überlegte ich, ob ich Kai bitten solle, er möge seine Eltern überreden, mich zu adoptieren.

Und mit Kim hatte ich ein Hühnchen zu rupfen.

11. Kapitel, in dem Sanny ihren Bruder nicht wieder erkennt

«Aua!», rief ich und hielt meine Schulter. Irgendeine Trottelnase war voll gegen mich gelaufen. Ich sah mich um. Die Trottelnase war mein eigener Bruder.

«Oh, Sanny, gut, dass ich dich treffe!», rief er.

«Sehr witzig!», fauchte ich und boxte ihm auf den Arm. «Sieh mal an, jetzt hab ich dich auch getroffen.»

«Lass den Blödsinn», knuffte er zurück. «Ich muss mit dir reden.» Er zog mich zur Seite. Liz beachtete er gar nicht. Kein Spruch, kein Gesülze, nichts. Ich machte mir ernsthaft Gedanken um ihn.

Liz deutete ich eine Keine-Ahnung-was-er-hat-Geste an. Sie nickte mir verständnisvoll zu und ging.

Konny wollte gerade anfangen zu erzählen, da kam ein wirklich gut aussehendes Mädchen auf uns zu und fragte ihn: «Hey, du bist doch der Konstantin?»

«Ähm, nein, das ist der da vorn», antwortete Konny und wies wahllos auf eine Gruppe Jungs auf dem Schulhof.

Aber das Mädchen ließ sich nicht abwimmeln. «Blödsinn, ich weiß, wer du bist, hör mal, ich muss mit dir reden ...»

Konny wurde unwirsch: «Du, ich hab jetzt keine Zeit!»

Das Mädchen ging ein paar Schritte zurück, blieb stehen und beobachtete Konny misstrauisch.

Ich schaute ihn groß an: «Wer bist du? Und was hast du mit meinem Bruder gemacht?»

«Lass den Unsinn, wir haben ein Problem.»

«Wir? Wo warst du überhaupt die ersten beiden Unterrichtsstunden?»

«Ach Sanny, du hast ja keine Ahnung, was daheim los ist. Es ist wirklich chaotisch mit Paps!»

Ich war erstaunt: «Und das sagt der Oberchaot?»

«Sanny, du hättest Paps in der Küche erleben sollen. Es geht einfach nicht, dass er die Hausfrau spielt.»

«Wenn es dir peinlich ist, dann sag deinen Freunden doch, er sei arbeitslos.»

«Darum geht's nicht. *Ich* musste mich um alles kümmern heute Morgen. Ich kam mir vor wie der einzige Erwachsene im Haus. Paps wird uns beide für Haushaltsarbeiten einteilen! Und dazu hab ich keine Lust. Ich will ein chaotischer, desinteressierter, rumlungernder Teenager sein und keine Mary Poppins.»

Bei der Vorstellung von Konny als Mary Poppins musste ich lachen.

«Das ist nicht witzig! Wir müssen was unternehmen!», fauchte er.

«Ach, das ist doch nur so eine Phase von unseren Eltern, das dauert höchstens eine Woche, dann ist alles wieder beim Alten», versuchte ich ihn zu beruhigen.

«Bist du dir da sicher? Oder hast du wieder in dein Aquarium hineinmeditiert?»

Ich war empört und fühlte mich ertappt. «Was soll denn das heißen?!»

«Na, immer wenn man in dein Zimmer kommt, starrst du auf deine Fische, als ob sie dir die Lottozahlen der kommenden Ziehung durchgeben würden.»

Hm, Lottozahlen. Daran hatte ich noch nie gedacht. «Was redest du da für einen Blödsinn! Außerdem wird Paps es schon lernen. Er ist ja nicht doof.»

«Du hast ihn heute Morgen nicht erlebt.»

«Dann müssen wir ihm eben ein bisschen helfen.»

«Aber davon rede ich doch! Unser Leben ist zu Ende! Er wird uns zwingen, ihm zu helfen! Er kann es gar nicht alleine!»

«Übertreib doch nicht so!»

«Warte, bis du heute Mittag nach Hause kommst, dann siehst du es selbst», knurrte Konny.

Das Mädchen, das Konny eben angesprochen hatte, stand immer noch da und wippte ungeduldig mit dem Fuß.

«Lass deine Verehrerin nicht so lange warten, sonst verliebt sie sich noch in einen anderen», riet ich Konny.

«Das ist das geringste meiner Probleme!», schnaubte er.

«Übrigens wird meine Liste mit den Gründen, warum man sich nicht verlieben sollte, täglich länger. Wetten, dass ich schon mindestens doppelt so viele Gründe habe wie du?»

«Wenn du nur einen einzigen hast, hast du schon doppelt so viel wie ich. Ich komm gar nicht dazu, etwas aufzuschreiben, bin zu sehr mit Haushaltsproblemen beschäftigt.»

«O Mann, ich glaub's ja nicht!»

«Mensch, Sanny, ich bin völlig am Ende!»

«Einmal steht für dich kein Frühstück bereit, und du drehst durch!»

Kai kam. Er hatte wohl meinen letzten Satz gehört und bot Konny sofort die Hälfte von seinem Schinkenbrötchen an. Ich machte mich aus dem Staub und suchte Liz. Wir mussten noch einen Plan für meine Mathe-Nachhilfe heute mit Rob entwickeln. Inzwischen freute ich mich richtig darauf.

Das Mädchen schien nun mit seiner Geduld am Ende, es ging auf Konny zu. Na, viel Spaß mit meinem Bruder!

Und ihm viel Glück. Das Mädchen sah nicht besonders gut gelaunt aus.

12. Kapitel, in dem Konny Kim gesteht, dass er in sie verliebt ist

Ich hielt Ausschau nach Kim. Sanny hatte nichts kapiert. Hoffentlich lief es mit Kim besser.

«Ich hab eine Nachricht für dich», sagte plötzlich eine energische Stimme hinter mir.

Ich drehte mich um: das Mädchen von vorhin.

«Na, jederzeit. Von wem denn?» Ich lächelte sie an.

«Von einer Freundin.»

Ich schubste Kai an, der neben mir stand, und raunte ihm zu: «Beobachte und lerne!»

Kai nickte eifrig.

Ich wandte mich wieder an das Mädchen. «Aah, von einer ‹Freundin›!»

Sie nickte.

«Hör mal», meinte ich großzügig und legte den Arm um ihre Schultern. «Du musst keine angebliche *Freundin* vorschieben, wenn du mit mir reden willst. Was kann ich für dich tun?»

Kai gab ein anerkennendes Geräusch von sich.

Das Mädchen schubste meinen Arm weg.

«Kim hat Recht», schimpfte sie. «Du bist wirklich nicht zu ertragen.»

«Kim?», quietschte ich. Leider ein paar Oktaven zu hoch.

Kai stellte die Ohren auf und beugte sich etwas nach vorn.

«Ja, Kim, das ist der Name meiner Freundin, und du bist ihr Problem!», sagte das Mädchen eiskalt.

Ich entspannte mich, so gut es ging, und grinste Kai an. Zu dem Mädchen sagte ich: «Das tut mir aber Leid, dass ich ein *Problem* für Kim bin. Was können wir denn da tun?»

«Du kannst sie in Ruhe lassen. Und ich soll dir ausrichten, dass du nicht dauernd rumerzählen sollst, sie würde mit dir ins Kino gehen!»

Kai japste und hielt sich erschrocken die Hand vor den Mund.

Ich schluckte schwer, kriegte aber dennoch ein lockeres Lächeln hin und meinte: «Wenn Kim was von mir will, muss sie sich schon selbst zu mir bemühen. Sag ihr das.»

Dann drehte ich mich um und zog Kai mit mir fort.

«Au Backe», meinte er, sobald wir außer Hörweite waren. «Das klingt aber gar nicht gut.»

«Ach was, ich bin überzeugt davon, dass die Nachricht gar nicht von Kim war. Ich hab dieses Mädchen nämlich noch nie zusammen mit Kim gesehen.»

Kai nickte anerkennend über so viel Scharfsinn.

«Aber warum kommt sie dann zu dir und sagt so was?»

Ich überlegte kurz und fand eine einleuchtende Erklärung: «Na, weil sie einen Vorwand brauchte, um mich anzusprechen, ganz einfach.»

Kai strahlte, seine Welt war wieder in Ordnung.

Und je länger ich darüber nachdachte, desto überzeugender schien mir meine Erklärung.

Ja, so musste es sein.

Dieser Gedanke hielt mich ganz gut über Wasser.

Aber nur bis zur zweiten großen Pause.

Als ich auf den Schulhof kam, erwartete mich Kim bereits mit verschränkten Armen. Ich war gerade dabei, mich auf einen totalen Kreislaufkollaps einzustellen, da fuhr sie mich an: «Hör zu, Holzkopf, eigentlich ist es ganz leicht: Du musst dir nur merken, mich in Ruhe zu lassen. Quatsch mich nicht an und erzähl nicht, dass wir eine Verabredung fürs Kino hätten. Okay?!»

Der Kollaps blieb aus. Offensichtlich hab ich die gesundheitlichen Probleme nur von Zeit zu Zeit.

«Die Sache mit dem Eimer war aber nicht besonders nett», begann ich ein freundliches Gespräch.

«Das sollte nicht besonders nett, sondern besonders eindeutig sein! Aber du kapierst ja nichts.»

Kim schien extrem schlechte Laune zu haben.

«Wieso bist du eigentlich so kratzbürstig?»

«Wieso bist du eigentlich so überzeugt von dir?»

«Hey, ich bin überzeugt von *dir*!»

Kim verzog das Gesicht. «Du redest vielleicht ein

Blech! Du quakst alle Mädchen an, mit diesen eklig sülzigen Sprüchen. Du machst keine Unterschiede, mit wem du redest, womöglich kannst du die Mädchen, die du anbaggerst, noch nicht einmal voneinander unterscheiden. Und ich will nicht eine von vielen sein. Also lass mich in Ruhe.»

«Hey, du könntest die Einzige sein!», bot ich sofort an. Das Gespräch lief nicht schlecht.

Kim schaute kritisch. Aber ihr Gesicht war nicht mehr so abweisend.

Es lief sehr gut. Es lief erste Sahne.

Ich entdeckte Kai und Felix. Und sie entdeckten mich. Hoffentlich vermasselten sie jetzt nichts. Die beiden waren in solchen Situationen eine nicht zu unterschätzende Gefahr.

«Weißt du, wenn ich annehmen könnte, du würdest es ernst meinen, dann wäre ich vielleicht gar nicht so sauer wegen deiner blöden Sprüche. Aber du sagst ja zu jeder dasselbe.»

Kai und Felix kamen auf Kim und mich zu. Kim stand mit dem Rücken zu den beiden. Mir blieb nicht mehr viel Zeit. Höchstens zwei, drei Sätze.

Ich lächelte Kim an und legte meine Hand auf ihre Schulter. «Es liegt an dir. Wenn du deine Karten richtig ausspielst, dann hast du gute Chancen, meine Hauptfrau zu werden.»

«Was soll denn das schon wieder heißen?!», zischte sie und schaute böse auf meine Hand.

Vorbei. Irgendetwas war falsch gewesen. Ich zog meine Hand zurück und wollte noch etwas Nettes sagen. Aber Kim verdrehte die Augen und ging.

Wieso war sie denn jetzt schon wieder beleidigt abgerauscht?! Mist!

Kai und Felix hatten die Pleite mitgekriegt. Vielleicht konnte ich noch was retten.

«Du darfst den Film auswählen», rief ich Kim hinterher. Aber sie reagierte nicht.

«Hey! Was macht ihr denn hier!?», wandte ich mich an meine Freunde.

Felix schaute mich groß an: «Wir gehen hier zur Schule, Professor Einstein!»

«Was hat Kim gesagt? Hat sie ein Problem mit dir?», fragte Kai eifrig.

«Ich hab kein Problem, Kim hat kein Problem, okay?! Wir konnten uns bloß nicht einigen, in welchen Film wir gehen.»

«Gut, ich dachte schon, sie hätte mit dir Schluss gemacht!»

«Tzz», meldete sich Felix. «Dafür müssten sie ja erst mal miteinander gehen!»

«Wenn du keine Verabredung mit Kim hast, dann könnten wir doch mal wieder angeln gehen!», schlug Kai vor.

Felix nickte. «Allerdings! Mit deiner ganzen Kim-Aktion bringst du unseren Angelrhythmus ziemlich durcheinander!» Er schaute mich vorwurfsvoll an.

Eigentlich würde ich mich ja auch lieber um Fische als um Kim kümmern, aber ich hatte mich da irgendwie reinverbissen, ich konnte doch so schnell nicht aufgeben. Ich brauchte ein paar Minuten für mich.

«Ich muss noch für die nächste Stunde was vorbereiten», murmelte ich, drehte mich um und ging. Ich hatte eben eine riesengroße Chance vertan. Was war bloß schief gelaufen?!

Ich wurde sauer. Vor Wut trat ich gegen einen großen Stein. Aber der lag nicht einfach so rum, sondern war fest in der Erde verankert. Also fiel ich der Länge nach hin.

Felix kam angespurtet. «In der nächsten Stunde haben wir Sport. Was musst du denn da vorbereiten?»

«Falltechniken!», knurrte ich, stand auf und humpelte ins Schulgebäude.

«Hat's sehr wehgetan?», rief Kai mitfühlend in enormer Lautstärke hinter mir her. Klasse. Damit gafften mich auch alle an, die meine Bauchlandung nicht gesehen hatten. Alles Idioten!

Was keiner mitbekommen hat, war, wie Kim in unser Klassenzimmer kam. Dorthin hatte ich mich für den Rest der Pause zurückgezogen.

«Wir haben jetzt hier in der nächsten Stunde Unterricht», meinte sie, als sie mich sah.

Ich winkte ab: «Ja, ja, schon gut. Wir haben Sport, ich geh ja schon.»

Ich humpelte in Richtung Tür.

«Bist du hingefallen?»

Ich richtete mich empört auf. «Ich? Wie kommst du darauf?»

«Och, nur so. Jemand sagte, du wärst verletzt.»

Ich riss die Augen ungläubig auf und wollte alles abstreiten, aber dann sah ich meine letzte Chance: Mitleid.

«Ich bin verletzt!», rief ich. «Mit letzter Kraft konnte ich mich gerade noch hierher schleppen!»

Um der Sache mehr Glaubwürdigkeit zu geben, stöhnte ich auf und ließ mich theatralisch auf einen Tisch sinken.

Kim stöhnte ebenfalls. Allerdings nicht aus Mitleid. «Du übertreibst alles so maßlos! Das nervt.»

«Du bist die Erste, die das sagt. Bisher hat sich noch nie jemand beschwert.»

«Na, dann wird es ja mal Zeit, dass dir jemand sagt, wie blöd du bist!»

Ich lief zur Tür und schaute nach rechts und nach links den Flur entlang. Kein Mensch da. Okay, sehr gut.

Ich machte ein paar Schritte auf Kim zu, senkte die Stimme und fragte: «Jetzt mal ganz im Ernst: Wieso findest du mich eigentlich blöd?»

«Weil du blöd bist!»

«Na hör mal, höchstens in Mathe, ansonsten …»

Kim winkte ab. «Das mein ich nicht. Ich finde deine Art blöd. Deine dämlichen Sprüche …»

Ich überlegte. «Und was würdest du gut finden?»

«Wieso interessiert dich das?»

Uh, jetzt wurde es schwierig. «Weil ... weil ...»

«... ich die Einzige bin, die dich *nicht* toll findet?»

Ich zuckte die Schultern. «Zum Beispiel.» Immer den Ball schön flach halten, dachte ich mir.

«Das Problem ist, bei dir weiß man nie, was du ernst meinst und was nicht. Du übertreibst alles so sehr, dass man jeden Satz für einen dummen Spruch hält.»

Verflixt, war jetzt der Moment gekommen, wo ich Kim meine Liebe gestehen sollte? Und wenn ja: Wie macht man das?

Ich grinste sie an. «Ich glaube, das ist ein Gendefekt bei uns in der Familie. Hab ich geerbt. Kann ich nichts dafür.»

Kim schaute mich abwartend an. Immerhin.

Ich fuhr fort: «Das passiert allerdings nur den Kornblum-Männern. Und nur, wenn sie verliebt sind.»

Da – nun war es raus.

Kim starrte mich mit großen Augen an und wurde plötzlich rot. Ich hielt den Atem an und spürte, dass ich weiche Knie bekam. Kein Blut mehr im Hirn. Na bravo, jetzt, im entscheidenden Moment, fall ich ins Koma.

Aber dann meinte Kim plötzlich ärgerlich: «Ist das etwa auch einer von deinen dummen Anmachsprüchen? Und wie viele Mädchen sind schon drauf reingefallen?»

Was war denn jetzt wieder passiert?! Wieso ist denn

alles falsch, was ich sage? Und was bildet sich diese Kim überhaupt ein!

«Weißt du was? Andere Mädchen reißen sich darum, einen dummen Spruch von mir zu hören.»

«Na toll, dann belästige doch andere Mädchen und lass mich in Ruhe!»

«Darauf kannst du dich verlassen!»

«Keine Minute länger mehr mit diesem Affenhirn in einem Zimmer!» Kim rauschte ab.

Vollkommen verwirrt stand ich da. Was zum Teufel war denn eben gerade passiert?

Da kam sie wieder zurück.

Aha! Ich wusste es, sie wird sich entschuldigen.

«Ich hab jetzt hier Unterricht, du Holzkopf!», schnauzte sie mich an.

Oh. Doch nicht. Na gut!

«Und ich nicht!», gab ich zurück, weil mir leider nichts Besseres einfiel. Dann humpelte ich zur Tür raus.

Blöde Kim.

Und wegen ihr hätte ich dreimal beinahe einen Herzkasper gekriegt.

Gut, dass das Thema jetzt erledigt ist.

Ein für alle Mal.

Kim existiert nicht mehr für mich.

Ist überhaupt kein Problem, sie auf der Stelle zu vergessen.

Da – schon passiert: Wer ist Kim?

13. Kapitel, in dem Sanny
Nachhilfe bekommt

Konny lamentierte auf dem gesamten Nachhauseweg. Je schlimmer er die Schieflage in unserem Familien-Haushalts-Leben schilderte, desto mehr war ich davon überzeugt, dass er maßlos übertrieb.

Als wir nach Hause kamen, war keiner da.

Das fand ich noch nicht besonders alarmierend.

«Geh mal hoch ins Bad», schlug Konny vor.

Das Badezimmer sah aus, als hätte eine Bombe eingeschlagen. Alle Handtücher bedeckten den nassen Fußboden, und um die Toilette lag verstreut Werkzeug, als hätte jemand fluchtartig den Raum verlassen.

Ich lief wieder nach unten.

«Wo ist der Kleine?», fragte ich.

Auf die Antwort musste ich nicht lange warten. Gerade stürmte der Klempner zur Haustür rein und schnaubte vor Wut. Unter dem einen Arm trug er den kleinen Konny, in der anderen Hand hatte er die Hundeleine und zog Karl hinter sich her.

Er beachtete uns gar nicht, sondern ging in die Küche, setzte Konny auf einen Küchenstuhl, nahm die Leine mitsamt dem Hund und fesselte den kleinen Konny damit an den Stuhl.

Als er damit fertig war, drehte er sich um und meinte: «Sagt eurem Vater, ein Klempner ist kein Babysitter. Ich mach jetzt das Bad fertig, und dann bin ich weg. Und ruft mich nicht mehr an, wenn eure Mutter nicht im Haus ist. Egal, ob Notfall oder nicht.»

Wütend stapfte er ins Bad und machte sich lautstark schimpfend wieder an seine Arbeit.

Konstantin stand mit verschränkten Armen da. «Bitte, was sag ich dir? Hab ich zu viel versprochen?»

«Was war denn los?», erkundigte ich mich bei meinem kleinen Bruder.

Der Kleine strahlte. «Es war ganz toll! Erst bin ich weggelaufen, dann Puschel, dann wieder ich und dann wir beide zusammen. Und der Mann hat uns immer wieder eingefangen. Der ist gut im Finden.»

«Wo ist Papi?»

«Einkaufen. Deshalb hat er doch dem Mann gesagt, er soll auf mich aufpassen», sagte Kornelius.

Na, Paps macht es sich leicht.

«Sag mal, wieso bist du denn noch im Schlafanzug? Und wieso ist deine Hose nass?» Unter dem Stuhl hatte sich inzwischen ein kleine Pfütze gebildet.

«Die war im Klo. Und damit sie wieder trocknen kann, hab ich sie angezogen, als der Mann sie rausgeholt hat.»

Konstantin hatte wohl doch nicht übertrieben.

Ich fragte nicht weiter, sondern band Kornelius los und ging mit ihm nach oben. Allerdings zogen wir Karl hinter uns her, denn erstens hatte sich die Leine um Konnys Fuß verheddert, und zweitens folgte Karl dem Kleinen sowieso auf Schritt und Tritt.

«Verschwinde», versuchte ich das Ungetüm nach unten zu scheuchen.

Aber Karl reagierte nicht.

«Sag dem Hund, dass er unten bleiben soll», befahl ich Konny.

«Würde ich nicht machen.» Mein kleiner Bruder schüttelte heftig den Kopf.

«Wieso nicht?»

Der Kleine beugte sich zu mir und flüsterte: «Den muss man immer im Auge behalten, der geht sehr schnell verloren.»

«Oh.»

Als Paps heimkam, strahlte er und war guter Dinge.

«Also, ich sag euch, Kinder, Haushalt ist ein Abenteuer. Und einkaufen sowieso. Helft mal mit, das Auto auszuladen. Ihr werdet staunen, was ich für Schnäppchen gemacht habe.»

Wir staunten wirklich. Paps hatte entdeckt, dass man Rabatt bekommt, wenn man große Mengen einkauft. Und bei Sonderangeboten war er wohl total ausgeflippt. Er hatte Tonnen von Lebensmitteln eingekauft.

Ich war völlig sprachlos. Kornelius war völlig begeistert. «Jetzt haben wir unser eigenes Geschäft!», rief er fröhlich und lief immer wieder um die Berge von Lebensmitteln herum, die sich in unserer Küche stapelten. «Darf ich an der Kasse sein?»

«Wir verkaufen das nicht», teilte ich ihm mit, obwohl die Idee eigentlich gar nicht so dumm war.

«Paps, so geht das nicht!» Ich versuchte ihm vorsichtig beizubringen, dass er seine Kaufgewohnheiten ändern müsste. «Mam kauft immer nur für ein paar Tage ein und ...»

Mein Vater unterbrach mich und nickte. «Genau, und deshalb jammert sie auch immer: ‹Das ewige Einkaufen, ich komm ja zu sonst nichts.› Das hab ich alles rationalisiert.»

Ich schaute mich in der Küche um. Man konnte sich kaum noch bewegen.

«Ich weiß nicht, ob das hier die Lösung ist.»

«Lass das mal meine Sorge sein und hilf lieber mit», meinte mein Vater und drückte mir einen Schwung Gewürzpäckchen in die Hand.

Als es an der Tür klingelte, achtete keiner darauf. Alle waren damit beschäftigt, die Vorräte zu verstauen. Bis Kornelius in die Küche kam und meinte: «Der will zu dir!»

Ich erschrak: «Rob!» Den hatte ich ja ganz vergessen.

«Einen Moment!» Ich musste erst den Stangenzimt und die Gewürznelken verstauen, die ich in der Hand hatte. Mit dem Ellbogen öffnete ich umständlich die Schranktür. Da rollten mir zwei Eier entgegen, die dort eigentlich nichts zu suchen hatten. Sie waren roh. Das merkte ich daran, dass sie zerplatzten, als sie auf den Küchenboden knallten. Ich bückte mich, um zu retten, was zu retten war, aber ich hatte ja noch beide Hände voll mit Gewürzpäckchen. Die mussten zuerst in den Schrank, wie vorgehabt. Ich richtete mich wieder auf und knallte mit dem Kopf unter die offene Schranktür. Aua, das tat weh. Ich ließ vor Schmerz die Päckchen fallen, eins ging auf und mischte sich unter die rohen Eier.

Rob lehnte am Türrahmen und beobachtete das Ganze mit viel Interesse. Das lief ja überhaupt nicht nach Plan, dachte ich, aber vielleicht war noch was zu retten. Leider tauchte in dem Moment mein Vater auf.

«Hey, ein Freund meines Sohnes! Freut mich, dich kennen zu lernen. Ich bin Konnys Vater», begrüßte er Rob jovial und schüttelte ihm kräftig die Hand.

«Ich bin kein Freund Ihres Sohnes. Ich bin wegen Ihrer Tochter hier», korrigierte Rob höflich.

«Oh!» Mein Vater war wirklich erstaunt. «Ein Freund meiner Tochter.» Er wandte sich an mich. «Ich wusste ja gar nicht, dass du schon einen Freund hast, Sanny. Ich dachte immer, du wärst eher ein Mauerblümchen.»

O nein! Womit hatte ich das verdient? Ich krümmte mich innerlich vor Peinlichkeit und Schmerz.

«Er ist nicht mein Freund», fauchte ich und starrte ärgerlich auf die Eier-Gewürz-Mischung hinunter.

«Na», meinte mein Vater fröhlich, «was nicht ist, kann ja noch werden.»

Er klopfte mir aufmunternd auf den Rücken und schob mich zu Rob. «Dann amüsiert euch mal schön, ich wisch die Bescherung weg. Ich bin ja schließlich hier die Hausfrau.»

Ich wusste, dass mein Vater es nicht böse meinte, aber in diesem Moment entschied ich, dass er tagsüber nicht ins Haus gehörte, sondern in sein Büro.

Schweigend ging ich mit Rob ins Wohnzimmer.

Wir setzten uns an den Tisch, ich zerrte mein Matheheft und mein Mathebuch aus meinem Ranzen, schlug es immer noch wortlos auf und schob es Rob hin. Rob suchte ein paar Aufgaben raus, die ich lösen sollte. Ich hatte leider vergessen, dass ich nun so tun musste, als sei ich grottenschlecht in Mathe, und löste alle Aufgaben ruck, zuck.

Rob schob nach einer Weile das Mathebuch von sich und sah mich an. «Du brauchst also Mathe-Nachhilfe?»

Ich zuckte ertappt zusammen, fing mich aber gleich wieder und erinnerte mich an die Flirtlektion, die ich mit Liz geübt hatte. Ich lächelte charmant und schaute Rob verschämt mit gesenktem Kopf durch meine Wimpern an.

«Jaaa!», hauchte ich.

«Wie nett von deiner Freundin, dass sie das für dich arrangiert hat», meinte Rob.

«Jaaa!», hauchte ich erneut. Worauf wollte er hinaus?

«Wie seid ihr denn auf mich gekommen?»

«Durch das Foto aus dem Jahrbuch der Schule», erklärte ich wahrheitsgemäß.

Rob nickte. «Und an dem Foto habt ihr erkannt, dass ich Mathe-Nachhilfe gebe?»

«Äh ...»

Rob schüttelte den Kopf: «Mädchen! Fällt euch nichts Besseres ein, um anderen Leuten einen Streich zu spielen?»

Ich brachte keinen Ton raus, hatte aber ganz eindeutig das Gefühl, dass das jetzt keine günstige Entwicklung für eine Liebesgeschichte war.

Er stand auf und meinte: «Ich will übrigens trotzdem die fünf Euro, so viel muss euch der Spaß schon wert sein!»

Was hatte Liz mir da nur eingebrockt? Alles lief schief, und es kostete mich auch noch Geld. «Ja, natürlich», stammelte ich und kramte in meiner Hosentasche. Nichts.

«Sekunde bitte, ich lass mir von meinem Vater das Geld geben», stammelte ich, raste raus und kam kurz darauf mit einem Zehn-Euro-Schein zurück.

Rob nahm ihn dankend an. «Ich hab kein Geld dabei. Ich gebe dir morgen in der Schule den Rest zurück. Ist das okay?»

Ich nickte.

Er blieb etwas unschlüssig stehen. Er sah wirklich süß aus. Er schaute mich an. Ich musste die Sache aufklären.

«Hör mal, das war … also … wir wollten nicht dir einen Streich spielen, es war wegen mir.»

«Ihr wolltet *dir* einen Streich spielen?»

«Äh, nein, nicht direkt, es war wegen … Jedenfalls war es echt nicht böse gemeint.»

Rob schaute mich forschend an.

«Außerdem war es auch nicht meine Idee …»

Robs Gesicht hellte sich auf. «Ach so, ich verstehe! Du hast eine Wette verloren!»

«Was? Eine Wette?» Ich überlegte, das war gar keine so schlechte Idee. Jedenfalls besser, als wenn ich ihm sagen würde, dass ich mit ihm verlieben üben wollte. «Ja, so ähnlich. Aber ich hab nicht verloren.»

«Worum ging's denn?»

Ich druckste rum.

«Solltest du mich dazu bringen, zu dir nach Hause zu kommen?»

«Nein, es hätte auch in der Schule sein können.»

«Ach, ich weiß: Ich soll dich küssen. Das Spiel kenn ich. Du bist nicht die Erste, die das will.»

«KÜSSEN?»

Rob schaute auf den Zehn-Euro-Schein in seiner Hand. Er zuckte die Schulter. «Für fünf Euro mach ich es. Morgen auf dem Schulhof?»

«Morgen?»

«Na, überleg's dir», sagte er, hob die Hand lässig zum Gruß und ging.

Ich war noch immer völlig sprachlos.

War *das* eine sichere Methode, sich zu verlieben?

14. Kapitel, in dem Konny
kein Wort
mit Kim redet

«Was ihr braucht, ist eine Haushaltshilfe!», entschied Felix fachmännisch, nachdem ich meinen Freunden unser Desaster geschildert hatte.

Wir waren gestern seit langem mal wieder angeln gewesen, nur wir Männer, allein, am Weiher, mit unserem Grill und einer Packung Fischstäbchen. Das ist genau die richtige Situation für ein Gespräch. Da kann man auch mal über seine Probleme reden.

Kai war völlig fasziniert von der Einkaufswut meines Vaters. «Vierundzwanzig Dosen extrafeine Erbsen? Wow. Ich mag Erbsen. Hat er auch an Hundefutter gedacht?»

«Er ist dagegen», wandte ich mich an Felix. «Ich hab ihn bereits gefragt.»

«Aber Frankenstein muss doch was essen.»

«Karl», korrigierte ich Kai und setzte mein Gespräch mit Felix fort: «Er meinte, eine Haushaltshilfe käme überhaupt nicht in Frage, er habe alles super im Griff.»

«Er muss es ja nicht wissen», überlegte Felix.

«Soll sie unsichtbar sein?»

Wir stierten alle drei vor uns hin. Felix und ich dachten über mein Problem nach, Kai überlegte wahrscheinlich immer noch, ob unser Hund nun gefüttert wurde oder ob mein Vater das verboten hatte.

Felix wippte ungeduldig mit seiner Angel. «Die beißen heute nicht», murrte er.

Kai sprang auf und rief: «Ich mach das Feuer für die Fischstäbchen!»

Ich wollte ebenfalls aufstehen, aber Felix hielt mich zurück und flüsterte mir zu: «Kais Mutter hat eine Perle. Aber sie will nicht, dass die noch für andere arbeitet. Weiß ich von meiner Mutter, die hat mal eine Putzfrau gesucht und Kais Mutter gefragt. Keine Chance. Aber vielleicht fällt dir ja ein, wie du an die rankommen kannst.»

«Gut, danke», flüsterte ich zurück.

Kai kramte in seinem Rucksack und brachte außer den Fischstäbchen auch eine Packung tiefgefrorene Miniwindbeutel zum Vorschein.

«Was soll denn das?! Das ist kein Essen für Männer!» Ich griff nach den Windbeuteln. «Wozu verkommt denn unsere Männerrunde hier! Das ist ja schlimmer als ein Weiberkaffeeklatsch! Eine Schande ist das!»

Felix und Kai ignorierten meine Kritik an den Windbeuteln. Felix nahm mir die Packung wieder aus der Hand und reichte sie an Kai zurück.

«Apropos – wie geht's Kim?», wandte er sich grinsend an mich.

«Hey! Wie lautet die Regel Nummer eins?!»

«Keine Gespräche über Mädchen, während wir angeln. Nur Männerthemen!», betete Kai sofort herunter.

«Und da gibt's keine Ausnahmen. Schlimm genug, wenn wir anfangen, so 'n Labberzeugs zu essen.»

Später ließen wir uns dann aber doch die Miniwindbeutel schmecken. Die Fischstäbchen hatten wir leider verbrennen lassen.

Heute Morgen wartete Kim vor der Schule auf mich. Kim, die ich nicht mehr kannte, Kim, die ich vergessen hatte. Die zickige Kim wartete auf mich.

«Hey, Konny, ich muss mal mit dir reden.»

Ich ging an ihr vorbei und pfiff vor mich hin. So gut es ging, ich hatte nämlich schon wieder Herzrhythmusstörungen. «Hab heute keine Sprechstunde. Morgen wieder!»

Bester Laune kam ich ins Klassenzimmer. Unser Mathelehrer hat allerdings etwas gegen gute Laune, und ich flog zwei Minuten nach Unterrichtsbeginn raus.

Der gute Kai kam bald darauf nach.

«Na, bist du auch rausgeflogen?», begrüßte ich ihn.

«Nein, ich hab gesagt, ich muss mal aufs Klo.»

«Na, dann geh doch.»

«Ich muss nicht. Ich will dir ein bisschen Gesellschaft leisten.»

«Cool», sagte ich und ließ mich an der Wand runter auf den Boden rutschen.

Kai rutschte halb an der Wand runter, dann hielt er plötzlich inne und schoss wieder in die Höhe. «Himmel, ich darf mich ja nicht auf den Boden setzen, die Hose ist frisch gewaschen. Meine Mutter meckert schon, dass unsere Perle täglich meine Klamotten waschen und bügeln muss, weil ich mich so einsaue.»

Das war mein Stichwort. Seine Perle sollte auch unsere Perle werden.

«Sag mal, was hältst du davon, wenn ich heute Mittag mal mit dir nach Hause gehe?»

«Das ist aber nett, dass du mich begleiten willst.»

«Kann ich auch zum Essen bleiben?» Damit würde ich zwei Fliegen mit einer Klappe schlagen: Warmes Mittagessen, und ich könnte unauffällig ein Gespräch mit der Perle anfangen.

Kai kämpfte mit sich.

«Was ist?», fragte ich.

«Bestimmt krieg ich nur ein bisschen Ärger.»

«Ärger, wieso?»

Kai zuckte die Schultern. «Meine Mutter schätzt es nicht besonders, wenn ich unangemeldet Besuch mit nach Hause bringe.»

«Oh. Hm. Was gibt's denn zu essen?»

«Ich glaube Pizza.»

«Gut, wir teilen uns deine Pizza, dann kann sie nicht meckern.»

Kai kämpfte mit sich, aber dann war ihm unsere Freundschaft doch wohl eine halbe Pizza wert.

«Okay», nickte er. «Ich muss jetzt wieder rein. Seh ich aus, als wär ich auf dem Klo gewesen?»

«Hä?»

«Na, ich hab doch gesagt, ich muss aufs Klo. Ich will nicht, dass jemand denkt, ich hätte mit dir geredet.»

Ich nickte. «Ja, du siehst total aus, als wärst du gerade auf dem Klo gewesen», beruhigte ich ihn.

Nach der Schule begleitete ich Kai.

«Das ist echt klasse, dass du mitkommst», freute er sich nun doch.

«Klar», meinte ich gönnerhaft.

«Wieso kommst du eigentlich mit?»

Ich schlug Kai auf die Schulter. «Na hör mal, kann man denn nicht mal mit seinem Freund heimgehen?!»

Kai nickte. «Sicher.»

«Und es gibt ganz bestimmt Pizza?»

Kai nickte.

Mir lief das Wasser im Mund zusammen. Ich fühlte mich, als hätte ich seit Tagen nichts Richtiges mehr gegessen.

«Ist eigentlich eure Putzfrau da?», fragte ich ganz unverfänglich.

«Wann?»

«Na jetzt. Wenn du heimkommst.»

Kai zuckte die Schultern. «Um die Zeit geht sie meistens.»

Ich legte einen Zahn zu.

«Ist eure Putzfrau nett?»

«Och ja», meinte Kai etwas atemlos, weil er mit mir Schritt halten wollte.

«Wie heißt sie?»

«Ludmilla.»

«Aha.»

«Wie alt?»

Kai zuckte die Schultern. «Keine Ahnung.»

Wir liefen schweigend weiter. Jeder hing seinen Gedanken nach. Da sagte Kai plötzlich: «Das ist sie!» Er zeigte auf eine stämmige Frau, die uns entgegenkam. «Was meinst du, wie alt sie ist?»

Ich blieb abrupt stehen. «Das ist wer?»

«Na, unsere Perle!»

Jetzt musste ich schnell meine Gedanken sortieren. Die Perle war inzwischen auf unserer Höhe, und Kai grüßte sie höflich.

Ich wollte Pizza!

Aber ich wollte auch Ludmilla! Was tun?

Ich legte meine Hand bedeutungsvoll auf Kais Schulter und sagte sehr ernst: «Hör zu, Kai, heb mir doch bitte die Hälfte der Pizza auf. Ich muss erst schnell was regeln, dann komm ich bei dir vorbei.»

Kai schaute erstaunt.

«Kann ich mich drauf verlassen? Die halbe Pizza?»

Kai nickte mechanisch.

«Okay, bis nachher!» Ich sprintete hinter Ludmilla her.

15. Kapitel, in dem Sanny herausfindet, dass ihr Vater ihr Leben ruiniert

«Du würdest für einen Kuss bezahlen?», hatte sich Liz interessiert während der Mathestunde erkundigt.

«Pst! Schrei doch nicht so! Ich dachte nur, es wäre vielleicht auch eine Möglichkeit, sich zu verlieben ...»

«So ein Unsinn!»

«Wieso denn? Wenn er mich küssen würde, dann wüsste ich bestimmt, ob ich mich verlieben kann oder nicht.»

«Also ehrlich, Sanny! Ich bin mir absolut und hundertprozentig sicher, dass das nicht der übliche Weg ist, sich zu verlieben! Erst verliebt man sich, dann küsst man sich! Ein paar Grundregeln solltest du schon beachten.»

«Ja, aber ...»

Liz unterbrach mich. «Nein, Sanny, auf keinen Fall.»

Den Rest der Stunde verbrachte ich damit, über meine Situation nachzudenken. An meinem Dilemma war ganz klar mein Vater schuld. Hätte er dieses Einkaufschaos nicht verursacht, hätte er mich nicht gezwungen, ihm zu helfen, wäre mir die Panne mit den

Eiern und den Gewürzen nicht passiert. Denn von da an lief alles schief.

Ohne meinen Vater hätte sich Rob in mich verliebt, daraufhin hätte ich mich in ihn zurückverliebt, und die ganze Sache wäre erledigt gewesen.

Damit war klar: Mein Vater war gerade dabei, mein Liebesleben zu verpfuschen. Das beruhigte mich ein bisschen, denn zwischendurch hatte ich mir überlegt, ob es vielleicht an mir liegen könnte.

Ich entschied, dass ich ein Gespräch mit meinem Vater führen müsste.

Als ich nach Hause kam, lag mein Vater schnarchend auf der Couch. Mein kleiner Bruder saß davor und beobachtete ihn gebannt.

«Was tust du?», flüsterte ich.

«Ich guck Papi beim Träumen zu, was denn sonst!»

«Du guckst ihm beim Träumen zu?!»

Konny nickte: «Wenn ich genau gucke, kann ich bestimmt seine Träume sehen.»

Ich sagte nichts.

«Du musst dir das wie Fernsehen vorstellen», erklärte er weiter.

«Ach.»

Dann fiel mir wieder ein, wieso ich überhaupt hier war. Ich rüttelte meinen Vater wach. Als er vorsichtig blinzelte, ging ich zum Angriff über.

«Ich halte es nicht für eine gute Idee, dass ihr beide

die Rollen getauscht habt!», schimpfte ich. Das war als Einleitung gedacht.

Mein Vater setzte sich auf und strahlte: «Aber im Gegenteil, Sanny. Ich halte das für eine hervorragende Idee. Deine Mutter ist zufrieden und ich auch. Nur Konny und du, ihr seid unzufrieden, weil ihr jetzt auf einmal auch Pflichten im Haushalt übernehmen müsst.»

«Als Mam noch den Haushalt gemacht hat, mussten wir nie helfen, und alles hat funktioniert! Jetzt klappt gar nichts mehr!»

«Ach was. Ich hab alles im Griff. Na ja, bis auf die Wäsche vielleicht.»

«Was heißt das?», fragte ich alarmiert.

Mein Vater stand auf und ging zur Waschmaschine, ich stapfte hinter ihm her. Neugierig trippelte Kornelius ebenfalls mit.

Mein Vater holte einen Berg Wäsche aus der Waschmaschine. Offensichtlich hatte er nur Sachen von Kornelius gewaschen. Aber als ich genauer hinschaute, erkannte ich, dass es nicht nur Kornelius' Wäsche war, sondern die der gesamten Familie.

«Schau dir das an», sagte er zu mir, und es schwang Empörung in seiner Stimme mit, «die gesamte Wäsche ist eingegangen. Die Sachen passen jetzt höchstens noch Kornelius!»

Aber dann grinste er.

«Da brauchen wir jetzt mindestens ein Jahr lang für

den Kleinen keine neuen Sachen mehr zu kaufen! Schon wieder eine Arbeitsersparnis.»

Und Kornelius strahlte: «So viele neue Sachen!»

Er fischte eine pinkfarbene Seidenbluse mit Rüschen von meiner Mutter raus, hielt sie glücklich vor sich und meinte: «Ich mag Rüschenblusen!»

Ich hob einen Rock in die Höhe. «Kornelius wird entzückend darin aussehen!»

Mein Vater schaute gespielt kritisch: «Die Farbe steht ihm nicht!»

Ich schaute ihn böse an.

«Zumindest ist nichts verfärbt!», versuchte er mich zu trösten.

Ich drehte mich um und ging.

Hier musste sich etwas ändern. Und zwar schnell. So konnten wir nicht weiterleben.

Das Telefon klingelte.

Es war die Frau, die dieses ganze Chaos angezettelt hatte.

«Na, mein Schatz, wie geht's euch?»

«Pah!», schnaubte ich nur ins Telefon.

«Was macht euer Vater?»

«Er hat Wäsche gewaschen!»

«Ja und?»

«Alles ist eingegangen!»

«Verflixt!», sagte meine Mutter. «Der Kleine zieht immer wieder die Bedienungsknöpfe von der Wasch-maschine ab und vertauscht sie, weil er wissen will, ob die Maschine wohl so schlau ist und alleine weiß, was sie tun muss.»

«Mam … Du verstehst nicht …»

«Sanny, du klingst so komisch, was ist denn los? Ist Paps runter mit den Nerven?»

«Nein, im Gegenteil. Er ist die Ruhe selbst, ausgesprochen gut gelaunt. Er liebt seinen Job als Hausfrau!»

«Wirklich?» Meine Mutter schien enttäuscht. «Was macht der Kleine?»

«Er probiert nasse Wäsche an.»

«Also demnach befindet er sich im Haus und ist nicht weggelaufen», stellte meine Mutter beruhigt fest. «Dann ist ja alles in Ordnung.»

So kamen wir nicht weiter, das Gespräch führte zu nichts. Ich musste deutlicher werden.

«Mein Leben ist eine Katastrophe!»

Jetzt reagierte sie endlich. «Machst du dir immer noch Sorgen, weil du nicht verliebt bist, Schatz?»

Ich knurrte bloß. Das Problem hatte ich gerade mal für fünf Minuten vergessen.

«Weißt du was? Ich schau mal, ob ich nicht irgendwo einen netten Jungen finde, den laden wir dann mal ein, okay?»

«Nein!», rief ich ins Telefon. Ich war kurz vorm Heulen.

«Sanny, ich muss jetzt los, hab einen Termin auf einer Baustelle, da geht's drunter und drüber. Mach eine Liste mit all deinen Problemen, die gehen wir dann heute Abend zusammen durch. Okay? Also, grüß alle schön, bis später. Tschüs!»

Ich legte auf. Eine Liste mit all meinen Problemen. Die Liste würde dem Telefonbuch Konkurrenz machen. Aber nun wusste ich, von wem ich die Listen-Macke hatte.

Mein Vater fragte lauernd: «Na, hat sie Probleme im Büro? Ist wohl doch nicht so einfach, wie sie dachte, was?»

Ich schaute ihn böse an: «Mam geht's blendend!»

Wütend stapfte ich in mein Zimmer und fauchte Pixi und Dixi an: «Wieso habt ihr nicht verhindert, dass Mam arbeiten geht?! Und wieso habt ihr mich nicht vor Paps gewarnt! Ihr hättet wissen müssen, dass das alles ein Fiasko wird.»

Schuldbewusst schwammen Pixi und Dixi im Kreis.

16. Kapitel, in dem Konny eine heimliche Haushälterin engagiert

Ich hechtete auf der Straße hinter Kais Perle Ludmilla her.

Sie hatte mich wohl kommen hören, denn plötzlich drehte sie sich um und hielt einen Regenschirm kampfbereit in der Hand.

Ich hob beide Hände, damit sie sah, dass ich unbewaffnet war, und keuchte vom Laufen noch ganz außer Atem: «Hallo, Ludmilla.»

Sie ließ den Schirm sinken und schaute mich erstaunt an.

Ich keuchte nochmal: «Hallo, Ludmilla.» Zu mehr reichte meine Luft noch nicht.

«Was wollen?», fuhr sie mich barsch an.

«Ich bin ein Freund von Kai.»

«Da», nickte sie, «Kai.»

«Und ich wollte Sie fragen, ob Sie uns helfen können.»

Sie schaute mich groß an.

«Also meiner Familie helfen. Kochen, aufräumen, Wäsche machen und so.»

Ludmilla blickte sehr misstrauisch drein. Sie verwirrte mich etwas. Und sie hatte etwas Einschüchterndes an sich.

Ich stotterte schon beinahe, als ich endlich rausbrachte: «Ich wollte Sie fragen, ob Sie für uns arbeiten wollen.»

Sie schaute immer noch böse.

Aber ich gab nicht auf.

«Wir wohnen nicht weit von hier. Am besten kommen Sie mal mit, und ich zeige Ihnen das Haus?»

Sie willigte ein.

Ich war ziemlich froh, als wir endlich vor unserem Haus standen.

«Hier wohne ich.»

Sie betrachtete das Haus. «Und?»

Bevor ich die Sache mit dem Haushalt und der Hilfe erklären konnte, kam Konny um die Ecke gesaust, gefolgt von Sanny. Und hinter Sanny galoppierte Karl.

Karl und Konny hatten einen Heidenspaß, Sanny rief ärgerlich: «Bleib stehen und gib sofort die Wäsche her!»

Konny trug eine pinkfarbene Rüschenbluse und einen ziemlich auffallend gemusterten Minirock. Beides tropfnass. Fest an sich gepresst hielt er einen Schwung Kleider, die aussahen, als gehörten sie meiner Mutter oder Sanny.

Karl hatte mich entdeckt und hechtete mit großen Sprüngen auf das Gartentor zu, wo Ludmilla und ich standen.

Ich sprang panisch zur Seite, um nicht von Karl umgerissen zu werden.

Ludmilla stellte sich Karl in den Weg und rief: «Chalt!»

Karl bremste ab und kam rechtzeitig zum Stehen. Ludmilla stand da wie ein Fels und schaute von oben streng auf Karl herab. Er winselte und legte sich hin. Ich konnte ihn gut verstehen. Hätte Ludmilla mich so angesehen, ich hätte ebenfalls gewinselt und «Platz» gemacht. Ich war ziemlich beeindruckt. Das war die Frau, die wir hier brauchten.

Ich strahlte sie an. «Wow, ist ja klasse! Wie haben Sie denn das gemacht?»

«Alle Chunde in Minsk chören auf mich.»

Ich nickte. Ich glaubte ihr aufs Wort.

Sanny hatte Konny endlich erwischt und sah Ludmilla und mich erstaunt an.

«Das sind meine Schwester und mein kleiner Bruder», stellte ich die beiden vor. «Unsere Mutter arbeitet, und wir brauchen jemand, der sich um uns kümmert.»

«Wo ist Vater?»

Ich zögerte. Dann schüttelte ich den Kopf und meinte: «Kein Vater.»

Ludmilla zog die Augenbrauen in die Höhe. Das wirkte schon fast freundlich.

«Und da wollte ich Sie fragen, ob Sie uns helfen könnten. Wir bezahlen natürlich dafür», fuhr ich fort. Wie, darüber würde ich mir später Gedanken machen.

Es war wohl nicht die Bezahlung, die den Ausschlag gab, es war sicher mehr der Anblick dieser Chaostruppe.

Ludmilla schaute uns alle der Reihe nach an, dann übernahm sie die Regie: «Du stecken Bruder in trockene Kleider», meinte sie zu Sanny. «Und du mir zeigen Küche», sagte sie zu mir gewandt.

Sanny war etwas verwirrt: «Sag mal, was ist eigentlich hier …»

Ludmilla brachte Sanny mit einer Handbewegung zum Schweigen. «Ich mache Essen», bestimmte sie und ging energisch auf unser Haus zu.

Sanny schaute mich an.

«Du schuldest mir was!», meinte ich breit grinsend.

«Was soll das? Wer ist das?»

Ich grinste: «Unsere neue Haushaltshilfe! Heimliche Haushaltshilfe!»

Sanny fiel aus allen Wolken. «Was?»

Ich grinste noch breiter: «Damit sind alle unsere Probleme gelöst!»

Sanny überlegte einen Moment. Dann entspannte sie sich: «Vielleicht ist die Idee gar nicht so dumm …»

«Ist ja auch von mir!»

Sanny nickte anerkennend. Dann fiel ihr etwas ein, ihre Miene verfinsterte sich, und sie zischte mich an:

«Keinen Vater?! Was denkst du dir eigentlich?!»

«Hab dich nicht so. Was hätte ich denn sonst sagen sollen?»

«Wie wär's denn mit der Wahrheit gewesen?»

Ich zuckte lässig die Schultern. «Dazu ist immer noch Zeit!»

«Nicht mehr viel. Paps sitzt im Wohnzimmer und studiert Kochbücher.»

Ich raste ins Haus.

Ludmilla war bereits in der Küche. Ich ging ins Wohnzimmer. Mein Vater saß über ein Kochbuch gebeugt, war hochkonzentriert und bemerkte mich gar nicht. Gut. Leise schloss ich wieder die Tür. Jetzt musste mir nur noch einfallen, wie ich Ludmilla und meinen Vater voneinander fern halten konnte.

Ich schloss die Wohnzimmertür sicherheitshalber mit dem Schlüssel ab.

Leider hatte diese Idee aber einen kleinen Schönheitsfehler.

Sanny, Konny und ich saßen gerade gemütlich beim Mittagessen, als Ludmilla plötzlich nach einem Besen griff und zur Terrassentür stürmte. Als ich mich umdrehte, sah ich meinen Vater, der vor der Tür stand und verzweifelt Signale gab, ihn doch reinzulassen. Ludmillas Auftritt allerdings erschreckte ihn, und er lief weg.

Als es eine Minute später an der Haustür klingelte, war mir klar, dass er nicht wirklich weggelaufen war, sondern nur ums Haus herum zur Haustür.

Ich sprang auf. «Ich geh zur Tür!»

Mein Vater war völlig empört. «Hör mal, was soll

denn das, ihr habt mich im Wohnzimmer eingeschlossen und ...»

«Nur zu deinem eigenen Besten», versuchte ich ihn zu beruhigen. «Damit der Kleine dich nicht dauernd stört.»

Wenig dankbar fuhr mein Vater fort: «... und dann bedroht mich diese Frau mit einem Besen! In meinem eigenen Haus. Wer ist das überhaupt?»

«Ähm, das ist ... jemand aus der Schule.»

«Aus der Schule?!»

Ich nickte und überlegte fieberhaft. «Ja, genau. Aus der Schule. Eine ... Lehrerin! Eine Lehrerin aus unserer Schule.»

«Und was unterrichtet sie?»

«Russisch.»

«Ihr lernt Russisch?», fragte mein Vater erstaunt.

Ich nickte eifrig.

«Und warum in unserer Küche?»

Ich atmete tief ein. «Sie, eh, also ... heute lernen wir russisch kochen.»

«Bei uns zu Hause?»

Ich zuckte die Schultern: «In der Schule gibt's keine Küche.»

Mein Vater blickte an sich hinunter. «Ich zieh mir mal ein frisches Hemd an, und dann begrüße ich eure Lehrerin.» Er ging nach oben. Das klang nicht viel versprechend.

Ich setzte mich erschöpft auf eine Stufe und dachte

nach. Das schien jetzt doch etwas komplizierter zu werden, als ich angenommen hatte.

Sanny erschien in der Diele.

«Wo ist Paps?»

«Oben. Er zieht sich um.»

«Wieso das?»

Ich grinste: «Er will unsere Russischlehrerin beeindrucken.»

«Wir haben eine Russischlehrerin?»

Ich deutete mit dem Kopf in Richtung Küche, wo Ludmilla mit Aufräumen beschäftigt war.

Die Frau war wirklich klasse, die Küche sah inzwischen schon wieder so aus, als hätte man hier nie gekocht.

«So, ich gehen. Kommen morgen. Gleiche Zeit. Da?»

Ich nickte und Ludmilla verschwand.

«Die Sache mit der heimlichen Haushälterin ist eine völlig idiotische Idee», meinte Sanny.

«Hey, das war meine Idee!»

«Na, sag ich doch: idiotisch! Du wirst es niemals schaffen, diese Frau vor Paps geheim zu halten.»

«Na, das ist mir inzwischen auch klar. Aber er muss ja nicht wissen, was sie hier macht.»

«Ach, und wie willst du ihm erklären, dass immer alles aufgeräumt, die Wäsche gewaschen und gebügelt ist?»

Bevor ich darauf antworten konnte, erschien mein Vater wieder.

«Wo ist eure Russischlehrerin?»

«Schon weg. Schönen Gruß.»

Er schien enttäuscht. «Na gut, dann räumt jetzt bitte mal auf.»

Sanny und ich sahen uns an. Alles war ja bereits picobello aufgeräumt.

Paps ging in die Küche, Sanny und ich hielten die Luft an, dann hörten wir ihn sagen: «Oh, habt ihr ja bereits getan.»

«Siehste!», raunte ich Sanny zu. «Alles kein Problem! Wir müssen es nur geschickt einfädeln.»

«Das geht nie gut», knurrte Sanny und verschwand.

17. Kapitel, in dem Sanny
ein ernstes Gespräch mit ihrer Mutter führt

Konnys heimliche Haushaltshilfe war keine Lösung auf Dauer. Und mein Vater verursachte entschieden zu viel Chaos und verlangte zu viel Mitarbeit von uns im Haushalt. Ich musste mit meiner Mutter reden. Bestimmt wollte sie meinem Vater nur eine Lektion erteilen. Ich musste herausbekommen, wie lange wir noch durchhalten mussten und wann der Spuk zu Ende sein würde.

«Hallo, mein Schatz», begrüßte sie mich am nächsten Morgen beim Frühstück. «Alles in Ordnung?»

«Na ja. Und bei dir? Macht dir die Arbeit im Büro Spaß?»

«Ja, sehr viel Spaß. Ich fühle mich, als wäre ich ein neuer Mensch.»

«Das ist schön. Wie lange willst du noch ins Büro gehen?»

«Was meinst du damit?»

«Na ja, wann, glaubst du, hat Paps kapiert, worum es geht, und ab wann bist du wieder zu Hause?»

«Ach Sanny, auch wenn dein Vater es sich anders überlegt, ich werde weiterhin ins Büro gehen.»

Ich schluckte schwer. Das hörte sich ja gar nicht gut an.

Sie schaute an mir vorbei in die Ferne und meinte: «Weißt du, ich glaube, ich hab diesen Streit irgendwie mit Absicht vom Zaun gebrochen, weil ich es satt hatte, immer nur zu Hause zu sein und keinen Dank und keine Anerkennung für meine Arbeit hier zu bekommen. Haushalt ist wirklich ein undankbarer Job. Man wird nie gelobt. Nur wenn mal was nicht so ist, wie es sein sollte, dann gibt's Beschwerden. Nee, macht wirklich keinen Spaß. Mich kriegen keine zehn Pferde mehr an den Herd zurück.»

Sie drehte sich zu mir und strahlte.

Ich starrte sie an. «Bist du wirklich sicher, Mam?»

«O ja.»

Sie nahm sich eine Tasse Kaffee und summte vergnügt vor sich hin.

Das war schlimmer als erwartet.

«Und was wird aus uns?», fragte ich verzweifelt.

Meine Mutter schaute mich erstaunt an: «Was soll denn aus euch werden? Das hat doch mit euch nichts zu tun.»

«Ja aber, wenn du nicht mehr da bist!»

«Reden wir von der Zeit nach meinem Tod, oder machst du dir Gedanken, wer euch den Frühstückstisch deckt?»

Meine Mutter konnte ganz schön sarkastisch sein.

Ich schwieg beleidigt.

Sie kam zu mir und legte ihren Arm um meine Schultern: «Sanny, tu doch nicht so, als wäre das eine Katastrophe. Viele Mütter arbeiten. Und ihr habt immerhin noch den Vorteil, dass euer Vater zu Hause ist!»

«Pah, als ob das ein Vorteil wäre!», schnaubte ich. «Er verursacht ja das ganze Chaos.»

«Na komm, gib ihm eine Chance. Er wird das schon hinkriegen.»

Ich schaute sie leidend an.

«Helft ihm halt ein bisschen auf die Sprünge. Und es gibt eine Menge Dinge, die ihr selbständig erledigen könnt. Ich hab euch wirklich rund um die Uhr bedient. Und das braucht es ja jetzt nicht mehr, ihr seid alt genug, euch um die meisten Sachen selbst zu kümmern.»

«Und was ist mit Konny?»

«Wenn der etwas weniger Mädchen im Kopf hätte, bliebe noch genug Platz für Informationen, wie man eine Waschmaschine bedient oder einen Staubsauger oder …»

«Ich meine doch den kleinen Konny», unterbrach ich sie.

«Ach so, Puschel.»

«Ich denke, Puschel ist der Hund!»

Meine Mutter seufzte: «Ich meine Kornelius! Also ein einziges Kind wird dein Vater doch wohl betreuen können! Abgesehen davon könnt ihr euch ja auch mal um ihn kümmern.»

«Mam, das machen wir ja bereits. Was glaubst du,

was hier los wäre, wenn wir es nicht täten. Weißt du, wie anstrengend er ist?»

«Zumindest läuft er nicht mehr weg.»

«Ich meine nicht den Kleinen, ich rede von Paps!», schnaubte ich.

Meine Mutter lachte.

«Und der Hund?»

«Das ist Konnys Problem», entschied sie kurzerhand. «Er hat ihn ins Haus gebracht.»

Ich atmete tief ein und meinte kühl: «Tja, dann ist ja alles geklärt. Hauptsache, dir geht's gut.»

«Danke für dein Verständnis, mein Schatz. Ich muss los.»

Sie gab mir einen zerstreuten Kuss auf die Wange und ging.

Ich war sauer. Wie konnte sie nur! Wie konnte sie nur so guter Dinge sein, während hier alles drunter und drüber ging! Wie konnte sie uns nur derart gut gelaunt im Stich lassen.

Konny kam verschlafen in die Küche.

«Paps pennt wohl noch», stellte er mit kurzem Blick fest.

Ich zuckte die Schultern. War mir egal. Alles war mir egal.

Ich war ja noch nicht einmal in der Lage, mich zu verlieben. Geschweige denn, einen Jungen dazu zu bringen, sich in mich zu verlieben. Was für ein verpfuschtes Leben.

Ich stützte meinen Kopf auf und starrte vor mich hin.

«Welche Laus ist dir denn über die Leber gelaufen?», erkundigte sich mein Bruder.

«Mam liebt es, arbeiten zu gehen. Sie wird es nicht aufgeben, selbst wenn Paps sie auf Knien darum anflehen würde! Wir werden also weiterhin hier als Haussklaven leben müssen.»

«Also, ich hab ja einen Lösungsvorschlag ins Haus gebracht.»

Ich schaute Konny fragend an.

«Ludmilla! Wenn du mitmachst, kriegen wir das hin. Wie schwer kann es denn sein, Paps und Ludmilla getrennt zu halten?!»

Ich schaute Konny nachdenklich an. Ludmilla würde wieder Ordung in unseren Haushalt bringen, und wir wären von unseren Pflichten befreit. «Okay, ich bin dabei. Versuchen wir es mit Ludmilla.»

Konny strahlte. Er ging zum Obstkorb, der eher den Namen «Bananenkorb» verdient hätte, denn mein Vater hatte da ein Sonderangebot entdeckt … Konny nahm eine Banane raus und warf sie mir zu. «Hier, statt Pausenbrot!»

«Na toll, eine weniger. Dann müssen wir jetzt bloß noch 49 Bananen essen.»

Das brachte Konny auf eine Idee: «Los, lass uns den Rest mit in die Schule nehmen, die verkaufen wir. Wir brauchen jetzt dringend Geld.»

18. Kapitel, in dem Konny eine zweite Chance von Kim bekommt

Auf dem Weg zur Schule schleppte ich schwer an unserem Bananenvorrat. «Am besten wäre es, wenn wir Paps irgendwie aus dem Haus locken könnten, während Ludmilla da ist.»

«Falls wir überhaupt so viel Geld auftreiben können, sie zu bezahlen», meinte Sanny düster.

Ja, Geld war unser größtes Problem. Woher sollten wir es nehmen, um Ludmilla zu bezahlen? Vom Bananenverkauf auf dem Schulhof? Wenn wir zum Beispiel zehn Euro pro Banane verlangten, wären das … Ich rechnete noch, da kam ein Typ auf uns zu, drückte meiner Schwester fünf Euro in die Hand und verschwand wieder. Als ich sie fragend anblickte, murmelte sie etwas von Nachhilfe und zehn Euro von Paps.

Hey, das war die Idee!

«Sanny, ich hab's! Wir beide brauchen Nachhilfe. Sehr viel Nachhilfe.»

«Du vielleicht. Ich nicht!»

«Ach Sanny, du kapierst es nicht. Damit wäre unser Geldproblem gelöst!»

«Ach ja?»

«Paps wird für unsere Nachhilfe zahlen. Aber in Wirklichkeit zahlt er für Ludmilla!»

Ein paar Jungs aus der Achten überholten uns und warfen einen spöttischen Blick auf das Bananenbündel in meinem Arm.

«Hey, guck mal, die Affen bringen sich jetzt schon selbst ihr Frühstück mit in die Schule», rief einer.

Ich tat so, als würde ich es nicht hören.

Ich musste Sanny überzeugen. Doch bevor ich ihr meine Idee weiter erklären konnte, sah ich Kim. Da war doch was gewesen. Genau, Kim wollte mich gestern sprechen. Nun hatte ich sie einen Tag lang zappeln lassen, da konnte ich doch heute wieder großzügig sein.

Ich drückte Sanny die Bananen in die Arme und sprintete hinter Kim her.

«Du wolltest mit mir reden?»

Ohne mich anzusehen, meinte Kim: «Gestern. Heute nicht.»

Kim lief weiter, ich nebenher.

«Was wolltest du mir denn sagen, gestern?»

Da Kim nichts sagte, redete ich weiter. «Hör zu, ich weiß, dass ich manchmal irgendwie blöd bin, aber glaub mir, ich hab da keinen Einfluss drauf, das kommt ganz von selbst.»

Kim blieb stehen, schaute aber stur nach vorn.

«Wobei», ich zögerte einen Moment. Was hatte ich zu verlieren? Ich fuhr fort: «Eigentlich passiert mir das

129

nur bei dir. Ich denke, das liegt daran, dass ich dich …
eben … also irgendwie … besonders nett finde.»

«Na ja, und ich finde dich vielleicht doch nicht so
doof.»

War das eine Liebeserklärung von Kim?

«Also, wenn du willst, können wir mal zusammen
ins Kino gehen oder ein Eis essen oder so.»

«Okay.»

Ich schaute Kim ungläubig an.

«Im Ernst?», quietschte ich. «Hey, also, wenn du
mich so darum bittest, dann sage ich nicht nein. In den
Händen schöner Frauen bin ich Wachs …»

«Uäh!», machte Kim. «Ich kann das nicht ertragen.»

Sie ließ mich stehen und ging weiter.

Ich lief ihr hinterher. Es war gar nicht einfach, sie
zum Stehenbleiben zu bringen. Sie marschierte derart
wütend über den Schulhof, dass ich Angst hatte, der
Asphalt würde unter ihren Schritten zerbröckeln.

«Kim, bitte warte. Ich muss mit dir reden», flehte ich
nun schon zum dritten Mal.

Als sie mich ansah, wurde mir plötzlich schwindelig,
und mein Herzschlag setzte aus. Ich legte meine Hand
auf mein Herz.

Kim sah es und fragte: «Was ist?»

«Ich weiß nicht, manchmal kommt mein Herz
irgendwie aus dem Rhythmus.»

Kim wirkte interessiert: «Wann denn zum Beispiel?
Beim Sport?»

Ich schüttelte den Kopf.

«Bei Mathearbeiten? Wenn du zu viel Pommes gegessen hast?»

Ich schüttelte wieder den Kopf. «Immer, wenn ich mit dir rede.»

Kim schaute mich an, ich schaute Kim an. Kim lächelte. Ich lächelte. Mein Herz schlug wieder. Allerdings mit doppelter Geschwindigkeit.

«Mit den Sprüchen hab ich nur versucht, dich zu beeindrucken. Weil ich dich toll finde.»

«Du gibst dir wirklich viel Mühe.»

Ich nickte: «Und ich gebe nicht auf.»

«Das stimmt allerdings.»

«Findest du mich noch immer blöd?»

Kim schüttelte leicht den Kopf. «Nein. So richtig blöd fand ich dich ja nie. Und ich würde dich sogar richtig gut finden, wenn du die blöden Sprüche lassen könntest.»

Sie schaute mir in die Augen.

Gleich würde ich wieder das Herz-Kreislauf-Problem kriegen. Trotzdem schaute ich tapfer zurück. «Ich finde dich wirklich toll», wiederholte ich sicherheitshalber noch einmal. Zu den Sprüchen wollte ich mich nicht äußern und vor allem keine Versprechen abgeben.

Kim kam ein Stückchen näher und meinte leise: «Und ich finde dich auch toll.»

Was jetzt? Küssen? Mitten auf dem Schulhof?

«Gehen wir morgen ins Kino?», hörte ich mich plötzlich fragen.

Kim hatte wohl etwas anderes erwartet. Sie trat einen Schritt zurück. «Äh, ehm, ja. Lass uns morgen ins Kino gehen. Ist okay.»

Ich strahlte: «Super! Also dann bis morgen!»

Kim nickte.

Felix und Kai würden Bauklötze staunen, wenn ich ihnen davon erzählte.

19. Kapitel, in dem Sanny versucht, Rob mit einer Banane zu ködern

Ich stand allein da. Also fast allein, immerhin hatte ich etwa 49 Bananen im Arm. Und in einiger Entfernung stand Rob mit ein paar Freunden und lachte. Meinte er mich? Lachte er mich an? Lachte er mich aus? Ich drehte mich um, vielleicht stand ja hinter mir jemand und zog Grimassen.

Hinter mir stand Liz.

«Hi, Sanny, was hast du denn vor?»

«Hi, Liz, Affen füttern!»

Liz knuffte mich heftig in die Seite. «Hey, da vorne steht Rob.»

«Ich weiß, er war eben hier.»

«Hat er dich etwa geküsst?», fragte Liz erschrocken.

«Nein.»

«Dann gehen wir jetzt zu ihm rüber, und du holst dir deine fünf Euro zurück.»

«Hab ich schon.»

«Wie? Hast du schon? Und?»

«Nichts und. Er hat sie mir vorhin einfach in die Hand gedrückt. Und ich denke, es bedeutet, dass er mich nicht küssen wird.»

«Was hat er denn zu dir gesagt?»

«Nichts.»

«Was hast du zu ihm gesagt?»

«Auch nichts. Mein Bruder war dabei, ich konnte nichts sagen.»

«Dann hat sich die Sache mit Rob jetzt erledigt?»

«Nein, wieso?»

Von Pixi und Dixi hatte ich ja nichts Gegenteiliges gehört.

«Ich werde ihm noch eine Chance geben!»

«Dir», verbesserte mich Liz. «Du gibst *dir* 'ne Chance, nicht ihm.»

«Egal. Ich geh jetzt rüber und starte einen letzten Versuch.»

«Mit einem Bündel Bananen im Arm?»

«Ich biete ihm einfach eine Banane an.»

Entschlossenen Schrittes ging ich über den Schulhof.

«Hi, Rob, magst du eine Banane?»

Er lächelte nicht mehr. «Was ist das denn schon wieder für eine Aktion?»

«Das ist die Aktion ‹Esst mehr Obst›. Wir sind von der Schulbehörde beauftragt, das zu machen.»

«Ach, und ich dachte schon, das wäre die Aktion: ‹Wie mache ich Typen an›.»

Die Jungs um ihn herum grölten.

«Nein, die startet erst nächste Woche!», sagte ich spitz, drehte mich um und ging.

So ein Mist! Ich verließ im Stechschritt den Schulhof. Pixi und Dixi hatten komplett versagt. Sie hatten mich Rob in die Arme getrieben, obwohl er nicht der Richtige war!

Ich war sauer, supersauer. Auf die Fische, meinen Bruder, das Torfhirn mit der Bananenidee, und auf Liz, die mich nicht davon abgehalten hatte. Ach ja, und auf meine Eltern. Irgendwie war das ja auch ihre Schuld.

Liz holte mich keuchend ein.

«Hey, bleib doch mal stehen, wo willst du denn hin!»

Ich schaute Liz an: «Das war ja furchtbar eben!»

Liz guckte mich groß an: «Wieso denn? Ihr habt euch doch unterhalten!»

«Liz, ich hab mich zum Affen gemacht.» Mein Blick fiel auf die Bananen, die ich immer noch mit mir rumschleppte.

«Oh, das würde ich nicht sagen.» Liz' Blick fiel ebenfalls auf die Bananen. Sie grinste. «Na ja, vielleicht doch …»

Ich schaute sie böse an.

«Ach Sanny, vielleicht solltest du ihn dir einfach aus dem Kopf schlagen. Los, komm, wir müssen rein. Es hat bereits geklingelt. Die Bananen verteilen wir an unsere Klasse, dann sind wir sie los.»

Widerstrebend ging ich mit. Es war zum Heulen.

Wieso kann ich mich nicht verlieben? Ich saß in meinem Zimmer und dachte nach. Ich wollte endlich wissen, was für ein Gefühl es ist, verliebt zu sein.

Ich war gerade dabei, einen neuen Test mit meinen Fischen vorzubereiten, da kam Liz in mein Zimmer spaziert. Ertappt trat ich vom Aquarium zurück.

«Meinst du nicht, du fütterst deine Fische ein bisschen zu oft? Die sind ja schon kugelrund.»

«Nein», gab ich ärgerlich zurück. «Die müssen so aussehen. Wie bist du denn reingekommen?» Ich wunderte mich, weil es nicht geklingelt hatte.

«Die Haustür stand offen.»

«Was?» Ich sprang auf. «Wo ist Kornelius?»

Liz winkte ab und ließ sich auf mein Bett fallen. «Keine Panik. Ich hab ihn mitgebracht. Er war mit eurem Hund bei euren Nachbarn im Garten …»

«Das ist nicht ‹unser› Hund. Konny hat …»

«Ist doch egal. Jedenfalls stand der Kleine im Garten von euren Nachbarn und hat zugeguckt, wie der Hund dort ein Loch gegraben hat.»

«In einem fremden Garten?»

«Ja. Konny meinte, Puschel dürfe bei euch im Garten keine Löcher mehr graben, und deshalb grabe er hier.»

Ich stöhnte auf. «Gut, dass du ihn mitgebracht hast.»

Liz nickte. «Das war gar nicht so einfach. Er wollte nämlich eigentlich nicht damit aufhören, bevor er nicht einen Tunnel zur anderen Straßenseite rüber gegraben hat.»

«Was? Spinnt der?!»

Liz grinste. «Er sagte, er dürfe nicht allein über die Straße, aber er wolle auf die andere Seite, also habe er sich gedacht, er lässt Puschel einen Tunnel graben.»

Ich sprang auf und lief zur Tür. «Wo ist er jetzt?»

«Bleib ruhig. Er ist unten im Garten. Ich hab ihn vor den Rasensprenger gesetzt. Jetzt wartet er darauf, dass er den Regenbogen sieht.»

«Wie kommt er denn auf so eine Idee?»

«Ähm, ehrlich gesagt, war es meine Idee. Ich dachte, dann bleibt er still sitzen und ist für eine Weile beschäftigt.»

Ich nickte. «Sehr gut.»

«Bist du fertig?», fragte Liz und stand auf.

Wir wollten ins Kino gehen.

In einen Liebesfilm. Mal sehen, was ich da lernen konnte.

Als wir nach unten kamen, war alles ruhig. Nur Konny stand vor dem großen Spiegel in der Diele und übte coole Blicke.

Liz und ich kicherten. Es hatte sich wie ein Lauffeuer an der Schule herumgesprochen, dass er eine Verabredung mit Kim hatte.

«Wo ist Paps?»

«Beim Tierarzt.»

«Beim Tierarzt?»

Konny hatte unseren Vater kurzerhand mit Karl zum Tierarzt geschickt. Gerade rechtzeitig, bevor Ludmilla kam.

«Und was hast du gesagt, wieso?»

Konny zuckte die Schultern: «Ich hab Paps erklärt, Karl käme mir depressiv vor.»

«Ach nee, und das hat er geschluckt?»

«Nein, er meinte, ich rede Unsinn. Aber es könne ja nicht schaden, den Hund mal auf Flöhe und so weiter untersuchen zu lassen.»

«Der Hund hat Flöhe?», rief ich entsetzt.

«Nein, Sanny, und jetzt hab ich keine Zeit mehr zum Plaudern. Ich muss mich konzentrieren.» Damit schaute er wieder in den Spiegel und schnitt Grimassen.

Liz und ich trabten zum Kino.

Der Film hatte mich nicht weitergebracht. Ich kannte bereits alle Tricks. Was war nur schief gelaufen? Ich verstand das nicht: Konny machte alles falsch, was man nur falsch machen konnte – und hatte Erfolg.

Und ich? Ich ging planmäßig vor, zog alle Register der Flirtkunst – und scheiterte. Das war sooo gemein!

Ich ging zum Aquarium. Pixi und Dixi mussten mir helfen. Ich suchte nach der Futterdose, fand aber nur ein paar Kekskrümel. Ob das Frage-Antwort-Spiel trotzdem funktionierte? Ich probierte es einfach aus.

Soll ich Rob jetzt ein für alle Mal aufgeben, oder soll ich es weiter versuchen?

Sie fraßen die Krümel! Und was bedeutete das nun?

Ich dachte nach, kam aber nicht weiter und beschloss, Liz anzurufen.

Aber bevor ich was sagen konnte, rief sie direkt: «O gut, dass du anrufst. Rate, wen ich auf dem Heimweg getroffen habe?»

«Keine Ahnung.»

«ROB!»

Ich schluckte. «Und?»

«Ich hab ihn gefragt, ob er in dich verliebt ist.»

Mir wurde schlecht, ich musste mich setzen.

«Und ich weiß jetzt, was wir falsch gemacht haben.»

Sie hatte ja noch gar nicht erzählt, was Rob geantwortet hatte. Aber ich traute mich nicht, zu fragen.

«Rob ist der Ansicht, man kann sich nicht auf Kommando verlieben.»

Na gut, aber war er nun in mich verliebt oder nicht?

«Rob meinte, so etwas müsse sich ganz natürlich entwickeln. Wenn man sich zufällig trifft, vielleicht gemeinsame Interessen hat, Theater AG, Hockey, Tennis, Eisdiele oder Schülerzeitung und so, dann könnte man sich erst mal kennen lernen, und dann würde man ja sehen, ob man jemand netter findet als alle anderen und sich verliebt.»

Liz machte eine Pause.

«Na, was meinst du, Sanny? Ist doch großartig. Hätte echt nicht gedacht, dass ein Junge auf so eine Idee kommt. Ganz natürlich und zufällig muss man eine solche Sache angehen!»

«Ja, schön und gut, aber ist er nun in mich verliebt oder nicht?»

«Aber nein, natürlich nicht.»

Ich sagte nichts, weil ich schwer schlucken musste. Das «natürlich nicht» hätte sie sich sparen können.

Liz verstand mein Schweigen. «Aber sieh es mal von der positiven Seite. Wir haben jede Menge gelernt, und beim nächsten Mal werden wir alles richtig machen. Und ich mach jetzt auch mit! Ich will mich auch verlieben. Ich finde das echt spannend!»

Ich legte auf. Für mich würde es kein nächstes Mal mehr geben. Meine Liste mit den 1000 Gründen würde jetzt meine Bibel werden.

Das war's.

Und Pixi und Dixi konnten sich ab jetzt ihr Futter selber fangen. Mich derart reinzulegen!

20. Kapitel, in dem Konny seinen ersten Kuss verpasst

Endlich: Der Kim-Konny-Kinotag war da.

Ich hatte eine Vorgehensweise ausgearbeitet, um Kim zu beeindrucken. Ich würde nichts dem Zufall überlassen. Heute würde ich mich nicht so dämlich anstellen wie gestern. Kim würde mich von meiner coolen, unwiderstehlichen, charmanten Seite kennen lernen. Sie würde hin und weg sein von mir, sie würde sich unsterblich in mich verlieben. Da war ich mir sicher.

Ich werde Kims Hand halten, meinen Arm um sie legen und sie küssen! Jawohl!

Leider wurde mir bei der Vorstellung etwas schwindelig und leicht flau im Magen.

Da ich näher am Kino wohne, kam Kim bei mir vorbei, um mich abzuholen.

Als es klingelte, riss ich die Tür zu schwungvoll auf. Sie knallte gegen meine Schulter. Uuh, das tat weh.

«Hey, Kim, Sonne in meinem Herzen!»

Kim verzog das Gesicht. Mist, ich hatte vergessen, dass sie so etwas nicht hören wollte.

«Schön, dass du da bist, ich freu mich aufs Kino», korrigierte ich schnell.

Kim nickte bestätigend. Dann grinste sie: «Siehste, geht doch.»

Okay, ein Punkt für mich.

«Wollen wir los?», fragte ich.

Ich hatte es ein bisschen eilig. Kai und Felix warteten am Kino, damit sie mich endlich mal im Einsatz sahen. Das würde Felix mit Sicherheit dazu bringen, seine Sticheleien aufzugeben. Ich wollte unbedingt, dass er mit eigenen Augen sah, wie ich mit Kim gemeinsam im Kino einlief.

«Okay», meinte Kim, «lass uns durch den Park gehen.»

«Das ist aber ein Umweg.»

Kim zuckte die Schultern. «Macht doch nichts, ist romantischer.»

Aah, Romantik. Gut. Also die Romantiknummer. Nur, wie geht die? Keine Ahnung. Romantik war bisher in meinem Leben nicht gefragt. Aber vielleicht weiß Kim ja, wie Romantik geht. Ich sah Kim an. Kim sah echt süß aus. Schade. Wenn sie etwas weniger süß aussehen würde, wäre ich nicht so nervös. Und meine Hände würden wahrscheinlich auch nicht so schwitzen.

Wir gingen los. Nebeneinander. Schweigend.

Zweimal berührte Kims Hand meine Hand beim Laufen. Damit das nicht noch einmal passierte, steckte ich meine Hand sicherheitshalber in meine Hosentasche.

«Wenn du willst, kannst du meine Hand halten», bot Kim an.

Na, das würde ich für mein Leben gerne, aber leider war meine Handinnenfläche inzwischen von feucht in nass übergegangen, und ich hatte Bedenken, dass ich abrutschen würde, wenn ich nach Kims Hand griff.

«Nö, danke», meinte ich daher, «ist nicht nötig.»

Kims schräger Blick von der Seite gab mir einen Hinweis darauf, dass das keine gute Antwort war. Aber das konnte ich retten: «Ich würde lieber den Arm um deine Schultern legen.»

Kim lächelte versöhnt. Ich legte meinen Arm um ihre Schultern.

Leider brauchte ich mehrere Versuche. Das sieht immer so einfach aus, ist es aber nicht. Erst versuchte ich von hinten meinen Arm auf Kims Schulter zu legen, aber da Kim ja währenddessen weiterlief, griff ich ins Leere.

«Kannst du mal einen Moment stehen bleiben?»

«Wozu?», fragte Kim erstaunt.

«Ach, vergiss es.»

Dann versuchte ich es von vorn, und wenn Kim nicht blitzschnell ihren Kopf eingezogen hätte und meinem Arm Platz gemacht hätte, hätte sie sich wohl eine blutige Nase geholt.

Als ich dann endlich meinen Arm um sie gelegt hatte, wollte ich meine Hand locker auf ihrer Schulter ablegen, aber da fiel mir ein, dass ich ja diese nasse Klit-schepfote hatte.

«Du kannst ruhig deine Hand auf meine Schulter le-gen», meinte Kim.

«Auf dein Risiko», meinte ich fairerweise. Ich wollte nachher keinen Ärger, wenn sie einen nassen Handab-druck auf der Bluse hatte.

Kim lachte. «Du bist wirklich witzig.»

Das fand ich jetzt zwar nicht, aber egal.

Es war unbequem. Extrem unbequem. Ich versuchte mit Kim im selben Rhythmus zu laufen, kam aber ins Stolpern.

«Alles okay?», erkundigte sich Kim.

«Alles okay», seufzte ich.

Wie lange muss man eigentlich so einen Arm auf einer Schulter liegen lassen?

Hoffentlich waren wir bald im Kino.

Ich bereute inzwischen, dass ich Felix und Kai dort-hin bestellt hatte. Der Gedanke, dass die beiden mich so sahen, brachte mich irgendwie aus dem Konzept. Aber vielleicht würde ich mich ja an den leicht ver-renkten Arm auf Kims Schulter gewöhnen.

Ich konnte bereits Felix' dumme Bemerkungen hö-ren. Irgendwie hatte ich langsam den Verdacht, dass sich Männerfreundschaften nicht mit Verlieben vertra-gen.

«Warum bist du denn so nervös?», fragte Kim. «Liegt es an mir?»

«Nee, nee, das hat nichts mit dir zu tun!», beruhigte ich sie.

Erst als sie etwas enttäuscht guckte, hatte ich das Gefühl, dass sie eine andere Antwort erwartet hatte.

O Mann, hoffentlich waren wir bald da!

Rechtzeitig vor dem Kino nahm ich meinen Arm von Kims Schulter und fühlte mich sofort wohler. Ich hielt Ausschau nach Kai und Felix, doch die zwei Nachtwächter waren nirgends zu sehen. Auch gut.

Kim und ich hatten gar nicht besprochen, welchen Film wir sehen wollten. «1000 Arten, heldenhaft zu sterben» lief, das war der Hit schlechthin.

Als ich ihr den Film vorschlug, guckte sie mich groß an. «Ich geh doch nicht in so einen Film! Es läuft: ‹Liebe ist was Wunderbares›, den will ich sehen.»

Ich starrte sie an und schluckte. Bevor ich in so einen Film gehe, schreibe ich lieber eine Mathearbeit.

«Ähm», meinte ich, «alles klar, ich hol die Karten.»

Kim stand schwärmerisch vor dem Filmplakat ihres Liebesfilms, ich trottete zum Kartenschalter und dachte nach. Wenn ich Kim wirklich liebte, dann würde ich ihr zuliebe eben in den Schmalzfilm gehen.

«Zweimal ‹1000 Arten, heldenhaft zu sterben›», verlangte ich. Hups, wie ist denn das passiert? Bevor ich meine Wahl korrigieren konnte, hatte ich auch schon die Karten in der Hand. Hm. Ich musste es Kim ja nicht sagen.

Wir gingen ins Kino, keine Spur von Kai und Felix.

Der Film begann, und Kim merkte sofort, was los war.

Aber ich beruhigte sie. «Tut mir Leid, der andere Film war ausverkauft. Und mir geht es nur darum, mit dir im Kino zu sein. Der Film ist mir doch schnurzpiepegal.»

«Das ist eigentlich ganz süß von dir», meinte sie und rückte etwas näher an mich ran.

Ich triumphierte.

Aber Kim hatte meinen Satz, dass mir der Film egal sei, falsch gedeutet. Sie dachte, dass es mir nichts ausmachte, die ganze Zeit zu quatschen. Und das tat sie. Alle zwei Minuten säuselte sie etwas, fragte etwas, und ich bekam schon einen Anflug von schlechter Laune. Verflixt, ich wollte den Film sehen und nicht plaudern.

Aber hey, Bond wäre auch höflich und charmant gewesen.

Gerade als der Held mit dem Auto von der Brücke raste, hörte ich wieder Kims Stimme an meinem Ohr.

Ich murmelte ein höfliches «Aber sicher doch» und bekam einen Kuss. Verdammt! Was war denn hier los? Hatte sie mich eben gefragt, ob sie mich küssen durfte? Und konnte unser Mann jetzt entkommen oder nicht? Ich konnte es nicht fassen, ich hatte die beste Stelle des Films verpasst. Dem Kerl hatten sie eine Bombe ins Auto geschmuggelt, die Bremsleitung angesägt, glitschiges Öl auf die Brücke geschüttet, das Brückengeländer so präpariert, dass es bei der geringsten Erschütterung umfallen würde, an beiden Ufern des wild reißenden Flusses standen Scharfschützen. Und gerade als das Auto von der Brücke stürzte, in der Luft explodierte, ein Kugelhagel sich über den Wagen ergoss, es im Wasser aufschlug, von der Strömung sofort weggerissen wurde und plötzlich ein Rudel Haie im Fluss auftauchte, da küsste mich Kim.

Ich konnte es nicht fassen. Sie hat ja nicht die Bohne Gespür für solche Filme! Wenn der Held in Gefahr ist, küsst man niemanden, man wartet gespannt, wie er sich aus einer solch brenzligen Situation wieder herausmanövriert.

Ich stöhnte und ließ mich ärgerlich in meinen Sitz zurücksinken. Dann durchfuhr es mich plötzlich: Kim hatte mich gerade geküsst! O mein Gott! Das darf ja nicht wahr sein! Ich hatte meinen ersten Kuss verpasst.

Ich versuchte mich dran zu erinnern und die Szene Revue passieren zu lassen. Aber nix. Immer kamen fliegende Autos und explodierende Bomben dazwischen. Mist, Mist, Mist!

Ob ich Kim bitten sollte, es noch einmal zu tun? Dann würde ich besser aufpassen.

Ich schielte zu ihr rüber, aber sie hatte nun ihren Blick fest nach vorne auf die Leinwand gerichtet.

Hm. Ich hatte keine Ahnung, was man in einer solchen Situation tat. Also guckte ich den Film zu Ende.

Allerdings hatte ich nun auch Schwierigkeiten, mich zu konzentrieren, denn dauernd tauchten in meiner Phantasie Szenen auf, in denen sich jemand über den Helden beugt und ihn küsst. Und zwar völlig wahllos, mal waren es Leute aus der Killerbande, mal Detektive und Polizisten und schließlich sogar einer der Haie. Ich war erschüttert: Ein Kuss, und ich hatte meinen Verstand verloren. O Mann!

Als der Film vorbei war, trottete ich wie betäubt neben Kim her. Sie griff nach meiner Hand. Ich fand es ausgesprochen peinlich.

«Hey, sind das nicht deine Freunde?» Kim stieß mich an und deutete auf Kai und Felix, die aus dem anderen Kinosaal rauskamen.

Da waren sie ja! Ich lief auf die beiden zu, Kim hinterher. Das passte mir gar nicht, ich wollte allein mit ihnen reden. «Ach Kim, warte doch mal einen kleinen Moment, ich bin sofort wieder zurück!»

Kai und Felix grinsten. «Wo wart ihr denn?!»

«Wir waren im Kino, und wo wart ihr?»

«Auch im Kino, was denkst du denn?!»

«Habt ihr eben gesehen, wie wir gekommen sind?»

«Nö», meinte Felix.

Gut, ich war beruhigt.

«Wir waren in ‹Liebe ist was Wunderbares›», schwärmte Kai und guckte ganz kariert.

«Hä? Wieso geht ihr in einen Liebesfilm?»

«Na, weil wir angenommen hatten, du wärst mit Kim in dem Film!», erklärte Felix.

«Ich guck mir doch keine Liebesfilme an!», sagte ich entrüstet.

«Der war gar nicht so schlecht», begann Kai.

«Konny, kommst du?» Plötzlich stand Kim neben mir und griff wieder nach meiner Hand.

Murks!

Kai blickte mich groß an.

«Dann bis später!», versuchte ich mich cool von meinen Freunden zu verabschieden. Felix' Kommentar hörte ich zum Glück nicht mehr.

Kim hatte mich fortgezogen und flötete: «Wollen wir noch ein Eis essen gehen?»

«Was immer du willst», sagte ich ergeben und fühlte mich überhaupt nicht mehr James-Bond-mäßig. Kim hatte mich mit ihrem Kuss völlig aus dem Konzept gebracht. Und meine Hand, die Kim hielt, fühlte sich taub und pelzig an, so, als ob es ihr überhaupt nicht gefallen würde, was mit ihr geschah.

Worauf hatte ich mich bloß eingelassen!

Kann man das alles auch wieder rückgängig machen?!

21. Kapitel, in dem Sanny
mit Kim Schluss
machen soll

Abends kam Konny in mein Zimmer.

«Du musst mir helfen!», stöhnte er und ließ sich auf mein Bett fallen.

«Hast du Matheprobleme?»

«Nein! Probleme mit der Liebe! Es geht um Kim.»

Er sah wirklich etwas verzweifelt aus, also verkniff ich mir meine üblichen Bemerkungen. Außerdem war ich inzwischen um einiges klüger, ich hatte meine Erfahrungen gemacht.

«Hör zu, Liebe lässt sich nicht erzwingen», begann ich, «und ehrlich gesagt, steht immer noch nicht fest, ob die Sache mit der Liebe nicht vielleicht doch nur ein groß angelegter Werbefeldzug ist, der dazu dient …»

«O nein, Sanny, nicht diese Theorie schon wieder. Ich hab echte Probleme!», stöhnte Konny.

Ich war etwas gekränkt: «Also weißt du, ich möchte wirklich wissen, wieso du ausgerechnet zu mir kommst. Wenn du bei Kim nicht landen kannst, dann liegt das bestimmt an deinen unmöglich dummen, sülzigen Sprüchen. Kein Mädchen auf der Welt fällt auf so etwas rein! Gib Kim auf, werde normal und fang nochmal von vorne an.»

Das war der freundlichste Ratschlag, den ich ihm geben konnte.

«Es ist zu spät!», stöhnte Konny. «Kim hat mich geküsst!»

«Waaas?»

Konny nickte unglücklich.

«Du willst mich verkohlen?», fragte ich misstrauisch.

«Nein, echt nicht, Sanny. Wir waren doch zusammen im Kino ...»

«Weiß ich, hast du ja lang und breit jedem erzählt, der's nicht hören wollte», knurrte ich.

«Jetzt lass mich doch mal ausreden. Also, wir sind ins Kino, und mitten im Film beugt sie sich zu mir und küsst mich.»

«Und?»

«Das war ziemlich blöd, weil ich deshalb den entscheidenden Moment im Film verpasst habe, als der Typ mit dem Auto in die Luft flog, weil er ...»

«Erzähl mir nicht den Film, wie war's?»

«Spannend, es war ein Actionfilm.»

«Der Kuss, du Pappnase!»

«Ähm, ja, also ehrlich gesagt, ich war derart überrascht, ich hab das irgendwie gar nicht mitbekommen. Als mir klar wurde, was Kim da tat, war es auch schon vorbei.»

Ich stöhnte und ließ mich in meinen Sessel zurückfallen. Da hätte ich nun die Chance gehabt, aus erster Hand zu hören, wie es ist zu küssen, und dieser Esel hatte nicht aufgepasst.

Etwas kühl sagte ich: «Na, dann ist ja jetzt alles in Ordnung, du hast erreicht, was du wolltest. Glückwunsch. Kommst du damit zu mir, um mir deutlich zu machen, was für ein Versager ich bin?»

Konny setzte sich auf und schaute mich an: «Natürlich nicht. Kim hat gerade angerufen, sie will heute Abend schon wieder mit mir spazieren gehen!»

«Und was hat das mit mir zu tun?»

«Mann, du bist die Expertin im Nichtverlieben, und ich wollte ein paar Tipps von dir.»

«Kann ich dir nicht geben», knurrte ich.

«Ach komm, Sanny, sag mir, was ich tun soll, hilf mir doch bei meinem Problem», bat Konny.

«Ach, und wo ist dein Problem? Bisher seh ich keins!», fauchte ich.

«Das kommt morgen auf dem Schulhof. Kim hat angekündigt, dass sie, jetzt wo wir zusammen gehen, in den Pausen immer zu mir kommt. Und ich weiß, was das heißt: Sie will Händchen halten, und ich bin mir nicht sicher, ob sie nicht vielleicht sogar versuchen wird, mir einen Kuss aufzudrücken!»

«Und?»

«Mitten auf dem Schulhof!», brüllte er.

Ich schaute ihn verständnislos an.

«Sanny, es ist oberpeinlich, auf dem Schulhof geküsst zu werden und Händchen haltend rumzustehen.»

Ich war verwirrt. «Aber das wolltest du doch immer!»

Konny nickte. «Dachte ich ja auch. Aber jetzt hab ich gemerkt, dass ich es eben doch nicht will.»

«Aber du bist doch in Kim verliebt!»

«Sicher bin ich das!», rief Konny sofort.

«Das klingt aber gar nicht danach.»

«Das kann ich wohl besser beurteilen!», rief Konny ärgerlich. Dann zögerte er und fügte zerknirscht hinzu: «Aber mich stört, dass Kim in mich verliebt ist.»

Ich stöhnte auf. «Das darf doch wohl nicht wahr sein. Seit Wochen hören wir uns dein Kim-Gesülze an, und jetzt, wo du sie ‹erobert› hast, interessiert sie dich nicht mehr!»

«Es ist nicht so, dass sie mich nicht mehr interessiert, es ist einfach … ich weiß es ja auch nicht. Ich dachte, ich wollte es, aber ich will es eben doch nicht.»

Ich schüttelte den Kopf. «Ich kann's nicht fassen: Du wolltest sie nur erobern, aber du wolltest nicht, dass sie sich in dich verliebt!»

«Ich hab mir das eben irgendwie anders vorgestellt. Ich meine, eigentlich sollte ich mich doch jetzt blendend fühlen, so rosarote Wolke oder Brille oder was weiß ich. Aber ich fühl mich einfach nur doof!», jammerte er.

Ich stand auf und schaute ihn kühl an: «Gibt es sonst noch ein Problem, bei dem dir die Expertin in Sachen Nichtverlieben helfen könnte?»

Konny nickte eifrig: «Ja. Kim glaubt jetzt, dass wir miteinander gehen.»

Pause.

Ich fragte lauernd: «Ja?»

«Ehm, und ... ich wollte dich bitten, ob du vielleicht für mich mit ihr Schluss machen könntest?»

«Wie bitte?!!»

«Na, so von Frau zu Frau ist das bestimmt einfacher!»

Ich war empört. «Du Feigling! Du hirnloser Feigling! Wenn du dich nicht selbst traust, dann frag doch einen deiner Musketiere, ob er das für dich übernimmt!»

«Muskeltiere?»

«Quatsch, Musketiere! Artos, Portos, Aramis ...»

Konny hob die Hand, um mich zu stoppen: «Ja, ja, schon gut, ich weiß: die drei Musketiere. Einer für alle – alle für einen. Wusste ja nicht, dass du seit neuestem Bücher liest.»

«Was soll denn das, ich habe schon immer ...»

«Ist ja gut, reg dich nicht auf!» Konny stand auf.

Ich lief vor meine Tür und verstellte ihm den Weg. «Was sagen denn Kai und Felix dazu?»

Konny zuckte die Schultern: «Die sind beeindruckt.»

«Na, das wolltest du doch die ganze Zeit.»

«Ja, aber ich will nicht mit Kim gehen!»

«Und du willst ihnen nicht sagen, dass du dich getäuscht hast, dass du eben doch nicht verliebt warst. Stimmt's?»

Konny zuckte nur die Schultern.

Ich schüttelte verächtlich den Kopf und machte ihm den Weg frei.

An der Tür blieb er zögernd stehen. «Sag mal, Sanny, du hast doch da diese Liste gemacht?»

«Ja?»

«Ehm, könntest du sie mir mal geben, vielleicht finde ich ein paar Gründe, mit denen ich Kim ausreden könnte, dass sie in mich verliebt ist.»

«Pah! Erst ziehst du mich damit auf, und dann soll dich meine Liste retten! Nee, mein Lieber. Such dir deine eigenen Gründe.»

Konny ging.

«Weißt du eigentlich, was das bedeutet?», rief ich ihm hinterher.

Er schaute mich groß an. «Was denn?»

Ich triumphierte: «Du warst auch noch nie verliebt! Du hast nur immer geglaubt, du wärst verliebt. Warst du aber nicht! Willkommen im Club!»

Ich fühlte mich auf einmal sehr viel besser.

22. Kapitel, in dem Konny
seine Pausen auf dem Klo verbringt

Als ich mit Kim durch den Park ging, war ich immer noch im Schockzustand. Sannys Behauptung, ich wäre noch nie verliebt gewesen, hatte mich echt umgehauen. Seit Jahren bin ich verliebt. Ist man doch, wenn man Mädchen anquatscht und sich um sie bemüht! Oder!? Wenn das nicht stimmte, dann konnte ich nochmal ganz von vorne anfangen. Verflixt! Natürlich war ich verliebt! Würde ich sonst Händchen haltend mit Kim durch die Botanik spazieren?!

Allerdings war ich der Meinung, als Verliebter sollte man sich eine Nummer besser fühlen! Die Herz-Kreislauf-Geschichte hatte sich zwar komplett gelegt, ich hatte keinerlei Beschwerden mehr. Aber richtig wohl fühlte ich mich trotzdem nicht.

Ich überlegte hin und her und kam zu dem Schluss, dass es Kims Schuld war. Sie machte irgendetwas falsch.

«Gehen wir irgendwo Bestimmtes hin?», erkundigte ich mich.

Kim strahlte: «Nein, wir laufen nur so durch die Gegend.»

Ich war noch nie nur so durch die Gegend gelaufen.

«Ist doch toll, findest du nicht?», fragte Kim und schmiegte sich etwas an mich.

«Angelst du eigentlich?», fragte ich sie.

«Wie kommst du denn darauf? Willst du etwa mit mir angeln gehen?»

«Würdest du das denn machen?»

«Nie im Leben, ist ja eklig. Harmlose Fische totschlagen.»

«Hey», grinste ich, «das ist doch der Spaß dabei.»

Kim rückte etwas von mir ab.

«Man nimmt einen Stein und schlägt ihn dem Fisch auf den Kopf!», erläuterte ich.

Kim ließ meine Hand los.

«Einmal hatte ich einen riesengroßen Hecht, den musste ich …»

Kim hielt sich die Ohren zu und schrie: «Hör sofort auf!»

Ich war froh, dass sie mich gestoppt hatte, denn mein Ding war das ja eigentlich auch nicht. Ich sage nur Fischstäbchen.

Kim griff wieder nach meiner Hand. Wir gingen schweigend weiter. Und ich hatte plötzlich wieder gute Laune: Ich sah Kai. Meinen Freund. Aber was machte der denn jetzt noch im Park? Ich sah genauer hin – und erstarrte. Kai war mit einem Mädchen unterwegs. Sie hatten einen kleinen Hund dabei und hielten gemeinsam die Leine. Wieso denn das? Ich stürmte auf ihn zu.

«Hey, Kai, wie geht's?»

«Hi, Konny», grüßte Kai zurück. «Wir führen Clementine aus.»

«Wollen wir ein Stück zusammen gehen?», fragte ich hoffnungsvoll.

«Nein, wir wollen alleine sein», antwortete Kais Mädchen. «Clementine mag keine fremden Leute.»

«Ach Unsinn, los, wir gehen Eis essen oder so», schlug ich vor.

«Nein», schüttelte das Mädchen den Kopf.

«Mensch, Kai, sag doch auch mal was!»

Kai zuckte die Schultern und meinte entschuldigend: «Es ist wegen Clementine ...»

«Genau», nickte das Mädchen, dann schaute sie Kai verliebt an und flötete: «Sie mag nur Kai. Kai ist ein Hundefreund.»

Kai nickte stolz und zog mit Hund und Mädchen von dannen.

«Pantoffelheld», knurrte ich.

Kim schaute mich an: «Sag mal, kann es sein, dass es dir langweilig ist mit mir?»

Das war ein guter Einstieg. Ich konnte das Gespräch geschickt auf unsere Beziehung bringen und ihr erklären, dass ich lieber doch nicht mit ihr gehen wollte.

«Nö, nicht die Bohne», hörte ich mich da sagen.

«Es macht aber den Eindruck», bohrte Kim weiter.

Okay, jetzt würde ich es ihr sagen.

«Ach wo, das siehst du falsch!»

Was war los mit mir?

«Was ist los mit dir?» Kim ließ nicht locker.

Ich fühlte mich plötzlich schrecklich müde. «Kim, ich muss dringend nach Hause. Wir sehen uns morgen in der Schule, okay?»

Ihre Antwort wartete ich gar nicht mehr ab, sondern rannte sofort los.

Vor der ersten Stunde versteckte ich mich auf dem Jungsklo. Das war nämlich der einzige Ort, wo Kim mich nicht aufstöbern konnte. Es war entwürdigend. Aber nachdem mir klar war, dass ich aus Sicherheitsgründen den Rest meiner Schulzeit nun dort verbringen musste, hatte ich mir eine Art «Büro» eingerichtet. Ich würde mich schon daran gewöhnen.

Ich schaute gelegentlich zur Tür raus, auf den Gang, und als Kai und Felix vorbeiliefen, zerrte ich sie schnell in mein Büro-Klo.

Ich guckte Felix ernst an und teilte ihm mit: «Kai hat eine Freundin!»

Kai schaute mich erstaunt an: «Ich?»

«Mann, ja, das Mädchen, mit dem du gestern durch die Gegend gelatscht bist!»

«Oh, du meinst Marie. Ich geh wegen Clementine immer mit ihr spazieren. Jeden Abend. Ich glaube nicht, dass sie meine Freundin ist.»

«Glaub mir, Junge, da kenn ich mich aus: Ihr geht miteinander. Das sieht ein Blinder ohne Krückstock.»

Kai strahlte: «Im Ernst? Wow, das hab ich gar nicht gemerkt! Ist ja irre.»

Felix und ich wechselten einen ernsten Blick.

Kai bekam ganz schwärmerische Augen: «Clementine ist so klasse. Ich mag sie.»

«Ich denke, sie heißt Marie?»

«Ich mein doch den Hund!»

Felix stöhnte und wandte sich an mich: «Alles klar mit Kim?»

Ich nickte: «Alles klar.»

Ich überlegte kurz, ob ich den beiden von meinem Dilemma erzählen sollte, aber irgendwie bewunderten sie mich, dass ich Kim nun doch noch erobert hatte, und ich wollte mich wenigstens noch ein paar Tage in ihrer Bewunderung sonnen. Also hielt ich den Mund.

«Und wieso hängst du hier auf dem Klo rum, statt draußen mit ihr Händchen zu halten?»

Felix ist echt bescheuert!

«In meiner Pause kann ich machen, was ich will!»

«Und du willst auf dem Klo sitzen! Ja klar. Verstehe.»

«Allerdings!» Zur Bekräftigung meiner Worte ging ich in eine Kabine und knallte die Tür hinter mir zu.

Die zweite Pause verbrachte ich ebenfalls auf dem Klo. Felix und Kai weigerten sich, mit mir in mein «Büro» zu kommen. Also hing ich alleine rum. Hatte wenig Flair.

So konnte das wirklich nicht weitergehen.

Als ich nach Hause kam, kniete mein Vater im Vorgarten und legte Steine zwischen die Blumen auf den Beeten. Neben meinem Vater kniete Kornelius und nahm die Steine wieder raus.

Ich schaute mich um, Panik! Ludmilla müsste jeden Augenblick kommen.

«Hey, Paps! Was machst du denn da?»

«Hi, Konny, mit den Steinen sparen wir uns das Unkrautzupfen. Ich lass nur die Blumen frei, alles andere wird abgedeckt. Keine Chance mehr für Unkraut.»

Klar, wieder eine seiner Arbeitseinsparungsmaßnahmen.

Ich nickte. Ich hätte gerne so getan, als wäre es eine geniale Idee, aber ich war zu nervös.

«Hör mal, der Kleine und ich haben schon gegessen, macht euch bitte selbst was, ich will hier rasch fertig werden», bat mein Vater, ohne aufzublicken.

Ich war begeistert: «Klar, gern, super!»

Mein Vater war irritiert. «Alles okay mit dir?»

Ich nickte, bückte mich und gab ihm einen Stein. Das lenkte ihn ab, und er widmete sich wieder seiner Unkrautbekämpfung.

Gerade rechtzeitig, denn in dem Moment kam Ludmilla zum Gartentürchen herein. Sie sah uns und stemmte die Arme in die Seite. Ich bekam sofort ein oberschlechtes Gewissen und zog schon mal den Kopf ein. Nun würde die Bombe platzen.

Ludmilla fixierte Karl, der gerade ein Loch in den

Rasen buddelte. Sie pfiff scharf, der Hund zuckte zusammen und hörte sofort auf zu graben. Auf einen weiteren Pfiff hin verzog er sich in die ihm von Ludmilla angewiesene Ecke im Garten. Ich traute meinen Augen nicht. Kornelius hörte auf, die Steine vom Beet zu klauben, und lief hinter Karl her.

Ludmilla nickte zufrieden und steuerte meinen Vater an. Okay, nun hatte mein letztes Stündlein geschlagen. Ich lief zur Haustür. Besser, ich brachte etwas Abstand zwischen uns, wenn mein Vater explodieren würde.

Ludmilla schaute meinem Vater kurz über die Schulter, schüttelte den Kopf und ging zur Haustür.

Mein Vater blickte nicht mal auf.

Ludmilla schüttelte immer noch den Kopf, als sie an mir vorbeiging: «Gärtner dumm im Kopf!»

Ich stand völlig verblüfft da. Was war denn nun geschehen? Ich hatte erwartet, dass der ganze Schwindel auffliegen und man mir für den Rest meines Lebens Hausarrest verpassen würde. Aber nichts dergleichen. Ludmilla kam, beleidigte meinen Vater mit ein paar dürren Worten, weil sie ihn für den Gärtner hielt, ging in die Küche und kochte.

Während des Essens ließ sich mein Vater nicht blicken.

Ludmilla hatte bereits die Küche aufgeräumt und begann nun mit dem Putzen, als plötzlich meine Mutter wutschnaubend zur Tür reingestürzt kam.

Sie hatte Kornelius und Karl im Schlepptau. Kornelius schleckte gut gelaunt eine Portion Eis. Hinter ihr betrat mein Vater das Haus. Er blickte schuldbewusst.

«Ich glaub's ja nicht», fuhr sie uns sofort an. «Frau Flohmüller rief mich im Büro an und bat mich, den Kleinen abzuholen und den Hund. Er hat ein Loch in ihren Vorgarten gegraben!»

«Kornelius?», fragte ich.

Meine Mutter würdigte mich keines Blickes.

Kornelius war empört: «Puschel hat kein Loch gegraben, er baut einen Tunnel!»

Meine Mutter schaute Kornelius schräg von der Seite an, sein Eis tropfte inzwischen auf den Boden. Karl leckte es auf. Sie seufzte, drückte Kornelius einen Kuss auf die Haare und schickte ihn in sein Zimmer.

«Ich will in fünf Minuten alle Mitglieder dieser Familie im Wohnzimmer sehen.» Sie griff nach dem Telefon und erzählte irgendjemandem etwas von wegen «leider etwas später ... familiärer Notfall».

Ich schaute meinen Vater verunsichert an, aber von ihm war keine Rückendeckung zu erwarten. Er meinte bloß: «Ich hab gar nicht mitgekriegt, dass der Kleine schon wieder weggelaufen ist.»

Als mein Vater, Sanny und ich im Wohnzimmer saßen, lief meine Mutter vor uns auf und ab und schien nach dem richtigen Ansatz zu suchen. «Okay. Ich werde mich nicht aufregen.»

Das waren gute Neuigkeiten, aber wer meine Mutter kannte, wusste, dass das leere Versprechungen waren.

«Hier in diesem Haus befinden sich drei halbwegs intelligente Menschen. Wieso finde ich dann Kornelius bei den Nachbarn? Ihr müsst doch wohl in der Lage sein, ihn im Haus zu halten. Ich habe das ja schließlich auch fünf Jahre lang geschafft. Aber jedes Mal, wenn ich einen von euch gebeten habe, auf den Kleinen zu achten, konnte ich ihn von Bäumen oder sonst wo runterpflücken. Ich hatte mir vorgenommen, die Zustände, die hier herrschen, seit ich nicht mehr zu Hause bin, zu ignorieren. Aber langsam wird mir das zu viel. Hier herrscht ein einziges Chaos! Warum unternehmt ihr nichts dagegen?!»

Und dann passierte es: Ludmilla kam mit dem Staubsauger ins Wohnzimmer.

Ich hielt die Luft an.

Es herrschte eisiges Schweigen. Alle starrten wie gebannt auf Ludmilla.

«Na toll! Du hast dir also eine Putzhilfe geholt!», wandte sich meine Mutter an meinen Vater. Ihre Stimme klang sehr böse.

Mein Vater schüttelte den Kopf: «Aber nein! Das ist die Russischlehrerin von Sanny und Konny.»

«Ach, und gerade bringt sie unserem Staubsauger Russisch bei?»

«Nein, Sanny und Konny lernen Russisch», erklärte mein Vater.

«Ah! Sanny und Konny!» Sie wandte sich an uns beide und lächelte. Eine Spur zu herzlich, wie ich fand.

«Wollt ihr beide mir dann jetzt mal ein bisschen eure Russischkünste vorführen, oder rückt ihr lieber gleich mit der Wahrheit raus?!» Ihr Lächeln erstarb.

Sanny schaute mich auffordernd an, leise flüsterte sie: «Deine Idee, du erzählst.»

Ich atmete tief durch. «Das ist alles ganz einfach. Paps hat hier nichts in den Griff gekriegt, es war voll chaotisch. Und er hat uns gezwungen, Hausarbeit zu machen. Und wir haben ihn ja gefragt, ob wir nicht jemanden engagieren können, der sich um Haushalt, Essen und Wäsche kümmert, aber Paps wollte nicht. Und dann haben wir Ludmilla eben heimlich engagiert.»

Meine Mutter schaute interessiert.

«Und von welchem Geld habt ihr sie bezahlt?»

«Nachhilfe!»

Sie nickte anerkennend. «Na sieh mal an, ihr gebt Nachhilfe und verdient euch damit Geld. Das ist doch durchaus lobenswert.»

Ich verzog das Gesicht. «Wir *kriegen* Nachhilfe», murmelte ich leise.

Die Augenbrauen meiner Muter sausten in die Höhe. Meine Güte, wieso kapierte sie immer sofort, was los war? Das war echt lästig.

Sie deutete auf meinen Vater. «Und er bezahlt das? Stimmt's?»

Ich nickte betreten. Ich fühlte mich plötzlich gar nicht mehr wohl in meiner Haut.

Mein Vater blickte verwirrt abwechselnd Sanny und mich an.

Meine Mutter prustete los. Sie bog sich vor Lachen. «Die Kinder haben heimlich jemanden engagiert, der deine Arbeit macht. Das ist ja köstlich! Und du lebst hier und kriegst es nicht mit. Im Gegenteil, du zahlst auch noch dafür. Das ist ja göttlich!»

Sie konnte sich gar nicht beruhigen, mein Vater begriff langsam, aber sicher, was geschehen war, und wurde sauer.

«Ihr wollt jetzt bestimmt lieber alleine sein!», rief ich schnell, und Sanny und ich flüchteten aus dem Zimmer.

Als wir die Treppe hochrannten, hörten wir meine Mutter immer noch lachen. Es klang schon fast beunruhigend. Kündigt sich so ein Nervenzusammenbruch an?

23. Kapitel, in dem Sanny von Pixi und Dixi überrascht wird

Als meine Mutter in mein Zimmer kam, rief ich sicherheitshalber sofort: «Es tut mir Leid, Mam!»

Aber meine Mutter schüttelte den Kopf.

«Keine Angst, ich halt dir keine Predigt. Ihr habt eine interessante Lösung gefunden.» Sie schüttelte leicht schmunzelnd den Kopf. Das irritierte mich.

«Du bist echt nicht sauer?», wunderte ich mich.

«Nein», meinte sie und setzte sich gemütlich auf meinen Sessel. Die Unterhaltung würde also etwas länger dauern.

Sie grinste leicht, als sie sagte: «Aber dein Vater ist sauer. Zu Recht. Und das wird ein Nachspiel haben. Aber da mische ich mich nicht ein.»

«Was ist jetzt? Bleibst du wieder zu Hause?»

«Aber nein!», rief sie empört. «Mir macht's einen Heidenspaß, im Büro zu sein, auf Baustellen rumzustiefeln und Leute auf Trab zu halten.»

Letzteres glaubte ich ihr aufs Wort.

«Und wie geht es jetzt weiter?»

«Ich hab Ludmilla offiziell engagiert. Jetzt haben wir eine Haushälterin!»

«Und Paps?»

«Ist sauer.»

«Ja, kann ich mir denken, aber was sagt er zu Ludmilla?»

«Er schmollt. Aber vorläufig hat er zugestimmt, dass sie kommt.»

Sie seufzte. «Schade nur, dass er nicht zugibt, dass Haushalt und Kinder anstrengend sind.»

Ich nickte. Das hörte sich doch alles gar nicht so übel an.

Sie beugte sich zu mir. «Aber jetzt erzähl doch mal, was macht dein Liebesleben? Ich hab dich in der letzten Zeit wirklich etwas vernachlässigt.»

«Mam!», rief ich empört. Ich würde doch nicht mein Liebesleben mit ihr besprechen.

Da ich nichts sagte, beantwortete sie ihre Frage selbst. «Immer noch nicht verliebt?»

Das Gespräch musste jetzt auf der Stelle beendet werden.

«Verlieben wird total überbewertet, es gibt 1000 Gründe, wieso man sich *nicht* verlieben sollte. Das Thema ist für mich beendet.»

Meine Mutter zog die Augenbrauen in die Höhe. «Demnach hast du also immer noch nicht den Richtigen getroffen?»

«Mam! Du verstehst nicht! Ich will nicht. Ich will mich nicht verlieben!» Wie oft und wie deutlich musste ich es ihr denn noch sagen!

Sie stand auf und grinste: «Alles klar. Ich seh mal, was ich für dich tun kann!»

Damit verließ sie mein Zimmer. Ich sprang empört auf und rief ihr hinterher: «Untersteh dich!»

Manchmal muss man ein hartes Wort mit seinen Eltern reden.

Sicherheitshalber knallte ich meine Tür kräftig zu, damit sie wusste, wie ernst es mir war.

Das führte allerdings dazu, dass Konny gleich darauf in mein Zimmer kam.

«Hast du Ärger gekriegt?», erkundigte er sich.

«Nein. Du?»

Konny schüttelte den Kopf. «Noch nicht. Ich warte noch drauf.»

«Mam scheint ganz friedlich zu sein», teilte ich ihm leise mit.

«Wir haben ja auch nichts Schlimmes angestellt!»

«Hoffentlich sieht Paps das genauso.»

«Klar», winkte Konny lässig ab.

«Was ist eigentlich mit Kim? Hast du es ihr nun gesagt?»

Konny machte ein betretenes Gesicht und schwieg.

Ich verdrehte die Augen. «Du bist so feige!»

«Mensch, Sanny, das ist nicht so einfach.»

Ich war gerade dabei, etwas Mitleid für ihn zu empfinden, da fügte er hinzu: «Du kannst da ja gar nicht mitreden. Du warst ja noch nie in so einer Situation. Du warst ja noch nicht mal verliebt.»

«Du auch nicht, du Angeber! Und jetzt verschwinde aus meinem Zimmer», rief ich ärgerlich. Konny trollte sich.

Als Nächster kam mein Vater herein. Hier ist ja mehr Betrieb als auf einem Bahnhof! Paps sah mies gelaunt aus, ich bekam ein oberschlechtes Gewissen.

Er kreuzte die Arme, lehnte sich an die Wand und schaute mich an. Mir wurde extrem unbehaglich zumute. Ich versuchte es mit einem schüchternen «Tut mir Leid, Paps».

Er nickte kühl und meinte: «Das sollte es auch. Ihr habt mein Vertrauen missbraucht und euch mit einer Lüge Geld erschwindelt.»

Ich nickte und murmelte abermals: «Tut mir Leid.»

«Das ist nicht genug», meinte er.

«Es tut mir *sehr* Leid?»

Jetzt wurde er richtig ärgerlich: «Lass die Albernheiten, Sanny. Ich meine es ernst!»

Ich schaute ihn groß an: «Ja, aber was soll ich denn jetzt machen? Es ist passiert, ich kann doch nicht mehr tun, als mich zu entschuldigen!» Ich war doch leicht empört.

«Nun, für den Anfang hätte ich gerne das Geld zurück, dass ich euch für eure angeblichen Nachhilfestunden gegeben habe.»

«Wenn wir das Geld gehabt hätten, dann hätten wir das mit der Nachhilfe ja nicht erfinden müssen», klärte ich ihn auf.

Er war nicht erfreut.

«Schon mal auf die Idee gekommen, es von eurem Taschengeld zu bezahlen?»

Ich schaute ihn groß an. Das war ja wirklich eine merkwürdige Idee, aber ich wollte nicht weiter darauf eingehen, er sah nicht sehr kooperativ oder verständnisvoll aus.

«Okay, ich gebe dir die Hälfte von dem Geld zurück.»

«Nein, den ganzen Betrag.»

«Was? Und was ist mit Konny?! Der muss ...»

«Reg dich nicht auf, der zahlt mir auch den gesamten Betrag zurück! Zu dem geh ich gleich noch.»

«Das ist doch ungerecht!», empörte ich mich. «Dann hast du ja doppelt so viel Geld, wie du uns gegeben hast!»

Mein Vater zuckte die Schultern. «Das Leben ist ungerecht, Sanny.»

Sehr weise! Bin ich noch nie draufgekommen! Ich drehte mich um, Paps verließ mein Zimmer.

Ich seufzte und ließ mich aufs Bett fallen.

Also: Kein Taschengeld für die nächsten Wochen.

Ich stand wieder auf und ging zum Aquarium. Kein Fisch war zu sehen. Ein letztes Mal mussten mir Pixi und Dixi eine Frage beantworten. Ich streute Futter ins Aquarium. Nichts rührte sich.

Was wollte ich wissen? Rob? Nein, der interessierte mich nicht mehr. Ein andere Junge? Welcher? Sollte ich eine Woche Pause einlegen und es dann nochmal versuchen? Oder besser gleich ein Jahr? Während ich grübelte, fiel mir die alles entscheidende Frage ein: «Werde ich mich jemals verlieben?» Ich schaute gebannt ins Aquarium.

Auf einmal kamen dreißig Fische angeschwommen und futterten wie verrückt.

Dreißig?

Wieso dreißig?

Zwei große und achtundzwanzig kleine!

Was war denn hier los?!

Pixi und Dixi hatten Junge gekriegt!

Was hatte denn das zu bedeuten?

Dreißig Fische riefen mir ein lautes: «Ja, du wirst dich verlieben» zu!

24. Kapitel, in dem Konny bei Kim in Ungnade fällt

«Also, was ist? Irgendwelche Vorschläge, wie ich mit Kim Schluss machen könnte?», fragte ich Kai und Felix in der Pause, nachdem ich ihnen von meiner Misere erzählt hatte.

«Also, ich hab davon keine Ahnung», gab Kai offen zu. «Aber wie wäre es, wenn du ihr einfach sagst, dass Schluss ist?»

Ich stöhnte auf. «Nee, so geht das nicht! Ich kann das nicht. Felix, kannst du das nicht für mich übernehmen?»

Ich schaute Felix erwartungsvoll an.

«Aus dir soll einer schlau werden», schimpfte der. «Was soll denn die Nummer!? Wir hören uns hier wochenlang Kim-Geseufze an, und dann hast du's endlich geschafft und willst schon gleich wieder Schluss machen.»

«Er will ja gar nicht Schluss machen», korrigierte Kai Felix. «Du sollst doch für ihn Schluss machen.»

«Ja, so weit kommt's noch! Nee, wirklich nicht», empörte sich Felix.

«Aber überleg doch mal: Wenn du es ihr sagst und

sie anfängt zu heulen, dann kannst du sie trösten und dich mit ihr befreunden. Wäre doch perfekt!»

Ich fand meinen Plan klasse.

Kai ebenfalls. «Erste Sahne», nickte er ehrfürchtig. «Dann hättest du auch 'ne Freundin, Felix. Dann haben wir alle eine Freundin.»

«Kommt nicht in Frage», meinte Felix störrisch.

«Ach nee», korrigierte sich Kai, «Konny hat ja keine Freundin mehr, wenn Kim Felix' Freundin ist.»

«Ich will auch keine mehr!», rief ich.

«Ich könnte für dich Schluss machen», bot Kai an. «Weißt du, ob Kim einen Hund hat?»

«Du kannst sie selbst fragen», stieß Felix Kai in die Seite, «da kommt sie.»

Tatsächlich, Kim kam fröhlich auf uns zu. Sie winkte.

Kai schaute unglücklich: «Musst du wirklich mit ihr Schluss machen? Ihr passt doch so gut zusammen!»

«Wie kommst du denn darauf?»

«Immerhin heißt sie Kim!»

«Und?»

«Kim! Konny und Kim! Rein Kornblum-technisch gesehen seid ihr das ideale Paar!»

Ich überlegte kurz. Kai hatte völlig Recht.

Aber als Kim mich zur Begrüßung küssen wollte, verwarf ich den Gedanken sofort wieder. Kornblum hin, Kornblum her, es musste etwas geschehen.

Ich drehte mich um und hoffte, dass Kai und Felix mir Rückendeckung geben würden.

Aber die zwei Pappnasen waren nicht mehr da.

«Wieso stehst du denn hier hinter den Müllcontainern? Ich such dich jede Pause, und du bist nirgends!»

«Oh, das lag daran, dass ... ich dich auch gesucht habe.»

«Na, dann lass uns jetzt zu den anderen gehen.»

Sie versuchte mich wegzuziehen, aber ich blieb störrisch stehen. Auf gar keinen Fall. Das war's ja gerade!

«Was ist?», fragte Kim.

«Äh, nix.»

«Weißt du, wenn ich es nicht besser wüsste, würde ich sagen, seit wir offiziell zusammen gehen, hast du völlig das Interesse an mir verloren.»

Ich starrte Kim an und stammelte: «Aber nein, das ist überhaupt nicht wahr.»

«Du benimmst dich aber so komisch!»

«Das liegt an, äh ... also das ist wegen ...» Dann hatte ich einen Geistesblitz: «... wegen der Liste! Ja, genau.» Jetzt war ich in meinem Element. «Weißt du, es gibt da eine Liste, auf der stehen 1000 Gründe, wieso man sich nicht verlieben sollte. O Mann, Kim, ich sage dir, wir haben einen riesengroßen Fehler gemacht. Wenn du wüsstest, was alles dagegenspricht! Ehrlich. Es ist schockierend.»

Kim schaute mich völlig verständnislos an.

«Also, ich will dir ja keine Angst machen, aber schon aus gesundheitlichen Gründen sollte man sich nicht verlieben», erzählte ich mit Grabesstimme.

Kim rückte ein wenig von mir ab.

«Ich meine, wenn du darauf bestehst, können wir natürlich weiter miteinander gehen, aber ich denke da jetzt mal nur an dich, an dein Wohl. Und dafür wäre ich bereit, das Opfer auf mich zu nehmen und mich von dir zu trennen!»

Kim ging noch einen Schritt zurück. Sie holte tief Luft und brüllte mich an: «Du bist der hirnloseste, dümmste, gemeinste Sprücheklopfer, der je diese Erde betreten hat! Wie konnte ich bloß auf dich reinfallen! Du Idiot! Sprich nie wieder ein Wort mit mir!» Sie drehte sich um und schimpfte weiter: «Eine Liste! Pff! 1000 Gründe, wieso man sich nicht verlieben soll! Tzzz!»

Ich atmete auf. Das war doch prima gelaufen. Na ja, ich könnte meinen Stil noch etwas verbessern, aber fürs erste Mal Schluss machen war das gar nicht übel. Die Nummer mit der Liste war echt genial. Da musste ich mich mal dahinter klemmen. Felix und Kai sollten da auch mitmachen. Am besten gründeten wir einen Verein oder so.

Diese Sanny! Wer hätte gedacht, dass sie Recht behalten würde.

Ich fühlte mich absolut obergut.

Und wieso? Weil ich nicht verliebt bin. Na bitte, schon wieder ein Grund.

Ich brauchte dringend diese Liste.

25. Kapitel, in dem Sanny einen Hund sucht, aber etwas anderes findet

Den ganzen Nachmittag schon lief mein Vater wie ein eingesperrter Tiger im Haus hin und her. Während Ludmilla arbeitete, schaute er ihr mürrisch über die Schulter, machte kleine beleidigte Bemerkungen und wischte mit ihr um die Wette Staub, räumte auf und tat Schritt für Schritt genau das, was sie tat.

Ludmilla war genervt, das konnte ich sehen. Wir würden sie verlieren, wenn nicht jemand meinen Vater stoppen würde.

«Konny möchte gerne mit dir in den Park», sagte ich und nahm ihm den Staubwedel aus der Hand.

«Der ist alt genug, der kann alleine gehen», murmelte mein Vater ungnädig.

Okay, Missverständnis. Die doppelte Konny-Nummer. Ich deutete auf Kornelius.

«Ich meine den Kleinen.»

Mein Vater strahlte Kornelius an, zwinkerte und meinte: «Ach, du meinst meinen Lieblings-Konny!»

Kornelius nickte erfreut. «Und wenn es mir mit dir gefällt, dann nenn ich dich auch Puschel.»

Mein Vater musste lachen. «Dann lass uns mal gehen.»

«Puschel kommt auch mit!», bestimmte Konny.

«Aber sicher kommt dein Hund mit, ich würde doch nie ohne deinen Hund spazieren gehen!»

Kornelius drückte meinen Vater ganz heftig und meinte: «Ich glaub, ich nenn dich schon jetzt Puschel.»

Puschel genannt zu werden war die höchste Auszeichnung, die man von Kornelius bekommen konnte.

Die beiden zogen los.

Ludmilla war fertig mit ihrer Arbeit, als mein Vater von seinem Spaziergang zurückkam. Er hatte den Kleinen über der Schulter.

Bevor ich etwas sagen konnte, meinte er: «Psst! Der Kleine schläft», ging ins Wohnzimmer und legte Kornelius auf die Couch. Liebevoll schaute er ihn an.

«Wir haben Fußball gespielt, waren Eis essen, und dann ist er mir auf einer Bank eingeschlafen. Ach, wir hatten so viel Spaß. Auch mit Karl», berichtete er glücklich. «So ein Job als Hausfrau ist wirklich der beste Job, den ich je hatte.»

Ich seufzte. «Wo ist eigentlich der Hund?»

«Welcher Hund?»

«Na, unser ... äh, der Hund, der hier wohnt.»

Mein Vater schaute mich plötzlich erschrocken an.

«Oje, ich glaube, den hab ich im Park vergessen.»

«Du hast den Hund vergessen? Wie geht denn so was?!», schimpfte ich.

«Na, immerhin hab ich ja deinen Bruder wieder mitgebracht», verteidigte er sich ärgerlich.

Ich schaute auf Kornelius. «Der Kleine wird ausflippen, wenn der Hund weg ist.»

Mein Vater setzte sich hin. «Ach, der Hund findet doch auch allein wieder zurück. Hunde haben dafür einen Instinkt. Das ist ja schließlich seine Heimat.»

«Nie im Leben findet der hierher.»

«Und, was soll das heißen? Willst du damit sagen, ich soll jetzt den Hund suchen?»

Tja, also eigentlich wollte ich das sagen, aber als mein Vater so nachfragte, sagte ich das lieber nicht.

«Nein, Konny soll ihn suchen. Er hat ihn ja schließlich auch angeschleppt», entschied ich stattdessen. «Konstantin», stellte ich sicherheitshalber noch klar.

«Konny ist unterwegs. Wir haben ihn getroffen, er wollte zu einer wichtigen Besprechung mit Kai und Felix. Irgendeine Vereinsgründung oder so.»

«Der hat wirklich nur seine Hühner im Kopf!», ärgerte ich mich. «Der kümmert sich überhaupt nicht um seinen Hund.»

«Ach Sanny, sei ein Schatz und hol Karl heim», bat mein Vater.

Ich knurrte unwillig und ging zur Haustür. Ludmilla wollte auch gerade gehen.

«Gehen spielen?», fragte sie.

Ich schüttelte den Kopf und meinte: «Mein Vater hat unseren Hund verloren. Ich muss ihn suchen.»

«Ich chelfen», entschied Ludmilla und lief neben mir die Straße entlang Richtung Park.

Plötzlich blieb sie stehen und zeigte auf einen Jungen, der mit einem Hund spielte. Er warf Stöckchen, die der Hund immer wieder brav zurückbrachte.

«Da», nickte sie und deutete auf den Jungen. «Er ist Richtige.»

«Nein, das ist nicht unser Hund.»

«Doch», meinte sie, «ist Richtige für fragen nach Chund.»

Ich verstand nicht, was sie meinte.

Sie ging auf den Jungen zu. «Entschuldigung!»

Der Junge hielt inne.

«Wir suchen Chund. Du chelfen?»

«Kein Problem», meinte er. «Wie sieht er denn aus?»

Ludmilla schob mich zu dem Jungen und meinte: «Mädchen sagt dir. Ich keine Zeit, muss gehen.»

Und sie ging.

Ich starrte ihr mit offenem Mund hinterher und konnte es nicht fassen. Sie ließ mich hier einfach mitten im Park neben einem Jungen stehen, den sie angesprochen hatte, und verschwand.

«Also, wie sieht er aus?», fragte der Junge mich.

Ich schaute ihn an und wurde nervös. «Er ... äh ... also irgendwie wie ...»

«Wie ein Hund, was?», lachte der Junge fröhlich. «Gute Beschreibung, das wird dann ja kein Problem, ihn wieder zu finden.»

Ich wurde rot. Das war ja total peinlich.

«Wie heißt er denn?»

«Sanny», stotterte ich. «Also eigentlich Kassandra.»

Der Junge drehte sich um und rief laut: «Sanny!»

O Gott, das war ja furchtbar, ich bekam schweiß-nasse Hände. «Nein, nicht … ich meine, also der Hund heißt nicht Sanny. Ich heiße Sanny», stammelte ich und wurde noch röter.

Der Junge lachte. «Und warum hast du dann nicht ‹hier› gerufen, als ich eben nach dir gebrüllt habe?»

«Ich dachte, du fragst mich, wie ich heiße.»

«Hast Recht, das hätte ich tun sollen. Also, du heißt Sanny und ich heiße Theo. Und wie heißt dein Hund?»

«Ich habe gar keinen Hund.»

«Also wir suchen *keinen* Hund?»

Ich war ganz durcheinander. Was war nur mit mir los? «Nein, ich suche schon einen Hund, aber er gehört meinem Bruder.»

«Gut. Und wie heißt er?»

«Konny. Nein, Karl. Nee, Puschel.» Jetzt war ich völlig verwirrt.

Theo schaute mich forschend an. «Lass uns doch am besten nochmal von vorn beginnen. Also: Ihr habt einen Hund?»

Ich nickte.

«Und der ist weggelaufen?»

«So ähnlich. Mein Vater hat ihn vergessen.»

«Er hat den Hund irgendwo vergessen?!»

Ich nickte. «Aber wenigstens hat er meinen kleinen Bruder wieder mit nach Hause gebracht.»

«Das ist schon mal gut. Und der Hund heißt jetzt wie?»

«Eigentlich Karl, aber mein kleiner Bruder nennt ihn Puschel. Und mein kleiner Bruder heißt Kornelius. Bisher ließ er sich immer Konny nennen, weil mein großer Bruder Konny heißt. Also eigentlich Konstantin. Aber seit der große Konny den Hund mit nach Hause gebracht hat und der kleine Konny ihn Puschel getauft hat, will er jetzt auch Puschel genannt werden.» Was redete ich da nur für einen Blödsinn? Ich hatte ja plötzlich nur noch Pudding im Hirn. Hilfe, was war los mit mir?!

«Ihr seid bestimmt eine ganz lustige Familie», stellte Theo fest.

Ich schüttelte den Kopf. «Eigentlich überhaupt nicht.»

Jetzt lachte er laut, und mir wurde so merkwürdig heiß und übel, dass ich mich umdrehte und ging.

Er lief hinter mir her und hielt mich an der Schulter fest.

«Hey, warte doch. Ich wollte dich nicht ärgern oder so. Komm, lass uns jetzt diesen Karl-Puschel suchen, dann fühlst du dich bestimmt besser. Okay?»

Ich blickte stur auf den Boden und nickte.

Wir liefen durch den Park, sein Hund sprang um unsere Füße herum.

«Hör mal», meinte Theo dann ganz zaghaft, «also wenn wir den Hund finden wollen, müsstest du schon mal gelegentlich nach ihm Ausschau halten. Ich weiß ja nicht, wie er aussieht. Und ich weiß ja auch nicht genau, wie ich ihn rufen soll.»

Ich betete, dass man mir wieder ein bisschen Verstand geben möge und ich klar denken könne. Ich war ja völlig daneben. So dämlich hatte ich mich noch nie angestellt.

Ich nickte und schaute entschlossen nach oben. Leider trafen sich unsere Blicke, und mein Hirn setzte schon wieder aus. Ich starrte Theo nur an und konnte mich nicht mehr bewegen. Deshalb war ich richtig froh, als mich plötzlich etwas ansprang, umriss und mir quer übers Gesicht leckte. Noch nie war ich so glücklich, unseren Hund zu sehen. Ich umarmte ihn und drückte ihn an mich.

«Na, das war ja leicht», meinte Theo freundlich von oben. Er half mir, wieder aufzustehen, und ich konzentrierte mich darauf, ihn auf gar keinen Fall wieder anzusehen.

Ich stand etwas unschlüssig rum, und er traf dann eine sinnvolle Entscheidung: «Weißt du was? Ich bringe euch beide jetzt nach Hause.»

Ich nickte und blieb stehen.

«Dafür müsstest du mir allerdings sagen, in welche Richtung wir gehen sollen», schlug er vor.

«Da lang», brachte ich gerade noch so raus und deutete grob in die richtige Richtung. Zumindest hoffte ich, dass sie richtig war. Ich lief wie auf Watte, und meine Ohren klingelten.

Theo plauderte fröhlich auf mich ein, aber ich konnte mich überhaupt nicht konzentrieren.

Später hatte ich nichts mehr von dem in Erinnerung, was er gesagt hatte. Ich weiß nur noch, dass er mich gefragt hatte, ob wir uns morgen wieder mit den Hunden treffen wollten und ob er mich abholen solle.

Ich muss wohl ja gesagt haben, denn als er mir zum Abschied vor unserem Haus zurief: «Also, bis morgen dann», wachte ich wieder auf.

Ich tobte im Vorgarten mit Karl herum, ließ mich rückwärts ins Gras fallen und schaute in den Himmel. Allerdings nur zwei Sekunden lang, denn plötzlich schob sich Konnys Gesicht über mich, und er fragte besorgt, ob alles in Ordnung sei.

Ich setzte mich auf und versicherte ihm: «Alles in bester Ordnung!»

«Gut», meinte Konny. Dann beugte er sich zu mir und meinte: «Hör mal, ich bin jetzt auch von deiner Theorie überzeugt. Das ist alles ein riesengroßer Betrug mit der Liebe. Ich kann dir jede Menge Gründe nennen, die dagegensprechen.»

Ich setzte mich auf. «Ach was? Auf einmal?»

Konny nickte eifrig. «Ich hab das mit Kai und Felix durchgesprochen, aber die kapieren das nicht so ganz.

Kann ich mir mal deine Liste ausleihen? Ich will nämlich einen Verein gründen.»

Ich lachte schallend. «Konny, weißt du was? Du kannst meine Liste haben. Ich schenk sie dir. Liegt bei mir oben im Bett unter meinem Kopfkissen. Sie gehört dir, viel Spaß!»

Konny richtete sich erstaunt auf. «Ist wirklich alles in Ordnung, Sanny?», erkundigte er sich erneut.

«Alles in bester Ordnung!», rief ich fröhlich.

Konny schaute mich etwas befremdet an, zog sich zurück und ging Richtung Haus. «Und weißt du was?», rief er mir von der Haustür zu. «Ich schreib auch gleich 'ne Liste: ‹*1000 Gründe, wieso man nicht küssen sollte*›!» Dann verschwand er.

Ich strich meine Kleider wieder glatt und wollte gerade ebenfalls ins Haus gehen, da hupte ein Auto. Meine Mutter kam nach Hause. Sie sprang aus dem Auto und kam auf mich zugelaufen. «Schätzchen, mach dich ein bisschen hübsch, in einer Viertelstunde kommt ein Kunde von uns vorbei.»

«Was hat das denn mit mir zu tun?»

Meine Mutter lächelte mich verschwörerisch an: «Er bringt seinen Sohn mit. Seinen vierzehnjährigen Sohn!»

Sie schaute mich erwartungsvoll an.

«Ja und?», fragte ich.

Dann dämmerte es mir.

«Mam! Wie kannst du nur!», schimpfte ich. Aber

dann war ich plötzlich gar nicht so sauer, wie ich es noch vor ein paar Stunden gewesen wäre. Ich grinste: «Ist lieb von dir, aber ist nicht nötig.»

Meine Mutter schaute ganz verblüfft. «Ja, aber ...?»

«Schick ihn zu Konny. Konny arbeitet an einer Liste. Und ich denke, er kann jede Hilfe gebrauchen, die er bekommen kann.»

Ich umarmte sie. «Aber danke nochmal!» Ich musste ganz dringend telefonieren.

Als Liz sich meldete, brüllte ich nur ins Telefon: «Liz! Ich bin verliebt!»

ENDE

1000 Gründe,
~~nicht~~ zu küssen

Für Allyssa und Leandra

Herzlichen Dank an alle Leserinnen und Leser, auch für die vielen lieben Briefe und E-Mails. Und sicherheitshalber schon mal 'ne Entschuldigung, falls meine Antworten erst bei euch eintrudeln, wenn ihr bereits euren Schulabschluss oder 'ne eigene Familie gegründet habt. (Ich versuche nach wie vor rauszukriegen, wessen Schuld es ist. Hoffentlich nicht meine!)

Inhalt

1. Kapitel, in dem
Sanny mit Karl um die Wette bellt 9

2. Kapitel, in dem
Konny einen Club gründen will 20

3. Kapitel, in dem
Sannys Knie verliebt sind 31

4. Kapitel, in dem
Konny einen Fisch fängt 41

5. Kapitel, in dem
Sanny Pixi und Dixi befragt 48

6. Kapitel, in dem
Konny nicht flirtet 56

7. Kapitel, in dem
Sanny eine Liste schreiben soll 61

8. Kapitel, in dem
Konny froh ist, nicht verliebt zu sein 70

9. Kapitel, in dem
Sanny beschließt, etwas
völlig Romantisches zu tun   74

10. Kapitel, in dem
Konny sich verläuft   77

11. Kapitel, in dem
Sanny versucht, eine Hauptrolle zu bekommen   82

12. Kapitel, in dem
Konny im Kino die Flucht ergreift   92

13. Kapitel, in dem
Sanny allerlei Überraschungen erlebt   97

14. Kapitel, in dem
Konny zum Problemfall erklärt wird   113

15. Kapitel, in dem
Sanny einen Hundekuchen für Theo backt   121

16. Kapitel, in dem
Konny versucht ehrlich zu sein   130

17. Kapitel, in dem
Sanny die entscheidende Frage stellt   136

18. Kapitel, in dem
Konny schon wieder ins Kino geht 143

19. Kapitel, in dem
Sanny ihre Theaterkarriere beenden will 149

20. Kapitel, in dem
Konny von Sarah ein Angebot bekommt 160

21. Kapitel, in dem
Sanny einen Anruf bekommt 167

22. Kapitel, in dem
Konny zum dritten Mal ins Kino geht 174

23. Kapitel, in dem
Sanny endlich ihren großen Auftritt bekommt 181

1. Kapitel, in dem Sanny mit Karl um die Wette bellt

«Du musst bellen!»

«Ich muss was?», fragte ich empört.

«Er ist ein Hund! Also wenn du ihn was fragen willst, dann musst du bellen!», erklärte mir der kleine Konny.

Wie käme ich denn dazu! Das wäre ja noch schöner, wenn mein fünfjähriger Bruder mich dazu bringen würde, unter den Couchtisch zu kriechen und unseren Hund Karl anzubellen. Nie im Leben!

Zwei Minuten später kroch ich auf allen vieren unter den Couchtisch, um Karl zu fragen, ob er wohl Lust habe, mit mir ein wenig spazieren zu gehen.

«Wuff, wuff, wau wau?», bellte ich.

Karl, der aussah wie eine Mischung aus Bobtail, Golden Retriever und einer überdimensional großen Klobürste, legte seinen Kopf schief und sah mich an. Ich schaute mich nach meinem kleinen Bruder um.

«Was hat der Hund?»

«Du hast ‹bitte› vergessen», sagte der kleine Konny.

Ich stöhnte, bellte aber brav «wuhuff».

Nun legte Karl den Kopf in die andere Richtung schief.

«Was sagt er? Was hält er von meinem Vorschlag? Kommt er mit?» Ich drehte mich wieder nach meinem kleinen Bruder um.

In dem Moment ging die Wohnzimmertür auf. Ich erschrak und knallte mit dem Kopf an die Tischplatte. Oh nein, das wird eine riesengroße Beule geben. Kann man mit Gehirnerschütterung im Park spazieren gehen?

Meine Freundin Liz blinzelte zu mir runter. «Was um alles in der Welt tust du denn da?»

«Karl und ich plaudern ein wenig», knurrte ich, rieb mir den Kopf und warf Karl einen ärgerlichen Blick zu.

Liz sah mich tadelnd an: «Sanny, was ist los mit dir?! Bist du nicht mit Theo verabredet?!»

«Doch! Und genau deshalb sitze ich auch hier!», sagte ich verzweifelt.

«Ach ja. Du sitzt hier und bellst mit dem Hund um die Wette, weil du mit Theo verabredet bist?!» Liz sah mich vorwurfsvoll an. Mit einem Blick auf Karl fügte sie sachlich hinzu: «Ich denke, das wird so nichts.»

«Mit dem Wettbellen oder mit Theo?»

Liz verdrehte die Augen. «Sanny, eins kann ich dir sagen: Verliebtsein bekommt dir ganz und gar nicht!»

«Um mich mit Theo zu treffen, brauche ich einen Hund. Wir haben uns doch zum Hundeausführen verabredet! Aber mein kleiner Bruder will mir seinen Hund nicht leihen.»

«Das stimmt nicht, das hab ich nicht gesagt», mischte

sich jetzt der kleine Konny ein und schüttelte energisch den Kopf. «Ich will nur, dass du ihn fragst.»

Liz sah mich an. «Also los, Sanny, frag den Hund!»

«Hab ich ja», verteidigte ich mich. «Hast du mich denn nicht bellen hören?!»

Liz kniete sich nun neben mich und flüsterte grinsend: «Hat dich der Kleine allen Ernstes dazu gebracht, den Hund anzubellen?»

Ich nickte.

Liz grinste noch breiter und schüttelte den Kopf.

«Bitte hilf mir», flüsterte ich Liz zu, «Theo wird jeden Moment hier auftauchen. Wenn ich dann ohne Hund dastehe, ist das oberpeinlich.»

Liz nickte, kroch wieder unter dem Tisch hervor, stand auf und wandte sich an meinen kleinen Bruder. «Hör mal zu, Konny, wir beide unterhalten uns jetzt mal über Karl!»

«Puschel!», korrigierte der kleine Konny. Er nannte Karl nämlich hartnäckig Puschel.

Unbemerkt von Liz war mein anderer Bruder ins Zimmer gekommen, schlich sich von hinten an Liz ran und baute sich zu einer Art King Kong auf, der jeden Moment angreifen würde. Dazu hob er die Arme in die Höhe, formte seine Hände zu Klauen und fletschte die Zähne. Es sollte wohl bedrohlich aussehen, wirkte aber eindeutig lächerlich.

Ich bin nach wie vor davon überzeugt, dass wir beide auf keinen Fall Blutsverwandte sein können. Obwohl meine Eltern das immer wieder behaupten. Konny soll angeblich mein Zwillingsbruder sein. Dieser große, nervige, hirnlose Typ heißt ebenfalls Konny. Wir haben nämlich einen «großen» und einen «kleinen» Konny in der Familie. Das liegt an der K-Macke meines Vaters. Er heißt Konrad, mit Nachnamen heißen wir Kornblum. Ungeschickterweise hatte er eine Susanne geheiratet, und das versuchte er wieder gutzumachen, indem er darauf bestand, dass die Vornamen seiner Kinder alle mit K anfangen. Dass meine beiden Brüder Konny heißen, liegt nicht etwa daran, dass meinem Vater bereits beim zweiten Sohn die männlichen K-Vornamen ausgingen, sondern daran, dass mein kleiner Bruder, der eigentlich Kornelius heißt, lieber Konny genannt werden wollte, genau wie mein großer Bruder, der eigentlich Konstantin heißt. Also gibt es in unserer Familie einen großen und einen kleinen Konny.

Ich heiße Kassandra, aber meine Mutter nannte mich von klein auf Sanny. Natürlich war das eine kleine Bosheit von ihr, und mein Vater protestierte heftig. Aber keine Chance, meine Mutter gab keinen Millimeter nach, es blieb dabei: Ich werde Sanny genannt. Mein vorrangiges Ziel ist es, ganz schnell erwachsen zu werden, um diese namensverwirrte Familie verlassen zu können.

Als Liz sich umdrehte, erschreckte sie sich natürlich nicht die Bohne. Sie sah meinen Bruder nur von oben bis unten an und meinte: «Wie witzig! Habt ihr das gestern im Kindergarten gelernt?»

«Ich fand's total witzig!», rief der kleine Konny.

Der große Konny war offensichtlich enttäuscht, versuchte aber sein Gesicht zu wahren. «Konnte doch nicht wissen, dass du deinen Humor verloren hast.»

Der kleine Konny sprang begeistert auf und ab. «Ich hab meinen Humor nicht verloren, los, das machen wir gleich nochmal. Aber diesmal muss Liz schreien!»

Ich kroch wütend unter dem Couchtisch hervor. «*Ich* schrei gleich! Und zwar ganz laut, wenn ihr nicht sofort alle verschwindet!»

Alle drei sahen mich erstaunt an.

«Ähm, also Liz natürlich nicht. Und Kornelius nicht. Und Karl nicht. Bloß Konstantin!», korrigierte ich.

Der große Konny schüttelte den Kopf. «Du bist ganz schön durch den Wind, Sanny, ich glaube nicht, dass dir Verliebtsein gut bekommt!»

«Kümmere dich um deinen Kram und lass mich in Ruhe!»

Konstantin hob beschwichtigend die Hände in die Höhe: «Ist ja gut! Ich will nur deine Liste.»

«Was für eine Liste?»

«Na, deine Liste mit den 1000 Gründen, sich nicht zu verlieben.»

«So etwas hast du?» Liz sah mich groß an.

Ich zuckte ertappt die Schultern. «War ein Experiment.»

«Und ausgerechnet *du* willst sie haben?» Liz sah ungläubig meinen Bruder an.

«Tja, ich bin ein anderer Mensch geworden», erklärte Konny großspurig und nahm lässig auf der Couch Platz, um einen langen, salbungsvollen Vortrag zu halten. «Ich habe der Liebe und den Frauen abgeschworen.» Er hob abwehrend die Hände und meinte: «Nein, jammert jetzt nicht, bestürmt mich nicht, mein Entschluss steht fest: Den alten Konny, den Schwarm aller Mädchen, den Herzensbrecher, gibt's nicht mehr. Tut mir Leid.»

«Genau genommen gab es den noch nie. Es gab immer nur Konny, den Idioten, und den gibt's leider auch weiterhin!», mischte ich mich ein, zerrte Konstantin von der Couch und schob ihn Richtung Tür.

Liz war fassungslos. «Du willst nix mehr mit Mädchen zu tun haben?! Wer soll denn das glauben!?»

«Das glauben wir alle!», fauchte ich Liz an. «Und zwar sehr gerne!» Auf gar keinen Fall durfte eine Diskussion über Konnys Liebesleben beginnen. Es gab schließlich Wichtigeres: Ich war mit Theo verabredet.

Ich schob Konstantin zur Tür raus. «Die Liste liegt oben auf meinem Schreibtisch. Du kannst sie haben. Und Liz, hör zu, ich bin im Stress: Ich brauche schnellstens eine Leine, einen Hund und genügend Mut, hier aus dieser Haustür rauszumarschieren. Hilf mir!»

Bevor Liz antworten konnte, brüllte Konstantin von oben: «Ach übrigens, da draußen in unserem Vorgarten steht ein Typ mit Hund. Sagt euch das irgendwas?»

«Theo!»

Es durchzuckte mich ganz heiß, meine Knie gaben

nach. Ich krallte mich an Liz' Arm. «Hat er irgendwas gesehen?», fragte ich hektisch in Konnys Richtung.

«Ein paar Stiefmütterchen, Rasen und möglicherweise unsere Himbeerhecke. Aber ich denke, er wird darüber hinwegkommen.»

«Ich meine von dem Chaos hier drin.» Nun wurde ich panisch. Ich wollte mich auf keinen Fall vor Theo blamieren.

«Wohl kaum, es sei denn, er kann durch Beton gucken», rief Konny von oben.

Mein Hirn füllte sich mit Pudding, und ich konnte keinen klaren Gedanken mehr fassen.

«Oh Gott, was mache ich denn nur? Am besten, du gehst raus zu ihm, Liz. Ach nein, ich gehe raus. Wie sehe ich aus? Nein, ich kann ja ohne Hund nicht rausgehen.»

Liz stoppte mich, indem sie mich beruhigend in den Arm nahm.

Der kleine Konny schaute mich besorgt an. «Hat sie Tollwut?», erkundigte er sich bei Liz. «Dann kann sie Puschel aber nicht haben, sonst steckt sie ihn womöglich an!» Er schlang beide Arme um seinen Hund und zog ihn weg.

Reizend, wirklich reizend. Ach, ich liebe diese Familie.

«Nein», schüttelte Liz den Kopf. «Sie ist bloß verliebt.»

«Auweia», sagte Kornelius betroffen. «Das ist schlimmer als Tollwut, stimmt's?»

«Äh, nicht wirklich!», meinte Liz.

«Oh doch!», widersprach ich.

Kornelius war ein Kind der Tat, er stand auf und rannte zur Tür. «Am besten warne ich den Jungen!»

«Das tust du nicht!», kreischte ich panisch.

Liz ließ mich los, rannte hinter dem kleinen Konny her, überholte ihn und stellte sich schützend vor die Haustür. «Keiner geht im Moment raus.»

«Doch, ich! Ich muss raus, und zwar dringend!», widersprach ich.

«Du beruhigst dich jetzt erst mal, Sanny. Meinst du, du kriegst das hin?»

Ich konnte kaum ein Nicken zustande bringen. Ich hatte nicht das Gefühl, dass ich mich je wieder beruhigen könnte. Keine Chance! Seit ich mich in Theo verliebt hatte, war ich ein anderer Mensch.

Also, fürs erste Mal Verliebtsein machte ich das ganz hervorragend. Ich hatte alle erforderlichen Anzeichen für Liebe, und zwar so heftig, dass es sich hier meiner Meinung nach nur um die «große» Liebe handeln konnte. Wir hatten uns im Park getroffen, wo Theo seinen Hund ausführte und ich nach unserm Hund suchte. Es war perfekt. Wir hatten dieselben Interessen: Hunde. Für mich war das Interessengebiet Hund allerdings eher neu. Ich mochte bislang keine Hunde. Auch Karl war mir immer suspekt, und ich fand ihn ziemlich nervig. Nun sah ich ihn mit anderen Augen. Also, da sieht man mal, was Liebe so alles bewirken kann: Plötzlich war ich ein Hundefreund. Nur Karl hatte das leider noch nicht so ganz verstanden, er flüchtete vor mir. Aber ich brauchte Karl ganz dringend, weil Theo vorgeschlagen hatte, dass wir unsere Hunde gemeinsam ausführten.

«Liz, tu was!», flehte ich.

Liz wandte sich an den kleinen Konny. «Du holst jetzt die Leine und machst Karl ausgehfertig, okay?»

Der kleine Konny schüttelte den Kopf. «Hier gibt's keinen Karl!»

Liz schaute mich Hilfe suchend an.

Ich formte möglichst lautlos mit den Lippen den Namen «Puschel».

Liz verstand. «Und wie wär's mit *Puschel*? Hat *Puschel* wohl Lust, ein bisschen spazieren zu gehen?»

Konny strahlte: «Klar. Ich hol die Leine.»

Zwei Sekunden später stand Konny mit Karl neben mir, und beide schauten mich erwartungsvoll an.

«Was ist?», fragte ich verunsichert.

«Ich komm mit», entschied der kleine Konny, «falls du doch die Tollwut hast, kann ich alle warnen.»

Ich atmetet tief ein und schaute Liz an.

Liz atmete ebenfalls tief ein und schaute Konny an. Dann zwinkerte sie mir kurz zu und beugte sich zu Konny hinab: «Hab ich dir eigentlich schon von meinem Onkel, dem Piraten, erzählt?»

Konnys Augen leuchteten.

Liz nahm ihm sanft die Leine aus der Hand, gab sie mir und schob mich zur Tür.

«Ich kann da unmöglich rausgehen. Bestimmt rede ich jede Menge Blödsinn und blamiere mich nur.»

Liz nickte: «Das glaube ich auch. Aber du solltest es trotzdem tun.»

Sie öffnete die Tür und schubste mich raus. Hinter mir knallte die Tür wieder zu.

Ich stand draußen und starrte wie hypnotisiert auf den Jungen im Vorgarten. Theo.

Er lächelte mich an. «Hallo, Sanny! Wo ist dein Hund?»

Was ist denn das für eine Frage!? Ich sah auf die Leine in meiner Hand und verfolgte sie mit den Augen. Das andere Ende mit – hoffentlich – Hund dran befand sich offenbar hinter der Haustür. Ich ging zurück, klopfte, die Tür wurde wieder geöffnet, und Karl wurde herausgeschoben. Er sah sich verwundert um, blieb aber neben mir sitzen.

Theo lachte. «Na, dann können wir ja los.»

Da ich immer noch kein Wort durch meinen zugeschnürten Hals brachte, nickte ich nur. Das war aber jetzt wirklich blöd. Ich blieb wie angewurzelt vor der Tür stehen.

«Also, falls du den Mut hast, euren Vorgarten zu verlassen und dich der freien Wildnis zu stellen, könnten wir ein wenig im Park spazieren gehen», meinte Theo.

Ich schluckte, der Kloß im Hals löste sich.

«Wir können die Sache ja ganz langsam angehen. Heute bleibe ich noch hier oben stehen. Morgen gehe ich dann die erste Stufe runter. Und bis zum Ende der Woche schaffe ich es womöglich sogar bis zum Gartentor.»

Theo lachte, dann schaute er plötzlich ernst und meinte: «Hast du vielleicht gar keine Lust, mit mir spazieren zu gehen?»

Ein Ruck ging durch meinen Körper.

«Sicher!», rief ich, sprang zwei Stufen auf einmal nehmend die Treppe runter und lief auf Theo zu.

Karl war auf diesen abrupten Aufbruch nicht gefasst, er stolperte über seine eigenen Beine, und die Hälfte des Weges schleifte ich den armen Hund hinter mir her. Dann kapierte plötzlich auch Karl, worum es ging, entwirrte sich und rannte los. Und wie er rannte! Er flitzte an mir vorbei. Ich hielt krampfhaft die Leine fest und versuchte mit ihm Schritt zu halten. Doch ich hatte keine Chance. Karl zerrte nun mich hinter sich her. An Theo vorbei. Schade eigentlich. So hatte ich mir meine erste Verabredung nicht vorgestellt.

Der Hund galoppierte mit mir im Schlepptau die Straße entlang, während ich versuchte, mich damit abzufinden, dass ich Theo nie wieder sehen würde. Womöglich meine gesamte Familie nicht, denn es sah nicht so aus, als ob Karl je wieder stehen bleiben würde. Ich versuchte abzuschätzen, in welche Himmelsrichtung wir liefen und wann wir an der Grenze wären, vor allem an welcher, und ob ich die Sprache sprechen würde.

Kurz darauf holte Theo mich ein, griff sich Karls Leine und brachte ihn zum Stehen.

2. Kapitel, in dem Konny einen Club gründen will

Meine Zwillingsschwester Sanny ist ein hoffnungsloser Fall. Durch das Fenster sah ich, wie sie mit Karl an dem Mann ihrer Träume vorbeisauste. So wird das doch nie was!

«Ich glaube, du bist im falschen Zimmer», tönte es hinter mir.

«Ich weiß.»

«Aha. Suchst du was?»

«Ja!»

«Soll ich dir helfen? Ich bin ein guter Sucher», bot mir mein kleiner Bruder an. «Hast du gewusst, dass Liz einen Onkel hat, der Pirat ist?»

«Hat sie dir das erzählt?»

«Ja. Ich werde jetzt auch Pirat.»

«Ach, und wie wird man Pirat?»

«Man muss Schätze finden.»

«Na, dann viel Spaß!» Ich grub Berge von Papier auf Sannys Schreibtisch um, aber die Liste konnte ich nicht finden.

Seit meine Schwester verliebt ist, wird sie immer unordentlicher. Wenn das so weitergeht, kann man in einer Woche ihr Zimmer vermutlich gar nicht mehr betreten.

«Suchst du auch einen Schatz?», erkundigte sich der kleine Konny.

«Ja.»

«Du suchst falsch. Schätze sind immer in der Erde vergraben!»

Ich stöhnte. «Okay, was hältst du davon, wenn ich hier suche und du draußen im Garten?»

Kornelius sprang begeistert auf und rannte raus.

Ich hatte inzwischen Sannys Liste gefunden und ging in mein Zimmer. Ich überprüfte Sannys Aufzählung, wieso man sich nicht verlieben sollte, strich hier und da etwas weg, fügte was hinzu und wartete auf meine Freunde Felix und Kai. Wir hatten uns verabredet, und die beiden waren längst überfällig.

Kurz darauf polterten sie in mein Zimmer. Kai hielt eine Hand voll Erde mit schmutzigen Blumenzwiebeln hoch. «Das soll ich dir von deinem Bruder geben. Er meinte, das hättest du gesucht.»

Erstaunt nahm ich ihm den Erdklumpen aus der Hand und legte ihn auf meinen Schreibtisch.

Felix ließ sich auf mein Bett fallen. «Also, was gibt's so Dringendes?»

«Wir gründen einen Club», teilte ich ihnen mit.

«Club find ich klasse!», rief Kai sofort begeistert. «Wir sollten Abzeichen tragen, wir brauchen eine Hymne und einen geheimen Schwur.»

«Was auch immer», winkte ich ab. «Jeder zahlt einen Euro in die Clubkasse und dann kann's losgehen. Es wird ein Club für ...»

«Wir brauchen ein Clubhaus», fiel mir Kai wieder ins Wort. «Und feste Öffnungszeiten. Vielleicht auch eine Clubzeitung ...»

«Club ist blöd! Außerdem will ich erst mal wissen, was für eine Art von Club das überhaupt sein soll», schaltete sich Felix ein.

«Ja, genau», rief Kai. «Du hast uns noch gar nicht gesagt, worum es in dem Club geht.» Dann wandte er sich an Felix. «Ist aber eigentlich auch egal. Hauptsache Club. Club find ich echt gut.»

Ich nickte. «Also, was ist, seid ihr dabei?»

«Nein! Ich will erst mal wissen, was für ein Club das sein soll!», beharrte Felix.

«Wie wär's mit einem Hundeclub?», fragte Kai.

«Nein, kein Hundeclub», schüttelte ich den Kopf, «einen Club für ...»

«Ich hab noch einen Schatz gefunden!» Kornelius stand plötzlich in der Tür und hielt triumphierend einen lehmigen Gummistiefel hoch. «Du musst aber jetzt nicht denken, dass ich alle meine Schätze mit dir teile, Konny. Das ist heute eine Ausnahme!»

Ich stöhnte. «Toll, danke, klasse!» Den schmutzigen Gummistiefel legte ich neben die Blumenzwiebeln.

Der Kleine wandte sich an Kai: «Ich bin nämlich Pirat geworden!»

Kai strahlte: «Gründen wir einen Piratenclub?»

«Au ja!», jubelte Kornelius.

«Nein!», jaulte ich.

«Ist das hier ein Kindergarten?», stöhnte Felix.

«Was ist denn jetzt?», fragte Kai.

«Ich will aber einen Piratenclub!», beharrte Kornelius.

«Also gut, Konny, hör zu: Du bist der Oberpirat und hast die Aufgabe, ganz viele Schätze zu finden.»

«Hier in deinem Zimmer?»

«Nein, draußen!» Ich schob ihn zur Tür. «Die besten Schätze findet man draußen.»

«Du willst also einen Piratenclub gründen?», fragte Felix mich ungläubig.

«Natürlich nicht!», fauchte ich.

Der kleine Konny drehte sich an der Tür empört um. «Was denn, du hast doch eben gesagt ...»

Ich knurrte: «Alles in Ordnung, du kriegst deinen Piratenclub, aber jetzt geh Schätze suchen!»

Kornelius war zufrieden und ging.

Ich gab der Tür einen genervten Schubs mit dem Fuß, und sie flog zu.

«Also, zurück zu unserem Club», nahm ich das Thema wieder auf.

«Ich weiß nicht, was du gegen einen Piratenclub hast», meinte Kai zu Felix.

Ich verlor fast die Nerven: «Hör endlich auf mit dem dämlichen Piratenclub, darum geht's doch gar nicht!»

Kai war beleidigt und murmelte: «Du hast aber eben gesagt ...»

Ich atmete tief durch: «Vergiss den Piratenclub, okay.»

Felix grinste.

«Und du hör auf zu grinsen!»

Felix lachte: «Du bist entschieden zu viel mit Mädchen zusammen, Konny, du benimmst dich schon völlig hysterisch.»

Ich starrte Felix an und wollte gerade einen Streit vom Zaun brechen, da fiel mir ein, dass das jetzt der beste Ansatz wäre. «Genau, darum geht es! Wir werden einen Club gründen, der zum Ziel hat ...»

Ich machte eine kleine Kunstpause, um meine Idee wirkungsvoll zu präsentieren, da ging schon wieder die Tür auf.

Diesmal stand mein Vater in meinem Zimmer, mit einer Ladung Baupläne unter dem Arm. «Ah, mein Sohn und seine Freunde. Wie schön!» Er wandte sich an mich: «Eigentlich wollte ich was mit dir besprechen, aber das hat Zeit.»

«Gut.»

Ich war erleichtert und wandte mich wieder Felix und Kai zu. Aber mein Vater rührte sich nicht von der Stelle. Ich schaute ihn abwartend an.

«Lass dich nicht stören, mach weiter, ich hab Zeit.» Damit setzte er sich auf meinen Schreibtischstuhl.

Ich verdrehte die Augen. Das war ja schlimmer als auf

dem Bahnhof. Hat man in diesem Haus denn gar keine Privatsphäre?

Felix und Kai schauten mich abwartend an. Ich guckte meinen Vater an.

«Na, gerade beim Gespräch unter Männern?», fragte er nur und machte es sich gemütlich. Er lehnte sich zurück, verschränkte die Hände hinterm Kopf und sah sich in meinem Zimmer um. «Ach ja, das erinnert mich an meine Jugendzeit.»

Einen Vater zu haben, der den ganzen Tag zu Hause ist, weil er den Hausmann gibt, ist echt die Pest. Er und meine Mutter hatten vor ein paar Wochen die Rollen getauscht. Eigentlich wollte mein Vater das gar nicht, aber er hatte so lange gejammert, dass er mal gerne den lockeren Hausfrauen-Job meiner Mutter hätte, bis sie ihm fest in die Augen geschaut und gesagt hatte: «Kannst du haben, mein Lieber.» Damit hatte er nicht gerechnet. Von heute auf morgen war er zur Hausfrau verdonnert, und meine Mutter ging ins Büro. Der Tausch war kein großes Problem, weil meine Eltern ein eigenes Architekturbüro hatten, in dem meine Mutter sowieso schon mitarbeitete.

Meine Mutter ging fortan fröhlich jeden Morgen zur Arbeit, und mein Vater stürzte uns und unser Leben in das absolute Chaos.

In meinem Zimmer herrschte jetzt betretenes Schweigen. Mein Vater gab seine Ach-ist-es-hier-gemütlich-Pose auf und beugte sich zu uns.

«Na, was machen die Mädels?» Er zwinkerte uns verschwörerisch zu.

Kai bekam einen knallroten Kopf, und Felix sah zu Boden.

«Oh, Paps, bitte.» Es war nicht auszuhalten.

Bevor er mein Leben restlos ruinierte, musste was geschehen. «War nett, dass du mal vorbeigeschaut hast, aber wir wollen dich nicht aufhalten.»

«Och, schon okay, ich habe Zeit.»

Na toll!

Kai und Felix wechselten einen Blick, ich stöhnte innerlich auf und verfluchte das Schicksal, das mich mit so einer Familie geschlagen hatte.

«Na, komm schon, du hast doch bestimmt noch was zu tun», beharrte ich.

Mein Vater überlegte kurz, sein Blick fiel auf seine Baupläne.

«Aber natürlich, deshalb bin ich doch hier. Die Handwerker kommen gleich, und ich hatte da noch eine Idee.»

Ich stöhnte. «Paps, es ist bestimmt 'ne tolle Idee, ich bin auf jeden Fall dafür.»

Er hatte einen Anbau ans Haus begonnen, und mir war alles recht, solange er beschäftigt war. Er fühlte sich nämlich mit dem Haushalt nicht ausgelastet – kein Wunder, er tat ja nichts – und war auf die glorreiche Idee gekommen, unserem Haus ein weiteres Zimmer hinzuzufügen. Angrenzend an die Wohnzimmerwand hatte er im Garten bereits ein Fundament für dieses Zimmer anlegen lassen. Und nun erzählte er uns Tag für Tag, was man mit so einem Extrazimmer alles machen könnte. Sicher eine brillante Idee, aber er ging uns mit seinen Plänen ziemlich auf den Wecker. Es interessierte keinen. Mich hätte er nur dafür begeistern können, wenn er eine Bowling- oder eine Cartbahn anbauen würde. Aber offensichtlich wollte er sich ein Büro einrichten, und das war mir schnurzpiepegal.

Er wandte sich an Kai. «Kai, mein Freund, komm doch mal her, lass mich dir meinen Plan erklären.»

Kai wollte sich sofort in Bewegung setzen, aber ich stellte mich ihm in den Weg.

Das war mehr, als ich ertragen konnte. Wenn mein Vater nicht ging, dann mussten wir halt gehen.

«Kai hat keine Zeit», informierte ich meinen Vater.

Ich schob Kai und Felix zur Tür.

«Wir müssen jetzt weg.»

«Verstehe», meinte mein Vater verschwörerisch.

Oh nein, er verstand nichts. Gar nichts!

Er griff nach seinen Bauplänen, die er auf meinem Schreibtisch abgelegt hatte, zog sie zu sich und rollte sie auf. Dabei fielen der lehmige Gummistiefel und die erdigen Blumenzwiebeln runter.

«Hoppla!» Mein Vater bückte sich, hob sie auf und legte sie ohne große Umstände ab. Und zwar auf mein Bett.

«Ich muss hier raus! Tschüs, Paps!»

Felix und Kai folgten mir, und wir beschlossen, angeln zu gehen. Dafür mussten wir aber erst mal in die Küche und was zum Grillen suchen. Schließlich wollten wir ja keine Fische essen.

In der Küche war Ludmilla und schrubbte so energisch unseren Herd, als hätte er was angestellt und das wäre nun seine gerechte Strafe. Ich könnte schwören, er zitterte leicht vor ihr. Wie übrigens fast alle aus unserer Familie.

Ich wollte gerade an den Kühlschrank gehen, da verstellte mir Ludmilla den Weg.

«Du nix cholen aus Kihlschrank!»

Ich zögerte. «Also, ich wollte eigentlich ...»

«Du mittags an Tisch essen!»

«Aber hab ich doch!», gab ich empört zurück.

«Gut, dann nix mehr.» Ludmilla nickte zufrieden und wollte mich aus der Küche schieben.

«Aber ich bin am Wachsen, ich muss essen, viel essen!»

«Aufchören wachsen, schon zu groß!», bestimmte Ludmilla in einem Ton, der keine Widerrede duldete.

Sie hatte uns hier alle im Griff. Und genau genommen war Ludmilla unsere Rettung, als mein Vater wegen dieser blöden Rollentauschgeschichte angefangen hatte, unser Leben durch seine Koch- und Haushaltungsversuche ernsthaft zu bedrohen. Ich hatte Ludmilla als heimliche Haushälterin eingestellt, und als das aufflog, hatte sie ganz offiziell den Job bekommen. Seitdem kehrte bei uns wieder das normale Chaos ein und löste das unerträgliche Chaos ab.

«Hallo, Ludmilla», schaltete Kai sich nun ein. Ludmilla arbeitete nämlich auch bei Kais Mutter, und von ihm hatte ich den Tipp bekommen, Ludmilla zu engagieren. «Wir gehen zum Weiher angeln und müssen was mitnehmen», sagte er und zwinkerte Ludmilla zu.

«Da», nickte Ludmilla grinsend und zwinkerte zurück. «Jungens gehen Wurm duschen!»

Felix und ich starrten sie verwirrt an.

Kai nickte. «Genau! Aber das heißt ‹Wurm baden›. Und wir würden nie im Leben einen Wurm an den Angelhaken spießen.»

Jetzt schauten wir Kai böse an. Hatte er Ludmilla etwa in unser Männer-Angelritual eingeweiht?

«Da», Ludmilla nickte. Dann zeigte sie auf eine abgedeckte Schüssel. «Haben Piroggen gemacht. Jungs mitnehmen, sein gut!»

«Hey, toll! Danke, Ludmilla!» Kai fing an, die Piroggen für uns einzupacken.

Ich schubste ihn an. «Was soll das denn sein?»

«Oh, das ist total lecker, Teigtaschen mit einer Fleischfüllung, die werden ...»

«Blödmann, ich will kein Rezept von dir, sondern eine Erklärung. Woher weiß sie von ... äh, unserm ...?»

«Ich hab's ihr erzählt. Dass wir keine Fische töten können und so und deshalb was anderes auf den Grill werfen. Sie hat angeboten, mir beizubringen, wie man

Fischen den Garaus macht, aber ich hab sie darauf runterhandeln können, mir einfach was anderes zum Essen mitzugeben», erklärte Kai flüsternd.

«Das finde ich aber gar nicht gut», beschwerte ich mich leise.

«Ach, aber ihre gefüllten Paprika neulich hast du gegessen!», flüsterte Kai beleidigt.

«Jetzt raus aus Küche!», scheuchte uns Ludmilla davon.

Dann sah sie Kai drohend an und deutete auf seine Jeans. «Du aufpassen auf Chose. Nicht machen schmutzig!»

«Klar», nickte Kai.

Dann kam ich an die Reihe. «Du auch!», donnerte es. Ich nickte ebenfalls.

Ludmilla sah zu Felix.

«Okay, ich pass auch auf», sagte er schnell.

«Das mir egal», zuckte Ludmilla die Schultern. «Ich nicht müssen waschen deine Chosen.»

3. Kapitel, in dem Sannys
Knie verliebt sind

Während ich mit Theo durch den Park lief, schlugen die Gedanken in meinem Kopf Purzelbäume. Theo war einfach umwerfend. Er sah gut aus, war nett, lustig, und – hab ich das schon erwähnt – er sah gut aus. Vor allem, wenn er lachte. Das hatte direkten Einfluss auf meine Knie, die wurden dann instabil. Leider wurde auch mein Hirn lahm gelegt, wenn Theo mich ansah.

Wie jetzt zum Beispiel: «Also?», erkundigte er sich abwartend und blieb stehen.

Was ‹also›? Hatte Theo mich etwas gefragt? Was hatte er gefragt? Ich hatte keine Ahnung, musste aber irgendwie reagieren und beschloss, eine neutrale Antwort zu geben. Damit konnte ich nichts falsch machen.

Ich lächelte: «Das ist eine gute Frage.»

Theo sah mich groß an. «Ich hab gefragt, ob wir links oder rechts langgehen wollen.»

Oh.

Theo schüttelte den Kopf. «Du bist echt witzig.»

Hm, war das jetzt eine Liebeserklärung? Und was musste ich nun tun? Musste ich was sagen? Und wenn ja, was?

Um auf Nummer sicher zu gehen, sagte ich dasselbe:

«Du auch!» Kameradschaftlich boxte ich ihm dabei in die Seite.

Theo zuckte zusammen. «Wow, du bist echt stark.» Da er sich die Seite hielt und nach Luft schnappte, ging ich mal davon aus, dass er mit «stark» meine körperlichen Kräfte meinte und nicht etwa «stark» im Sinne von super, toll, klasse, cool oder sonst was.

Das wiederum ließ darauf schließen, dass es sich nicht um ein Kompliment und somit auch nicht um eine versteckte Liebeserklärung handelte.

Ich seufzte und gab eine knappe Erklärung ab: «Ich hab einen Bruder. Genau genommen sind es sogar zwei.»

Theo nickte. «Ach so.» Er schaute mich weiterhin fragend an.

«Ist noch was?», fragte ich.

«Wo willst du denn nun langgehen? Rechts oder links?»

Ach so.

«Mir egal.» Solange Theo neben mir herlief.

Wir gingen den rechten Weg weiter. Theo schwieg. Ich schaute ihn von der Seite an. Als er mich ebenfalls ansah, drehte ich mich schnell weg.

«Was ist?»

«Nichts. Hab nur eine Fliege beobachtet.»

Theo grinste.

Alles fühlte sich so wattig und wunderbar an. Ich war oberhappy und konnte gar nicht aufhören zu jubeln. Innerlich natürlich nur.

«Unsere Hunde scheinen sich ja super zu verstehen», meinte Theo nach einer Weile.

Ich nickte: «Ja, ich konnte es kaum erwarten. Ich war irre aufgeregt.»

Theo schaute mich an. «*Du* warst aufgeregt?»

«Ähm. Ich? Nein! Karl! Karl hat sich irre auf das Treffen gefreut», korrigierte ich schnell.

«Ach, hat er dir das gesagt?», lachte Theo.

«Klar, woher sollte ich's denn sonst wissen?»

Theo lachte immer noch. Und je mehr er lachte, desto besser sah er aus und desto weicher wurden meine Knie. Ich musste mich an einen Baum lehnen.

Theo blieb auch stehen und löste die Leine von seinem Hund, nahm einen Stock und warf ihn. Theos Hund rannte los.

Das war cool, das wollte ich auch machen. Ich suchte ebenfalls nach einem Stock und warf ihn, so weit ich konnte. Es gab einen fürchterlichen Ruck, und beinahe wäre ich der Länge nach hingefallen.

«Es hilft, wenn du den Hund vorher von der Leine nimmst», meinte Theo grinsend.

«Das macht aber nicht so viel Spaß.» Ich ließ Karl von der Leine.

Während Theo mit den Stöcken und den Hunden beschäftigt war, entdeckte ich eine Bank in der Nähe. Mit diesen weichen Knien musste ich mich dringend setzen. Womöglich sollte ich doch mal zum Arzt. Das war ja lästig.

Theo setzte sich zu mir, streckte die Beine aus und machte es sich gemütlich.

«Hunde ausführen kann ja richtig klasse sein, bisher hat es mich immer genervt», meinte er. «Wie gut, dass ich dich getroffen habe!»

Ich war ziemlich froh, dass ich saß. So einen Satz hätten meine Knie kaum ausgehalten. Ich brachte keinen Ton raus, der Kloß im Hals war größer als jemals zuvor.

«Das sollten wir jetzt regelmäßig machen», schlug Theo nun vor. «Was meinst du?»

Ich schluckte kräftig. «Super Idee. Aber müssen wir jedes Mal die Hunde mitnehmen?»

«Nö, wir können auch bloß mit den Leinen durch die Gegend laufen», lachte Theo.

«Nein, ich meinte, wir könnten auch ins Schwimmbad gehen, ins Kino oder Eis essen oder so.»

Theo zuckte die Schultern. «Könnten wir. Aber da können wir die Hunde nicht mitnehmen.»

War das jetzt «ja» oder «nein»?

Theo hob wieder einen Stock auf und warf ihn.

Ich überlegte inzwischen fieberhaft, mit welchen brillanten Fragen ich das eben begonnene Gespräch weiterführen könnte.

Endlich fiel mir was ein.

«Was machst du denn sonst noch so?»

«Theater spielen.»

Sehr guter Anfang. Nun musste ich dranbleiben.

«Ach, das ist ja interessant. So richtig auf der Bühne mit Publikum und Stücken und so?»

Theo stutzte kurz. «Ja, irgendwie schon. Wir fangen diese Woche mit den Proben für ein neues Stück an.»

«Theater spielen ist das Größte», schwärmte ich.

Theo sah mich erstaunt an. «Du interessierst dich auch für Theater?»

«Interessieren? Ich liebe es! Hunde und Theater – das ist meine Welt.»

«Hey, das finde ich ja klasse.» Theo schien ehrlich erfreut.

Und ich strahlte, weil er sich so freute.

«Was ist dein Lieblingsstück?», erkundigte er sich.

Ich strahlte ihn immer noch an. Murks, das war eine Frage. Okay, erst mal weiterstrahlen, mir würde schon noch was einfallen. Während ich weiterstrahlte, kramte ich verzweifelt in meinem Hinterkopf nach dem Namen irgendeines Theaterstücks. Irgendeines musste mir doch einfallen!

«‹Peterchens Mondfahrt›», rief ich.

Theo sah mich groß an. «Das ist ein Stück für Kinder.»

«Aber es war eine sehr erwachsene Aufführung.»

Theo nickte nachdenklich. «Also, ich finde ja ‹Nathan der Weise› total klasse.»

«Oh, Nathan ist echt toll. Das wollte ich auch eigentlich eben nennen. Hey, wir mögen das gleiche Stück!»

«Am Anfang war ich ja ein wenig enttäuscht, dass Lessing die Grundidee bei Boccaccio geklaut hatte, aber er hat schon ein tolles Stück daraus gemacht. Das muss man ihm echt lassen.»

Gut, ich musste jetzt jede Information nehmen, die ich bekommen konnte. Lessing war wohl der Autor, aber leider auch ein Dieb.

«Er hat das Stück im Knast fertig geschrieben, richtig?»

«Aber nein, wieso sollte er?»

«Wieso hat sich dieser Boccaccio denn nicht über Lessing beschwert?»

«Das könnte daran liegen, dass so um die fünf Jahrhunderte zwischen den beiden lagen.»

Oh.

«Was machst du denn so?», wechselte Theo jetzt das Thema.

Ich überlegte. Die letzten Wochen hatte ich damit verbracht, eine dämliche Liste zu schreiben, mit 1000 Gründen, sich nicht zu verlieben, und gleichzeitig verzweifelt versucht, mich in einen Jungen aus meiner Schule zu verlieben. Erfolglos natürlich. Das sollte ich lieber nicht erwähnen. Okay, was machte ich sonst noch? Ich hing mit meiner Freundin Liz herum und ließ mir Tipps in Sachen Jungs und Verlieben geben, weil Liz da schon wesentlich erfahrener war als ich. Dabei fiel mir ein, dass ich mich bei ihr beschweren musste, dass sie mich auf dieses Gespräch so schlecht vorbereitet hatte. Aber gut, zurück zu meiner Freizeit. Was machte ich denn, außer zur Schule zu gehen?

Oh mein Gott! Es gab nichts! Ich führte ein absolut erbärmliches Leben! Nichts, keine aufregenden Hobbys, keine coolen Partys, keine Auftritte mit einer Rockband: NICHTS! Ich musste dringend mein Leben ändern – und endlich eine Antwort für Theo finden, denn der sah mich inzwischen mehr als merkwürdig an.

«Ich wollte dir nicht zu nahe treten», entschuldigte er sich gerade leicht besorgt.

«Oh, schon gut. Da gibt es nichts wirklich Spannendes. Erzähl doch lieber von dir. Was machst du denn so?»

«Theater spielen?» Theo sah mich leicht fragend an.

Oh nein! Das hatte ich doch gerade eben schon gefragt und mich zum Esel gemacht!

Schnell ein Ersatzthema.

«Schönes Wetter heute, was?», plauderte ich los und empfand auf der Stelle tiefe Verachtung für mich. Wie kam ich bloß auf die Idee, übers Wetter zu reden!

«Vielleicht sollten wir weitergehen, die Hunde langweilen sich», schlug ich schnell vor, blieb aber sitzen.

Theos Blick fiel auf die Hunde. Sie sahen nicht gelangweilt aus, sie tobten, tollten und kläfften.

«Ja», meinte Theo und grinste, «sonst kommen sie bloß auf dumme Gedanken.»

Wie hatte er das denn jetzt gemeint?

Ich schaute Theo von der Seite an.

Theo schaute zurück, und diesmal bemühte ich mich, nicht sofort wegzuschauen. Dafür wurde ich rot bis über beide Ohren.

«Deine Frisur gefällt mir», meinte Theo.

Ich fuhr mir erschrocken in die Haare. «Ach nee.»

«Doch.»

«Nein, ich meinte …» Ich gab auf, ich war zu verwirrt. Schnell ein anderes Thema. «Wie heißt dein Hund eigentlich? Du hast ihn noch nie mit Namen gerufen.»

Theo schien sehr ungern zu antworten. Dann murmelte er: «Romeo.»

«Romeo!», seufzte ich. Na, wenn das kein Zeichen war.

«Doof, was?»

«Nein, überhaupt nicht, ich finde Romeo total – romantisch.»

Theo blickte skeptisch auf seinen Hund. «Hm, also ich sehe nichts Romantisches an ihm.»

«Nein, ich meine: der Name! Also, es gibt Namen, die eine Wirkung haben oder eine Bedeutung.»

Theo schaute interessiert. «Aha? Zum Beispiel?»

«Ähm, also, zum Beispiel mein Name!»

«Sanny?»

«Nein, ich heiße doch eigentlich Kassandra.»

«Ach ja, stimmt. Kassandra ist ein ungewöhnlicher Name.» Er überlegte. «Kassandra war doch diese Seherin von Troja.»

Ich nickte, ich hätte zwar lieber über Romeo und Julia gesprochen, aber bitte, dann redeten wir halt über Kassandra.

«Ja, sie hatte immer Recht. Sie hat auch den Untergang von Troja vorausgesagt und die Trojaner gewarnt.»

Theo grinste. «Aber keiner hat ihr geglaubt. Das war eine Strafe der Götter. Sie gaben Kassandra zwar die Gabe der Hellseherei, aber gleichzeitig haben sie sie damit verflucht, dass keiner ihren Voraussagen Glauben schenkte.»

«Du kennst dich aber gut aus!»

«Ja, hab ich nachgelesen.»

«Wegen mir?»

«Eher wegen dem alten Mückenheim.»

Ich schaute Theo verwirrt an.

«Unser Geschichtslehrer. Wir nehmen gerade die Griechen durch.»

«Ach so.»

«Lass uns weitergehen», schlug Theo vor und stand auf.

Ich stand auch auf, allerdings sehr behutsam. Waren meine Knie okay? Schien so. Ich konnte es wagen, neben Theo herzulaufen.

«Wollen wir zum Weiher gehen?», fragte Theo.

Ich dachte nach: Weiher – ja oder nein?

Ach, ich war so verwirrt, zu viele Fragen, zu viele Entscheidungen, zu viele Informationen!

Wir liefen schon eine ganze Weile, dann hatte ich mich endlich entschieden: «Ja. Gute Idee.»

«Was?», fragte Theo und blieb stehen.

«Lass uns zum Weiher gehen», nickte ich.

Theo deutete aufs Wasser: «Wir sind bereits da.»

Zeitverzögerte Antworten sollte man sich schenken.

«Ach, schon?» Ich schaute zurück. Wie kam denn das?

Theo berührte mich leicht an der Schulter.

«Sanny? Alles okay?»

Ich war wie gelähmt vor Glück. Theos Hand lag auf meiner Schulter, und wir schauten uns in die Augen. Was für ein perfekter Moment! Ich strahlte Theo an.

«Und? Was nun?», fragte er.

«Was immer du willst», sagte ich verträumt.

Theo zuckte die Schultern. «Wollen wir über die Wiese zurücklaufen oder lieber durch das Wäldchen?»

«Ja», hauchte ich.

«Was ‹ja›? Das war eine ‹Oder›-Frage, da musst du dich schon entscheiden. Also, was willst du?»

Ich schaute Theo noch tiefer in die Augen und entschied auf der Stelle, dass ich dringend von ihm geküsst werden wollte. Alles andere war mir egal.

4. Kapitel, in dem Konny
einen Fisch fängt

«Sie dürfen nicht dunkel werden, nur warm», erläuterte Kai, während er diese Fleischirgendwas auf dem Grill wendete.

Der Junge entwickelte sich echt zur Hausfrau. Wir konnten ihn nur mit Müh und Not davon abhalten, auch noch eine Schürze anzuziehen. Ich war noch kein Stück mit meinem Club weitergekommen, aber Kai hatte Vorträge über die Zubereitung von Piroggen gehalten und wie man im Winter in Minsk grillt.

Wir saßen um unseren Grill am Weiher. Die Angeln hatte wir ins Wasser gehängt und wie immer gehofft, dass sich kein Fisch in selbstmörderischer Absicht in der Nähe herumtrieb und sich womöglich an unserer Angelschnur erhängen wollte. Bisher hatten wir Glück. Wir gingen eigentlich auch nur zum Angeln, weil das ein echter Männersport war und wir dabei faul rumhängen konnten. Aber das war unser Geheimnis.

Kai teilte die Piroggen aus.

«Können wir jetzt endlich unseren Club gründen?», versuchte ich einen neuen Anlauf. «Bevor uns Küchen-Kai hier noch weitere Einblicke in die Zubereitung von Speisen gibt.»

Kais Blick signalisierte mir, dass ich schnell die Piroggen in Sicherheit bringen musste, die er mir gerade gegeben hatte.

Felix schaute zu dem kleinen Kiosk in der Nähe des Weihers. «Guck mal, der hat wieder geöffnet.»

«Ja, ja, toll», sagte ich. Ich wollte jetzt endlich zum wirklich wichtigen Punkt kommen.

«Kennst du das Mädchen da?», fragte mich Felix.

Mein Kopf schnellte hoch, und ich schaute in Richtung Kiosk. Ich sah niemanden. Dann fiel mir ein, dass ich mit dem Thema Mädchen ja durch war. Ich schaute wieder weg.

«Nein», sagte ich bestimmt, «und Mädchen interessieren mich auch nicht mehr!»

«Waas?» Nun hatte ich auf einmal die volle Aufmerksamkeit meiner beiden Freunde.

Das war genau der richtige Zeitpunkt. «Ihr konntet ja alle miterleben, wie gefährlich Verliebtsein ist.»

«Für wen?», grinste Felix.

«Für meine Freiheit!», raunzte ich ihn an.

«Stimmt, als du mit Kim zusammen warst, hast du die Pausen nur noch auf dem Schulklo verbracht, um ihr aus dem Weg zu gehen», überlegte Kai.

Felix' Grinsen wurde immer breiter.

Ich schaute kurz zum Kiosk hinüber, sah aber niemand. «Wie auch immer. Um uns Männer in Zukunft vor so was zu bewahren, habe ich beschlossen einen Club zu gründen. Den Club der Nichtverliebten!»

Die Begeisterung hielt sich in Grenzen.

«Da ihr meine besten Freunde seid, kriegt ihr die Mitgliedschaft auch zum Vorzugspreis.»

«Ach, zahlen sollen wir dafür auch noch?», meckerte Felix. «Wofür denn überhaupt?»

«Ihr dürft an meinen Erfahrungen teilhaben. Außerdem gibt es eine Liste mit 1000 Gründen, sich nicht zu verlieben», erklärte ich.

«So ein Blödsinn», schimpfte Felix. «Erstens waren wir live bei deinem Untergang mit Kim dabei, und zweitens: Listen krieg ich in der Schule genug, auch ohne dass ich dafür blechen muss.»

«Also, ich würde ja für die Mitgliedschaft in einem Hundeclub Beitrag zahlen», überlegte Kai.

Diese Banausen machten mich echt fertig. «Gut, in Ordnung. Also, weil ihr es seid, mach ich euch ein einmaliges Angebot. Ihr dürft Mitglieder werden und müsst nichts zahlen. Na?»

Kai nickte: «Das ist schon mal gut.» Er schaute Felix fragend an.

Felix verzog das Gesicht: «Club?! Och nee!»

«Nicht so voreilig», stoppte ich ihn gleich. «Der Club dient ja einem guten Zweck.»

«Und zwar?»

«Ziel des Clubs ist es, sich nicht zu verlieben.»

«Hä?», wunderte sich Felix, und auch Kai sah für einen Moment so aus, als würde er nichts verstehen.

«Überleg doch mal: Wenn du verliebt bist, machst du

dich voll zum Affen. Du blickst nicht mehr durch, machst Dinge, die du bei normalem Bewusstsein niemals tun würdest, deine Intelligenz nimmt rapide ab, du kriegst körperliche Beschwerden ... hab ich schon gesagt, dass man sich zum Affen macht?»

Felix hob abwehrend die Hand. «Also ehrlich, Konny. Club – ist ja schon blöd genug, aber einen Club gründen, damit man sich nicht verliebt?!!»

«Aber ja! Das Problem ist: Es ist wie eine Sucht. Man merkt gar nicht, wie man langsam abhängig wird. Man beginnt, seine Freunde zu vernachlässigen, womöglich sogar sie anzulügen, zu täuschen, man wird misstrauisch, überempfindlich, nervös. Glaubt mir, das ist der Anfang vom Ende!»

«Aber ein Club!», stöhnte Felix schon wieder.

«Was ist denn daran nicht in Ordnung?», fragte ich ärgerlich.

«Dafür brauchst du keinen Club! Du entscheidest, du willst dich nicht verlieben, und dann tust du's eben nicht!»

Kai stierte vor sich hin, dann schüttelte er den Kopf. «Ich glaube nicht, Felix. Ich glaube, man kann nicht bestimmen, ob man sich verliebt oder nicht. Das ist höhere Gewalt!»

Ich wusste zwar nicht so genau, worauf das hinauslaufen würde, aber ich zog aus meinem Rucksack Sannys Liste. Dabei spähte ich vorsichtig nochmal zu dem Kiosk, aber da war kein Mädchen zu sehen.

Ich wedelte mit Sannys Liste in der Luft umher. «Ich hab da eine Liste, auf der stehen 1000 Gründe, warum man sich nicht verlieben sollte. Das könnten unsere Clubregeln sein.»

«Das ist ja wohl dämlich», meckerte Felix schon wieder, «wenn du unbedingt einen Club haben willst, dann lass uns doch einen gründen, um die Welt zu retten. Oder vielleicht einen gegen das Erteilen von Hausaufgaben. Von mir aus auch einen Angel- oder Pokerclub, aber ...»

«Oder doch den Piratenclub», warf Kai ein, «das ist einfacher, als sich nicht zu verlieben.»

«Ach, macht doch, was ihr wollt», sagte ich beleidigt und schielte zum Kiosk. Nichts.

Kai versuchte zu vermitteln: «Gibt's zum Nicht-verlieben-Club vielleicht eine Alternative ...?»

Ich schaute Kai nachdenklich an.

«Klar! Wir gründen einen Club der Nichtküsser!»

Ich sah die beiden erwartungsvoll an, erntete aber nur verständnislose Blicke.

«Was denn?! Küssen ist ja wohl eine freiwillige Sache. Das fällt ja wohl nicht unter ‹höhere Gewalt› wie das Verlieben, oder?»

Felix zuckte die Schultern, Kai nickte.

Das Mädchen am Kiosk war immer noch nicht zu sehen.

«Ihr wisst doch, wie gefährlich Küssen ist. Damit beginnt die Katastrophe! Nachdem mich Kim geküsst hatte, brach die Hölle über mich herein. Ich musste ständig mit ihr spazieren gehen, musste dabei Händchen halten. Sie wollte dauernd in meiner Nähe sein. Ich musste mich von ihren Freundinnen ankichern lassen und hatte keine ruhige Minute mehr», erklärte ich eindringlich.

Kai nickte ernst, dann sagte er: «Das ist in Ordnung, ich mach mit. Ich bin eh nicht verliebt und hab auch nicht vor, ein Mädchen zu küssen.»

Felix schwieg. Kai und ich schauten Felix an.

Der sagte immer noch nichts, Kai fragte nach. «Und was ist mit dir?»

Felix reagierte hastig und empört: «Was soll mit mir sein?! Kein Interesse natürlich!»

«Na also», hakte ich sofort ein. «Dann kannst du ja Mitglied im Club werden!»

«Nein, kein Interesse an eurem Club!»

Kai schubste mich an und meinte: «Los, Konny, sag ihm, was für Vorteile er hat, wenn er Mitglied ist!»

Ich überlegte. «Na ja, wenn einem der Clubmitglieder ein Kuss droht, helfen ihm die anderen.»

«Was ist das denn für ein Brüllmist? Ihr sitzt dann neben mir im Kino, oder was?!»

«Wenn's nötig ist, ja.»

«Hast du dafür auch schon eine Liste?»

«Was für eine Liste?»

«Na, eine Liste mit 1000 Gründen, wieso man nicht küssen sollte?»

«Sicher!»

«Zeig mal», forderte Felix.

«An der Liste arbeite ich noch», erklärte ich.

«Pff», machte Felix nur und warf mir einen abschätzigen Blick zu. «Auf die Liste können wir lange warten. Außerdem finde ich deine Idee immer dämlicher, je länger wir darüber reden. Wir vergessen die Sache lieber ganz schnell.»

Felix stand auf und fing an, die Grillkohle auseinander zu schieben, damit sie schneller aufhörte zu glühen. Kai war zum Weiher gegangen. Ich schielte vorsichtig zum Kiosk.

Da war sie. Tatsächlich. Sie wischte die Stehtische vor dem Kiosk ab. Offensichtlich arbeitete sie dort.

«Oh mein Gott! Das ist ja furchtbar! Konny!» Kai stand am Ufer und stöhnte.

Ich zuckte ertappt zusammen, aber Kai meinte nicht mich. Er deutete auf eine der Angeln. «Du hast einen Fisch gefangen!»

«Mist», zischte ich.

Felix zuckte die Schultern: «Früher oder später musste so was ja mal passieren.»

5. Kapitel, in dem Sanny
Pixi und Dixi befragt

«Hallo, Puschel, endlich!», rief der kleine Konny überglücklich, als ich von meinem Spaziergang mit Theo zurückkam.

Er stürzte sich auf Karl und herzte und küsste ihn, als ob der Hund nach vierzig Jahren auf einer einsamen Insel endlich gerettet worden war und ein Wunder ihn wieder zu uns nach Hause geführt hätte. «Geht's dir gut? War sie auch nett zu dir?»

«Also hör mal! Ihm geht's prima!», empörte ich mich. «Wir waren gerade mal zwei Stunden weg!»

«Ach, Puschel, es ist so viel passiert, während du weg warst! Puschel, wir werden Piraten! Ich werde Piratenkapitän und du mein Piratenhund», erklärte Konny begeistert.

«Wuff!», machte Karl-Puschel. Es klang nach Zustimmung.

Theo wandte sich an Konny. «Das ist eine gute Idee. Vielleicht kann mein Hund ja auch Piratenhund werden.»

Was sollte das denn? Er sollte sich nicht mit meinem kleinen Bruder beschäftigen, sondern mit mir.

«Piratenhunde gibt es nicht», sagte ich, um die Diskussion zu beenden.

«Warst du schon mal Pirat?», fragte der kleine Konny.

«Nee.»

«Na also.» Dann warf er einen Blick auf Theos Hund und meinte: «Der könnte vielleicht ein Piraten-Hilfshund werden. Für einen echten Piratenhund ist er zu klein.»

«Komm, gehen wir in die Küche», forderte ich Theo ungeduldig auf.

«Nein!», rief der kleine Konny und versperrte uns die Tür. «Da findet gerade ein Piratenüberfall statt. Da sind jede Menge Gefangene, und wer nicht gefangen ist, kämpft noch. Da könnt ihr jetzt nicht rein.»

Ich wollte keine weitere Diskussion mit Konny anfangen, also führte ich Theo ins Wohnzimmer und versprach, eine Cola zu besorgen.

Aber im Wohnzimmer saßen bereits meine Eltern und diskutierten lautstark.

Sie sahen nur kurz auf, als wir reinkamen, redeten dann aber ungeniert weiter.

«Es sollte eine Überraschung sein!», versuchte mein Vater meine Mutter zu überzeugen.

«Oh, das ist es! Glaube mir, ich bin überrascht. Schließlich findet man nicht jeden Abend ein Loch in der Wohnzimmerwand!»

«Das ist kein Loch, das wird ein Durchgang! Die Handwerker haben ihn nur ein paar Tage zu früh gemacht.»

Da war tatsächlich ein Loch in der Wand. Sorgfältig mit durchsichtiger Plastikfolie abgeklebt.

«Was ist passiert?», erkundigte ich mich erschrocken und vergaß Theo für einen Moment.

«Dein Vater baut an! Und ganz schlau lässt er erst mal ein Loch in die Wand …»

«Durchgang!»

«… schlagen und anschließend erst den Raum fertig bauen. Toll. Jetzt haben wir eine Durchreiche zum Garten! Wenn wir also Eichhörnchen füttern wollen, müssen wir nicht mehr nach draußen gehen.»

«Susanne, ich hab dir doch gesagt, das war ein Missverständnis! Und ich hab sie auch noch rechtzeitig gestoppt. Es ist doch nur ein kleines Loch.»

«Wieso hast du das Loch nicht wieder zumachen lassen?»

«Wollte ich ja, aber der Maurer hatte Feierabend.»

Meine Mutter schnaubte verächtlich.

Theo zupfte mich am Ärmel. «Ich muss jetzt nach Hause», flüsterte er.

Mein Vater sah auf. «Aber nein, bleibt doch. Setzt euch zu uns und sagt ruhig eure Meinung!»

Oh nein! Ich schob Theo schnell aus dem Zimmer, bevor mein Vater ihn in seine Umbau-Diskussion einbeziehen konnte.

«Wir gehen in mein Zimmer», schlug ich vor.

Theo schüttelte den Kopf. «Nein, ich muss wirklich nach Hause.»

«Und was ist mit der Cola?»

«Kann ich ein anderes Mal darauf zurückkommen?»

«Ich kann dir auch eine Flasche mitgeben», bot ich an.

«Nein danke», lachte Theo und ging zur Haustür.

Ich lief hinterher.

An der Tür blieb er unschlüssig stehen.

Ich lächelte ihn an. Er lächelte zurück. Ich sah ihm in die Augen und er mir. Und diesmal hielt ich richtig lange durch.

Ich hätte ewig in Theos Augen schauen können, wenn nicht auf einmal der kleine Konny erschienen wäre, Theos Hand genommen und gesagt hätte: «Du kannst jetzt gehen.» Er schob ihn zur Tür raus. «Wir haben sowieso keine Cola. Nur Apfelsaft.»

«Verschwinde!», fauchte ich.

Mein kleiner Bruder hatte alles vermasselt.

«Okay», sagte Theo.

«Nein, dich meinte ich nicht», versuchte ich die Situation zu retten. Aber zu spät!

«Schon gut», lachte Theo und verließ unser Haus.

«Hast du morgen Zeit?», rief ich ihm hinterher.

Theo drehte sich um und schüttelte den Kopf.

«Und wann sehen wir uns dann wieder?», fragte ich leicht panisch.

«Wenn du dich wirklich fürs Theater interessierst, kannst du ja morgen mal in der Turnhalle von der Grundschule vorbeikommen. Wir proben dort.»

Ich strahlte: «Wirklich?»

«Na ja, das war der einzige Raum, den wir zweimal die Woche bekommen konnten, und da ...»

«Äh, nein, schon klar, das meinte ich nicht. Also bis morgen dann!»

Theo ging.

Na, das war ja wunderbar gelaufen.

Wenn ich Theo morgen im Theater besuchen wollte, sollte ich mehr über sein Lieblingsstück wissen.

Ich eilte zurück ins Wohnzimmer und unterbrach meine Eltern, die sich nach wie vor einen Wortkampf lieferten. «Ich hab mal eine Frage ...»

Der kleine Konny war ebenfalls ins Wohnzimmer gekommen, baute sich vor meiner Mutter auf, sah sie an, deutete mit dem Kopf auf mich und meinte, während er die Augen rollte: «Sanny hat Tollwut.»

Meine Mutter schaute ihn verwirrt an, doch bevor sie dazu etwas sagen konnte, fragte mein Vater: «Hast du wirklich Tollwut?»

Ich schnaubte verärgert.

«Was hast du denn für eine Frage, mein Schatz?», erkundigte sich meine Mutter.

«Kennt jemand von euch Nathan?»

Meine Mutter stutzte: «Nathan? Keine Ahnung.»

Mein Vater wollte meine Mutter übertrumpfen und antwortete mir: «Das ist der Gemüsehändler vorm Supermarkt, der hat da diesen Stand ...»

«Der heißt Erkan! Aber du hörst natürlich wie immer nicht zu ...», korrigierte ihn meine Mutter.

«Nein, es hat was mit Theater zu tun», stoppte ich sie.

Nun strahlte meine Mutter. Sie war in ihrem Element: Bildung. Sie lief zum Regal, schob ein paar Bücher hin und her und rief mir tadelnd über die Schulter zu: «Sag mir jetzt bloß nicht, dass dir Lessings ‹Nathan der Weise› kein Begriff ist!» Sie hatte das Buch gefunden, das sie suchte, und hielt es mir hin. «Hier, das ist ein Theaterführer, klassische Literatur. Lies und lerne.»

Ich beschloss, mich zu verkrümeln. Meine Mutter wandte sich wieder an meinen Vater. «Gerade war mal etwas Ruhe eingekehrt in unser Leben, und jetzt bringst du alles durcheinander mit deinen Veränderungen.»

«Das hatten wir alles besprochen. Aber wenn mir keiner zuhört ...», schimpfte mein Vater.

Alles durcheinander? Veränderungen? Das klang gefährlich. So was konnte ich jetzt gar nicht gebrauchen.

«Ich will nicht, dass sich in meinem Leben irgendetwas verändert!»

«Schon gut, Schatz, das kriegen wir alles hin.»

«Aber ich will, dass sich mein Leben ändert! Ich will Pirat werden», meldete sich mein kleiner Bruder zu Wort. «Und Puschel will ein Piratenhund werden.»

Meine Mutter strich Konny über den Kopf. «Piraten haben Papageien oder kleine Äffchen, aber keine Hunde.»

«Ist mir egal, wenn ich Pirat bin, ist mein Hund ein Piratenhund!»

«Ich kann es nicht fassen, dass wir ein Loch in der Wand haben! In einer Außenwand!», schimpfte meine Mutter erneut.

Konny lief zu dem Loch in der Wand. Und schlüpfte unter die Plastikplane. «Hast du auch nach Schätzen gesucht, Papi?»

«Ja», nickte mein Vater und wandte sich wieder an meine Mutter. «Es war ein Missverständnis. Ich hatte dem Maurer den Plan gegeben und ...»

«Den Plan, den *du* gezeichnet hast?»

«Der Plan war in Ordnung! Hier sollte eine Tür rein, also bitte! Er hat nur zu früh damit angefangen.»

«Aber Piraten vergraben doch ihre Schätze nicht in Wänden?», fragte der kleine Konny meinen Vater.

Der nickte wieder. «Ganz recht, mein Sohn.»

«Und warum hast du dann hier gesucht?»

Meine Mutter sah meinen Vater leicht spöttisch an. Mein Vater dachte nach, aber ihm fiel keine Antwort für den kleinen Konny ein.

«Du hättest Puschel suchen lassen sollen. Hunde sind die besten Findetiere!», krähte Konny triumphierend. «Und mit einem Hund findet ein Pirat jeden Schatz wieder. Also brauchen Piraten Hunde.»

«Nur die schusseligen Piraten», meinte meine Mutter und schaute meinen Vater böse an.

Der knurrte nur noch: «Dir kann man aber auch nie was recht machen!» Dann schmollte er.

«He, Papi, dürfen Puschel und ich hier nach Piratenschätzen suchen?»

«Aber sicher, mein Sohn.»

Ich machte mich auf den Weg in mein Zimmer.

Morgen würde ich Theo wieder sehen. Im Theater. In so einem Theater ergab sich doch bestimmt eine Gelegenheit zu küssen. Oh mein Gott, wenn alles gut lief, würde ich morgen meinen allerersten Kuss bekommen! Würde alles gut laufen?

Das musste ich sofort klären.

Ich bin nämlich in der glücklichen Lage, dass ich nicht abwarten muss, bis Dinge passiert sind – ich kann alles schon im Vorhinein erfahren.

Ich habe nämlich Pixi und Dixi.

Pixi und Dixi sind meine Orakelfische. Wann immer ich ein Problem oder eine schwierige Frage zu bewältigen habe, ziehe ich sie zu Rate.

Am bewährtesten ist die Futtermethode. Die funktioniert so, dass ich eine Frage formuliere und dann Futter ins Wasser streue. Wenn die beiden Fische nach oben schwimmen und fressen, ist das ein «Ja». Bleiben sie unten, ist das ein «Nein».

Heute lautete meine Frage: Ist morgen der perfekte Tag für meinen ersten Kuss?

Ich streute Futter aufs Wasser. Pixi und Dixi ließen sich nirgends blicken. Faule Bande! Ich klopfte gegen die Scheibe des Aquariums. Nichts.

«Hey, ihr zwei! Ich will wissen, ob ich im Theater meinen ersten Kuss bekomme?»

Pixi und Dixi stürzten sofort nach oben und fingen an zu fressen.

Ahhh! Gut, dass ich die beiden hatte.

6. Kapitel, in dem Konny
nicht flirtet

«Also, das nächste Mal machen wir Korkstopfen auf die Angelhaken, klar?!»

Kai und Felix nickten.

«Wir könnten auch kürzere Schnüre nehmen», schlug Kai vor. «Damit sie erst gar nicht mehr ins Wasser hängen.»

«Damit sich die Fische an der Schnur nicht den Kopf stoßen können?», grinste Felix.

«Komm, du fandest es genauso eklig», nahm ich Kai in Schutz.

Nachdem ich die Angel mit dem Fisch am Haken aus dem Wasser gezogen hatte, schlug Felix vor, die Schnur einfach abzuschneiden, aber Kai meinte, das wäre ja noch gemeiner, als den Fisch zu essen.

Schließlich haben wir es irgendwie geschafft, den Fisch von der Angel zu nehmen und wieder in den Weiher zu werfen.

Nur blöde, dass das Mädchen vom Kiosk uns dabei die ganze Zeit beobachtet hatte.

Wir packten den Grill ein und machten uns auf den Heimweg.

Als wir an dem Kiosk vorbeikamen, war von dem

Mädchen weit und breit nichts zu sehen. Eigentlich schade. Aus der Entfernung hatte sie echt klasse ausgesehen, richtig süß. Noch vor ein paar Wochen wäre sie eine heftige Versuchung für mich gewesen.

Aber heute ließ mich das völlig kalt. Ich war gereift, durch meine Erfahrungen mit Kim.

«Hey, du Idiot, pass auf, wo du hinläufst», schimpfte Felix.

Ich war gegen Felix geknallt. «Was bleibst du auch einfach stehen. Willst du die Gegend bewundern, oder was?»

«Wenn hier jemand was bewundert, bist du es ja wohl», grinste Felix mit Blick nach hinten zu dem Kiosk. «Falls es dir entgangen sein sollte, sie ist nicht mehr da.»

«Was denn? Ich hab nur versucht, die Speisekarte am Kiosk zu lesen. Dann brauchen wir in Zukunft keine Fischstäbchen mehr mitzubringen, sondern können hier was kaufen. Das ist doch praktisch.»

«Es wird echt Zeit, dass du mit deiner komischen Liste fertig wirst. Bevor es zu spät ist», feixte Felix

«Los, geh weiter, du Torfkopf.» Ich schubste ihn, Felix grinste.

«Wenn du sie nett findest, geh doch einfach zu ihr», schlug Kai vor.

«Blödsinn, ich will doch gar nichts von ihr», fauchte ich in Kais Richtung und ging demonstrativ weiter, ohne mich nochmal umzuschauen.

Felix stupste Kai an: «Ich glaube, Konny braucht ganz dringend diesen Club.»

«Welchen denn jetzt?», fragte Kai.

«Na, den Nichtküsserclub. Konny ist schon wieder ernsthaft gefährdet.»

Kai nickte: «Dann müssen wir Konny helfen.»

«Hey, ich bin hier, falls das jemand entgangen ist! Redet nicht über mich, als wär ich nicht da!»

«Vielleicht sollten wir die Clubsache doch noch einmal überdenken. Konny zuliebe. Oder wir sollten einen Pakt schließen: alle für einen, einer für alle. In unserm Fall: alle für Konny.»

«Wovon quasselst du?», wandte ich mich an Felix.

Kai beugte sich zu mir: «Wir werden für dich da sein, wenn du in Gefahr bist.»

«Was denn, wenn mich ein Fisch boxt oder wenn mich ein Gummibärchen attackiert?»

Kai schüttelte den Kopf: «Nein, wenn du dich wieder verliebst. Das werden wir verhindern, damit das nicht so eine Katastrophe wird wie beim letzten Mal.»

Felix nickte bestätigend und grinste mich an. «Das wolltest du doch, oder? So eine Art Selbsthilfegruppe für notorische Verlieber und Kussgeschädigte?»

Ich fand das gar nicht komisch: «Ihr kapiert überhaupt nicht, worum es geht: *Ich* wollte *euch* Hilfe anbieten!»

Felix lachte höhnisch, Kai meinte: «Das ist echt nett von dir, aber ich denke, dass eher *du* Hilfe brauchst.»

Den Rest des Weges gingen wir schweigend nebeneinanderher.

Wir verabschiedeten uns vor unserm Haus, und als

Kai und Felix außer Sichtweite waren, stellte ich fest, dass ich meinen Schlüssel verloren hatte. Ich musste wohl oder übel nochmal zum Weiher zurück.

Ich suchte am Ufer, aber da war nichts. Vielleicht hatten die am Kiosk ja was gefunden.

Ich schlenderte lässig rüber, aber am Kiosk war niemand zu sehen. Also ging ich zu dem kleinen Fenster und steckte meinen Kopf hinein. «Hallo?»

Vor mir tauchte ein Gesicht auf. Ich schrak zurück. Es war ein alter Mann mit Vollbart und Brille.

«Oh Gott!», entfuhr es mir.

«Das muss eine Verwechslung sein, ich bin eigentlich nur der Kioskbesitzer», schmunzelte der alte Mann.

Dann kam sie. «Lass nur, ich mach das schon», sagte sie zu dem Mann, der sich daraufhin verzog.

Mein Herz schlug schneller. Das lag sicher nur daran, dass der alte Mann mich erschreckt hatte.

Sie lächelte mich an.

«Hallo! Bist du öfter hier?», fragte ich sie.

Sie sah mich etwas erstaunt an, dann grinste sie. «Irgendwie schon. Mein Großvater hat den Kiosk hier übernommen, und ich helfe ihm hin und wieder.»

«Hey, klasse!», freute ich mich. Nicht flirten, nicht flirten! «Ich meine natürlich, dass der Kiosk jetzt wieder geöffnet ist. Das erspart einem echt Wege.»

«War ja vorhin ein harter Kampf mit dem Fisch, was?», grinste sie mich an.

Murks, sie hatte es gesehen.

«Tja, weißt du, der Fisch hat uns so sehr angebettelt, ihn nicht zu essen, dass wir ihn einfach wieder freigelassen haben.»

«Ah ja!»

Wir standen uns gegenüber und schwiegen.

«Und?», fragte sie.

«Und was?»

«Na, was kann ich für dich tun?»

Was wollte sie denn jetzt von mir? Was erwartete sie? Sollte ich sie ins Kino einladen? Oder mit ihr Eis essen gehen? Oder ...?

«Ich meine, möchtest du ein paar Brausefrösche oder Gummierdbeeren? Oder was anderes.»

Ach, das meinte sie. «Ja, genau.»

«Beides?»

«Was würdest du mir denn empfehlen?»

«'ne eigene Meinung?»

Ich schluckte kurz. «Verkauft ihr die ‹eigene Meinung› in Tüten oder lose?»

«Ich würde die Gummierdbeeren vorziehen.»

«Gut, dann nehme ich die Brausefrösche.»

Sie grinste und gab mir eine Tüte Brausefrösche.

«Sonst noch was?»

Ich überlegte. «Nein danke, für heute war's das.»

Ich zahlte und ging.

Den Schlüssel fand ich dann in meiner Hosentasche. Merkwürdig, dass ich den vorhin übersehen hatte.

7. Kapitel, in dem Sanny eine Liste schreiben soll

«Soll ich Theo sagen, dass ich in ihn verliebt bin?»

«Klar, wieso nicht?» Liz kaute genüsslich an ihrem Pausenbrot und blickte sich auf dem Schulhof um.

Ich schubste sie an. «Konzentrier dich, Liz, das ist eine sehr heikle Frage, denn grundsätzlich bin ich dagegen, dass Mädchen den ersten Schritt machen.»

«Aber doch nur deshalb, weil man sich damit ganz schön blamieren kann.»

«Sicher, wieso denn sonst?! Also, was soll ich tun?»

«Tu nichts, warte ab. Dann gehst du kein Risiko ein.»

«Aber nein, er soll mich doch küssen. Und vielleicht ist es für ihn wichtig, dass er zuerst weiß, dass ich in ihn verliebt bin.»

«Dann sag es ihm.»

«Oder sollte ich so zum Anfang erst mal *ihn* fragen, ob er in mich verliebt ist?»

Liz schaute mich an: «Glaubst du, er ist *nicht* in dich verliebt?»

«Natürlich ist er das. Ich meine doch nur so zum Warmwerden, damit ich unauffällig auf das Thema Küssen kommen kann.»

«Unauffällig?!» Liz verdrehte die Augen.

«Die Pause ist gleich zu Ende, und du hast mir immer noch nicht gesagt, was ich tun soll.»

«Doch, hab ich.»

Liz machte ein leidendes Gesicht. Bevor sie was sagen konnte, klingelte es zur nächsten Stunde. Sie wirkte sehr erleichtert. Mein Eindruck wurde dadurch verstärkt, dass sie «Gott sei Dank» seufzte und mich angrinste.

Ich war sauer und fauchte: «Ich sollte lieber Pixi und Dixi fragen.»

Liz schaute mich groß an und prustete los: «Deine Fische?!»

Ich erschrak und wurde rot. Mein bestgehütetes Geheimnis! Ich war aber auch dämlich. «Das war ein Witz!», schimpfte ich.

«Das weiß ich doch», beruhigte mich Liz.

Als ich aus der Schule nach Hause kam, raste ich gleich in mein Zimmer, um meine Orakelfische zu befragen. Sie waren geübt in solchen Dingen und unbestechlich.

«Soll ich Theo sagen, dass ich in ihn verliebt bin?», redete ich in mein Aquarium hinein.

Wenn Pixi und Dixi meinten, das sollte ich tun, dann würde ich keine Sekunde zögern.

Ich nahm die Futterdose und wollte sie gerade aufschrauben, als die Tür aufgerissen wurde. Ich zuckte zusammen und ließ vor lauter Schreck die Futterdose ins Aquarium fallen.

«He, Streberschwester, ich hab einen Job für dich», grölte mein hirnamputierter Blödbruder, als er in mein Zimmer stürmte.

«Mist!» Hoffentlich war Dixi und Pixi nichts passiert. Ich suchte nach ihnen und war ziemlich erleichtert, als ich sie heil unter einer Muschel fand.

Konny kam näher und sah mir zu. «Willst du deine Fische jetzt zu Selbstversorgern machen?»

«Blödmann!» Ich versuchte die Dose wieder herauszufischen. Zum Glück war sie nicht aufgegangen.

«Vielleicht solltest du noch einen Dosenöffner hinterherwerfen», schlug er vor, lachte sich über seinen Witz halb tot und warf sich auf mein Bett.

«Was willst du?», fauchte ich ihn an. Jetzt hatte ich die Dose endlich zu fassen bekommen, und während ich sie mit einem Taschentuch wieder trockenrieb, wandte ich mich an Konny: «Kannst du dir immer noch nicht den Weg in dein Zimmer merken? Vielleicht sollten wir gut sichtbare Wegweiser überall im Haus aufstellen.»

«Ich brauch noch eine weitere Liste», erklärte Konny kurz.

«Dann schreib eine», entgegnete ich ebenso kurz.

Konny rührte sich nicht.

«Was ist, soll ich dich in dein Zimmer führen?», bot ich an.

«Im Ernst, ich brauche noch eine Liste. Und du bist die Beste im Listenschreiben.»

«Was brauchst du denn noch für eine Liste?», fragte

ich. Nicht, dass ich ernsthaft daran dachte, auch nur ein halbes Fragezeichen für diesen Volltrottel aufs Papier zu bringen, aber es interessierte mich einfach.

«1000 Gründe, nicht zu küssen!», schmetterte Konny los.

«Was?»

«Hast du Fischfutter in den Ohren?»

«Das ist ja wohl völliger Blödsinn.»

«Sagt jemand, der eine Liste mit 1000 Gründen, sich nicht zu verlieben, verfasst hat.»

«Schon möglich. Aber das ist vorbei. Manche Menschen entwickeln sich eben weiter. Und nebenbei bemerkt, mir fällt nicht mal ein einziger Grund ein, warum man nicht küssen sollte!»

Konny gab nicht auf. «Es gibt aber eine ganze Menge Gründe!»

«Dann schreib sie auf!»

Irgendwie drehten wir uns im Kreis. Ich überlegte, wie ich dieses Superweichhirn loswerden konnte, damit ich endlich Pixi und Dixi befragen konnte.

«Essen fertig. Kommen!», dröhnte es von unten.

Dem Ruf wagte sich niemand zu widersetzen. Ludmilla rief, und Konny war auch schon aufgesprungen. Und das lag nicht nur daran, dass er Hunger hatte.

Wir eilten runter in die Küche.

Aus dem Wohnzimmer hörte man Hämmern und Bohren.

Gestern Abend hatte mein Vater angekündigt, dass er

seine Umbauten ausgeweitet und ein paar «tolle Verbesserungen» unserer Wohnsituation geplant hatte. Allerdings sah es mehr nach einer Verschlechterung unserer Wohnsituation aus, denn das Wohnzimmer war nicht mehr bewohnbar. Meine Mutter meinte energisch: «Ich will nichts davon wissen.»

Daraufhin überlegte mein Vater laut, ob das als Verbot weiterer Umbauten galt oder nur bedeutete, dass sie sich überraschen lassen wollte.

Meine Mutter schimpfte, er solle nicht albern sein, so ein Umbau wäre eine ernste Sache.

Als Konny und ich durchs Wohnzimmer in die Küche liefen, war ein Handwerker gerade damit beschäftigt, das Loch in unserer Wohnzimmerwand zu vergrößern. Neben ihm arbeitete ein Kollege an einem zweiten Loch.

Am Küchentisch saß schon der kleine Konny und neben ihm Karl. Mein Piratenbruder hatte ein grellbuntes Seidentuch mit kleinen Wiesenblumen darauf um den Kopf, eine Krawatte über das linke Auge gebunden und sich einen Bart gemalt.

Karl saß neben ihm und hatte ebenfalls ein Tuch um den Kopf gebunden. Sein Tuch hatte kleine Weihnachtsmänner als Muster.

«Was ist denn mit euch los? Spielt ihr Hänsel und Gretel?»

«Wir sind gefürchtete Piraten!»

«Wuff», machte Karl, und das Tuch rutschte ihm über die Augen.

«Und womit hast du dir den Bart gemalt?», fragte ich.

Piraten-Konny hielt einen Filzstift hoch.

«Aber der ist ja wasserfest!»

«Klar! Ein Pirat braucht einen wasserfesten Bart.»

Mein Vater stand ziemlich verzweifelt neben Ludmilla, die sich über einen Bauplan beugte.

«Tür da nix gut. Muss chier chin!», sagte Ludmilla, während sie mit dem Kochlöffel energisch auf den Plan klopfte.

«Aber nein, glauben Sie mir, da passt sie wirklich nicht hin. Sie muss hierhin. Und bitte machen Sie mir keine von diesen dummen Bohnen auf meinen guten Plan», sagte er ziemlich gequält und wischte mit dem Ärmel auf seinem Plan herum, wo Ludmilla vorher mit dem Kochlöffel geklopft hatte. Dann ging er mit seinem Plan ins Wohnzimmer.

«Bohnen gut. Plan nix gut!», beendete Ludmilla das Gespräch und fing an, unsere Teller zu füllen.

«Das sein beste Piratenessen! Da!», sagte sie zu meinem Piratenbruder.

Der strahlte sie an.

«Um nochmal auf diese Liste zurückzukommen», begann Konny erneut.

«Es gibt keinen Grund, der dagegen spricht zu küssen!», beendete ich die Diskussion.

Konstantin ließ sich nicht abwimmeln. «Von wegen.

Es ist der Anfang vom Ende. Kein Mensch, der einigermaßen bei Verstand ist, wird freiwillig küssen.»

Da ich mich wegdrehte, wandte er sich an den kleinen Konny: «Nicht wahr, Kumpel?»

Der Kleine schüttelte den Kopf. Dann nickte er. Dann fragte er: «Geht's um Sannys Tollwut?»

Der große Konny lachte sich halb tot. «Nein, ums Nichtküssen.»

Ich zischte sauer: «Das hältst du eh nicht durch, ob mit oder ohne Liste!»

«Wetten?!»

«Jederzeit!»

Der kleine Konny spielte inzwischen mit seinen Bohnen und Fischstäbchen Piratenangriff.

Da ihm die Krawatte nur ein Piratenauge freiließ, erstreckte sich die Seeschlacht über den gesamten Tisch.

«Küssen Piraten?», wollte er wissen.

«Niemals!», rief Konstantin.

«Und ob!», widersprach ich.

Der große Konny und ich sahen uns starr in die Augen.

Mein Vater kam aus dem Wohnzimmer zurück, setzte sich zu uns und sah unglücklich auf seinen Plan. «Da passt sie niemals hin», murmelte er. Als Ludmilla mit seinem Teller zu ihm kam, faltete er den Plan schnell zusammen und versteckte ihn unter dem Tisch.

«Papi, küssen Piraten?», wandte sich der kleine Konny jetzt an meinen Vater.

Der sah verwirrt auf. «Was? Keine Ahnung, sie haben wirklich genug mit Türen und Löchern in Wänden zu tun.»

Ich überlegte inzwischen, was ich tun musste, damit Theo mich küsste.

«Sanny!» Mein Vater klang etwas besorgt.

«Ja?!»

«Ich hatte dich gefragt, ob du besondere Wünsche für den Anbau hast.»

«Für welchen Anbau?»

«Für die Löcher in der Wand. Jeder kann sich eins aussuchen», rief der kleine Konny.

«Es sind keine Löcher. Es sind Türen. Also Durchbrüche für Türen. Also *ein* Durchbruch für *eine* Tür. Das zweite Loch war ein Missverständnis», rechtfertigte sich mein Vater. «Das machen sie wieder zu.»

«Und ich soll dir jetzt sagen, was für einen Wunsch ich da habe?»

Mein Vater nickte.

«Vielleicht, dass man ein Loch etwas größer macht, damit man nicht auf halber Höhe mühsam in den Garten klettern muss?»

Mein Vater guckte verärgert. Der große Konny feixte. «Ich glaube, jetzt hast du deine Chance vertan. Ich hab für mich einen Billardtisch rausgehandelt!»

Ich lächelte: «Ist mir alles egal.»

Ich brauchte kein Zimmer, ich brauchte einen Kuss von Theo.

«Ich hab mir ein Piratenschiff gewünscht», teilte der kleine Konny mit.

«Ich brauchen Bigelzimmer.»

Mein Vater schaute Ludmilla verständnislos an.

«Du kannst auf meinem Piratenschiff bügeln», bot der kleine Konny Ludmilla an.

Ludmilla nickte. «Ich bigele Piratenhose in Piraten-schiff, dann ist Bigelschiff.»

«Aber auf keinen Fall auf meinem Billardtisch», warf der große Konny ein.

«Aber in einer Ecke muss auch noch Platz für meinen Schreibtisch sein», gab mein Vater zu bedenken.

Ludmilla schaute kritisch ins Wohnzimmer, dann zerrte sie Vaters Plan unter dem Tisch hervor, schaute drauf und meinte: «Zimmer jetzt schon zu klein, muss machen viel großer oder nur fir kleine Pirat und mich fir Bigeln.»

Mein Vater kratzte sich nachdenklich am Kopf und schaute auf den Plan.

Aber das bekam ich nur noch halb mit, weil ich in Ge-danken schon wieder bei Theo war.

Ich schwebte in mein Zimmer.

8. Kapitel, in dem Konny froh ist, nicht verliebt zu sein

Blöd, dass Sanny sich weigerte, für mich diese Liste zu schreiben. Ich hatte nämlich echt keine Lust dazu. Für mich war es klar wie Kloßbrühe, dass man nicht küssen sollte. Aber um Felix von meinem Club zu überzeugen, wären ein paar handfeste Gründe nicht schlecht. Und wie Sanny eben so zur Küchentür hinausgeschwebt war, brauchte sie eine Antikussliste mehr als dringend!

Aber bitte, wenn keiner will! Ich hab alle gewarnt, zu mir soll niemand kommen und jammern, wenn er sich verliebt oder geküsst hat. Wären sie Mitglied in meinem Club, würde das nicht passieren.

«Wenn ein Club nur ein einziges Mitglied hat, ist es dann immer noch ein Club?», erkundigte ich mich bei meinem Vater.

Er kritzelte in seinem Plan herum.

«Paps?»

«Ja?»

«Kann man es dann noch einen ‹Club› nennen?»

«Sicher. Schau mal her, Konny, wenn ich hier eure Fenster durch Türen ersetzen lasse, dann könnt ihr das Dach meines Anbaus als Dachterrasse benutzen.»

«Wenn du meinst. Sag mal, gibt es eigentlich Gründe, die dafür sprechen, dass man jemanden küsst?»

«Nee, fällt mir keiner ein. Man muss natürlich ein Geländer anbringen lassen, und, hey, was hältst du von einer Treppe in den Garten runter?»

«Treppe klingt gut. Aber warum tun es Leute dann trotzdem?»

«Das wäre dann eine Außentreppe. So was wollte ich schon immer.» Er strichelte an seinem Plan herum.

Der kleine Konny beugte sich nun ebenfalls über den Plan. «Krieg ich einen Ausguck?»

«Wieso brauchst du einen Ausguck?»

«Na, damit ich die feindlichen Schiffe sofort sehen kann.»

«In unserer Straße gibt es kaum feindliche Schiffe.»

«Aber falls doch, würde ich sie sofort sehen, wenn ich einen Ausguck hätte.»

Mein Vater lächelte. «Der Kleine macht sich wenigstens Gedanken und interessiert sich für mein Projekt!»

Er klang vorwurfsvoll.

«Hast du schon mal über eine Bowlingbahn nachgedacht?»

Mein Vater schüttelte den Kopf. «Ehrlich gesagt, nein.»

«Ich will aber auf meinem Schiff keine Bowlingbahn, die macht mir nur alles kaputt», widersprach Piraten-Konny sofort.

Karl bellte zur Bestätigung ein kurzes «Wuff».

Ich überlegte weiter. «Ein Schwimmbad wäre auch nicht schlecht.»

«Im Piratenschiff?», fragte Kornelius ungläubig.

«Klar, da kannst du dann kleine Piratenschiffe drin schwimmen lassen.»

«Au ja», jubelte der Pirat.

Mein Vater schien sehr zufrieden und stand auf. «Das werde ich gleich mal mit dem Polier besprechen. Ich denke, das ist ein Klacks, das können sie bestimmt zwischendrin erledigen.»

Kornelius schaute mich mit großen, strahlenden Augen an. «Wie toll. Wir kriegen einen Ausguck und ein Schwimmbad!»

Ich schüttelte den Kopf. «Ich denke, er hat von der Dachterrasse gesprochen.»

Plötzlich hatte ich Heißhunger auf Gummierdbeeren.

Ob das Mädchen vom Kiosk wohl eine Einladung auf meine Dachterrasse annehmen würde?

«Haben dir die Brausefrösche geschmeckt?», fragte ich Kornelius.

«Ja, hast du noch mehr?»

«Ich kann dir welche besorgen.»

Ob sie jeden Tag am Kiosk war?

«Ich hab dein Fischstäbchen gefangen genommen. Was zahlst du mir dafür?», riss mich der Familienpirat aus meinen Gedanken.

Ich sah auf meinen Teller. Konny hatte ein letztes ein-

sames Fischstäbchen auf meinem Teller mit seinen Bohnen eingekreist.

«Na hör mal, ich hab dir doch angeboten, wieder
Brausefrösche zu besorgen!»

Konny überlegte. «Pah!», sagte er und aß das Fischstäbchen auf.

«Ich will nur noch Piratenessen. Brausefrösche sind
kein Piratenessen!»

Ludmilla kam, um die Teller abzuräumen. Sie sah
mich missbilligend an. «Du essen Bohnen auf!»

«Aber das sind nicht meine! Kornelius hat sie auf
meinen Teller gelegt!»

Ludmilla stemmte die Hände in die Hüften. Ich be-
eilte mich, die Angreifer-Bohnen in neuer Rekordzeit
aufzufuttern.

Wie gut, dass ich nicht in das Kioskmädchen verliebt
war. Kornelius würde ich Brausefrösche besorgen, ob er
wollte oder nicht.

9. Kapitel, in dem Sanny
beschließt, etwas völlig Romantisches zu tun

Gerade als ich wieder meine Orakelfische befragen wollte, kam Liz mit einem Stapel Broschüren und ließ sie auf mein Bett fallen. «Erklärst du mir jetzt bitte endlich mal, wieso ich dir so dringend Theaterprogramme besorgen musste?»

«Theo interessiert sich fürs Theater!»

«Na klar, wegen Theo!», lachte Liz. «Da bin ich ja nur froh, dass er sich nicht für Geologie interessiert, sonst hätte ich am Ende noch Gesteinsproben durch die Gegend schleppen müssen.»

Ich fing an, in den Programmen zu blättern.

«Ich muss jetzt alles übers Theater lesen, damit ich mich mit Theo unterhalten kann! Wir brauchen gemeinsame Interessen.»

«Wieso?» Liz grinste breit. «Wenn's eng wird, kannst du doch immer noch übers Wetter reden!»

«Mann, dir erzähl ich nichts mehr!»

Liz legte ihren Arm um meine Schulter. «Na komm, sei nicht sauer. Läuft doch alles hervorragend.»

«Finde ich ja auch. Es hat ihn unter Garantie auch erwischt, nicht wahr?!»

Liz nickte. «Ganz bestimmt!»

«Ich kann's kaum erwarten, dass er mich küsst!»

«Das ist ein gutes Zeichen, denn wenn du geküsst werden willst, dann bist du absolut und einhundertprozentig in ihn verliebt!»

«Allerdings! Was ich jetzt aber noch brauche, sind Themen, Gesprächsstoff. Wir haben nämlich immer wieder lange Pausen in unseren Gesprächen, und ich stell mich derart blöd an, als hätte ich bloß Sahnequark im Hirn. Das muss dringend besser werden.»

«Okay. Worüber redet ihr denn so?»

Ich zuckte die Schultern. «Ich erinnere mich nicht. Nur, dass er so, so … eine Art Sternenaugen hat. Und absolut perfekte Zähne. Also genau genommen steht ein Zahn etwas schief, aber das sieht total süß aus!» Ich seufzte, und Liz seufzte freundlicherweise mit.

«Und wenn er lächelt, dann passiert was mit meinen Knien. Die knicken irgendwie ein», hauchte ich glücklich.

Liz umarmte mich. «Ach, Sanny, ich freu mich so für dich! Dich hat's echt voll erwischt!»

Ich konnte nur verzückt nicken.

Liz nickte ebenfalls verzückt.

«Ach, Liz, ich bin soooo glücklich!»

«Und wann holt dich dein Theo heute ab?», wollte sie wissen.

«Heute nicht», strahlte ich, «heute hole ich ihn ab! Er hat Theaterprobe, und da geh ich hin!»

«Du spielst Theater?»

Ich sah sie an. Natürlich! «Tolle Idee, Liz!»

Liz war irritiert. «Ich hatte keine Idee, ich hab eine Frage gestellt.»

«Nein, du hattest die beste Idee des Jahres!»

«Erzähl sie mir, ich hab sie nicht mitgekriegt.»

«Ich werde etwas total Romantisches tun. Ich werde auch Theater spielen!», schmetterte ich.

Liz sah mich skeptisch an. «Ehrlich, Sanny, ich weiß nicht, ob das so eine gute Idee ist. Ich meine, wenn das ein Wissenschaftsclub wäre, okay, aber *Theater spielen*?!»

«Warum denn nicht?»

«Na ja, deine Stärken liegen irgendwie woanders. Ich meine, du und Theater spielen, das ist so, wie wenn ein Pinguin Tango tanzen lernen will.»

«Die Liebe versetzt Berge!»

«Das war der Glaube.»

«Wir werden zusammen Theater spielen. Theo und ich. Das ist so romantisch», träumte ich. «Dann hat er die Chance, mir eine Liebeserklärung zu machen und mich zu küssen.»

«Aber er macht dir doch dort im Theater keine Liebeserklärung! Das ist nicht der richtige Ort.»

«Wo denn sonst? Was wäre besser?»

«Kino! Definitiv Kino! Oder irgendwo, wo ihr allein seid.»

«Hm.»

Ich sprang auf. «In Ordnung, los, gehen wir.»

10. Kapitel, in dem Konny
sich verläuft

Ich saß in meinem Zimmer und sah auf die Uhr. In zwei Stunden war ich mit Kai und Felix zum Kino verabredet. Höchste Zeit loszugehen, wer weiß, was unterwegs noch so alles dazwischenkommen konnte, und ich wollte meine besten Freunde nicht warten lassen.

Als ich am Wohnzimmer vorbeikam, stand mein Vater inmitten eines Pulks von Handwerkern und wedelte verzweifelt mit einem Bauplan. Einer der Maurer hatte ebenfalls einen Plan in der Hand. Mein Vater stöhnte laut auf. «Das ist der falsche Plan!» Er war wirklich mit den Nerven am Ende. Bloß schnell weg hier.

«Tschüs, Paps, ich bin im Kino!»

«Chaalt!», tönte es schroff hinter mir. Ludmilla stellte sich mir in den Weg. «Du gehen einkaufen!»

«Wieso ich? Mein Vater ist dafür zuständig. Fürs Einkaufen und für den kleinen Konny!» Ich rief empört Richtung Wohnzimmer: «Paaaps! Wieso soll ich einkaufen? Das ist doch dein Job!»

«Ich war bereits einkaufen!», verteidigte sich mein Vater.

«Da!», rief Ludmilla und nickte heftig mit dem Kopf. «Er chat eingekauft.» Dann schaute sie meinen Vater böse an. «In *Baumarkt* eingekauft. Nix Essen. Soll ich machen Nagelsuppe? Soll kochen Hammer und Zange weich?» Sie schimpfte heftig vor sich hin. «Ich schicke einkaufen für Essen, er mit Nägel und Schraube zurück!»

Mein Vater zuckte entschuldigend die Schultern. «Ich wollte ja noch gehen ...»

«Wann? *Nach* Abendessen? Einkaufen *vor* Essen! Sonst nix essen!»

Mein Vater sah mich an: «Konny, tu mir den Gefallen und bring mit, was Ludmilla aufgeschrieben hat. Ich komm heute nicht mehr dazu, ich muss bei den Handwerkern bleiben.» Er durchsuchte seine Hosentaschen und fand einen Zettel, den er mir gab.

Ich überlegte blitzschnell: Eine lange Diskussion würde nichts bringen. Dass ich einkaufen ging, war ja völlig absurd. Also würde ich es einfach vergessen. So wie mein Vater. Ich strahlte beide an. «Kein Problem, mache ich doch gerne.»

Mein Vater war zufrieden und ging zurück ins Wohnzimmer.

Ludmilla schaute mich durchdringend an. «Du werden vergessen, da?»

«Aber nein!»

Ludmilla winkte ab, drehte sich um und murmelte: «Junge wie Vater, werden vergessen!»

Offensichtlich war sie auf dem Kriegspfad, denn meinem Vater rief sie hinterher: «Sie wissen, wo kleine Pirat ist?»

Mein Vater drehte sich blitzschnell um und machte ein erschrockenes Gesicht. «Ich hab ihn doch vom Baumarkt wieder mitgebracht, oder?»

«Ja, chat gegessen Mittag mit uns, jetzt ist spielen. Graben Loch in fremde Garten.»

Mein Vater lächelte. «Ach, dann ist er bei Flohmüllers. Da kann nichts passieren. Die haben einen hohen Zaun.»

Ludmilla schien die Antwort nicht zu gefallen, denn sie schimpfte weiter vor sich hin.

Ich machte mich auf den Weg und hatte richtig gute Laune. Das Leben konnte so einfach sein! Kein Stress, kein Generve, nur Freiheit, Ruhe und gute Laune. Ohne Frauen war man Herr seiner Sinne und machte nicht dauernd irgendeinen Blödsinn, den man sich hinterher nicht mehr erklären konnte.

Als ich mich umsah, stand ich vor dem Kiosk am Weiher.

Während ich überlegte, was ich hier wollte, tauchte plötzlich das Mädchen von gestern wieder auf.

«Alles okay?», fragte sie.

«Na logisch, warum denn auch nicht.»

Sie lachte. «Weil du irgendwie aussiehst, als hättest du dich verlaufen.»

«Männer verlaufen sich nicht. Ich wollte …» Ja, was denn? Was wollte ich bloß hier?

«Brausefrösche?»

«Ja! Genau!» Hatte ich meinem kleinen Bruder ja schließlich versprochen.

Sie gab mir die Frösche, und ich zahlte.

«Sonst noch was?»

«Wieso?»

«Na, weil du immer noch wie angewurzelt hier stehst.»

Hm, es fiel mir in der Tat etwas schwer, meine Beine zu bewegen. Sie waren leicht zittrig.

«Ich muss nämlich gleich los. Ich will mir einen Film im Kino anschauen», erzählte sie.

«Hey, da können wir doch zusammen hingehen», schlug ich vor.

Sie sah mich an. «Hast du denn Zeit?»

«Na klar!»

«Okay. Wegen mir können wir gleich los.»

Sie verabschiedete sich von ihrem Großvater, und wir gingen.

Meine Beine hatten sich noch nicht wieder ganz erholt, und ich hinkte ein wenig.

«Alles okay?»

«Na klar. Muss wohl gestern beim Angeln passiert sein», erklärte ich großspurig und hinkte heldenhaft noch ein wenig stärker.

«Ach, hat dir der Fisch gegen das Bein getreten?», grinste sie.

«Äh ...»

«Ich bin übrigens Sarah!»

«Hey, das ist ja ein wundervoller Name.» Jetzt war ich wieder auf sicherem Terrain.

Wir gingen weiter.

Sie sah mich an. «Hör mal, auch auf die Gefahr hin, dass dein Name nicht so wundervoll ist, verrätst du ihn mir trotzdem?»

«Klar», nickte ich.

Schweigen.

«Und?»

«Äh, was wolltest du nochmal wissen, Sarah?»

«Deinen Namen. Aber falls du dich nicht mehr erinnerst, kannst du mir auch einfach deinen Ausweis zeigen, ich lese ihn dir dann vor.» Sie lachte.

Hey, komisch, ihren Namen wusste ich, bei meinem musste ich nachdenken.

«Konny», sagte ich etwas zögerlich und hoffte, dass der Name stimmte.

11. Kapitel, in dem Sanny versucht, eine Hauptrolle zu bekommen

Als Liz und ich das Haus verlassen wollten, um zu Theos Theaterprobe zu gehen, sahen wir meinen Vater mit einem Bauplan in der Hand völlig entgeistert im Wohnzimmer auf ein drittes Loch in der Wand zum Garten starren. «Aber wer hat Ihnen denn gesagt, dass Sie da noch ein Loch machen sollen? Sie sollten das zweite Loch wieder zumachen», meinte er fassungslos.

Der Polier sah meinem Vater über die Schulter, deutete auf den Plan. «Also, die Tür sehe ich jetzt zum ersten Mal, das wäre die vierte.» Er sah sich die Wand an, dann wieder den Plan. «Wenn Sie wollen, Platz wäre da noch ...»

«Nein! Ich möchte, dass Sie sofort aufhören, meine Wand zu durchlöchern. Ich möchte nur wissen, welcher Idiot Ihnen die anderen beiden Türen genannt hat.»

Der Handwerker sah meinen Vater an. «Also, das waren Sie. Die rechte haben Sie uns gestern auf der Wand eingezeichnet, und die in der Mitte und die linke haben Sie auf dem Plan eingezeichnet.»

«Das ist der Bauplan vom ersten Stock, Sie haben die Pläne verwechselt.»

«Im Ernst?» Der Polier kratzte sich verwundert am Kopf. «Aber das ist auf keinen Fall unsere Schuld!», setzte er energisch hinzu.

«Fanden Sie es denn nicht merkwürdig, dass wir in einer Wand drei Türen nebeneinander haben wollen?», fragte mein Vater ärgerlich.

Der Maurer zuckte die Schultern. «Mir ist das egal. Es ist Ihre Wand.»

«Vorhin hab ich Ihnen doch gesagt, dass Sie den falschen Plan haben. Und ich hab den Plan mitgenommen, wie konnten Sie denn jetzt hier die Durchbrüche machen?!»

Der Polier strahlte: «Ich konnte mich erinnern, wo die Türen eingezeichnet waren.»

«Das war aber nicht für dieses Stockwerk!»

Mein kleiner Bruder begutachtete inzwischen auch die vielen Löcher in der Wand. «Toll, Papi, das sind ja jede Menge Bullaugen für mein Piratenschiff. Krieg ich auch noch einen Ausguck und eine Fahne auf dem Dach?»

Der Handwerker nahm sich einen Bleistift und wollte gerade etwas in den Plan einzeichnen.

«Nein!», fauchte mein Vater. «Das Dach bleibt so, wie es ist!»

Ludmilla begutachtete das neue Loch ebenfalls fachmännisch. «Da sein Tür auch gut!», nickte sie. «Aber jetzt aufhören mit Locher, sonst fallen Chaus um!»

Mir drückte sie einen Zettel in die Hand und sagte: «Du gehen einkaufen für Abendessen, da?»

Dazu hatte ich aber jetzt überhaupt keine Zeit, es gab Wichtigeres in meinem Leben. Ich schaute etwas unglücklich: «Was ist denn mit meinem Vater? Der ist doch dafür zuständig.»

«Pfff! Er vergessen hat.»

«Und Konny?»

«Pfff, wird auch vergessen!»

Ich stöhnte.

Ludmilla schaute mich scharf an: «Du auch vergessen, ich sehen schon!»

Bevor ich protestieren konnte, drehte sie sich um und schimpfte laut: «Ich am besten schicken kleine Pirat!»

«Aber ich hab's doch noch gar nicht vergessen!», empörte ich mich.

«Du auch vergessen. In Kopf nur Junge! Kein Platz für Einkaufen!»

«Ich werde es nicht vergessen!», rief ich Ludmilla hinterher. «Liz, erinner mich bloß ans Einkaufen!»

Das war das letzte Mal, dass ich daran dachte, denn es gab ja wie gesagt Wichtigeres in meinem Leben.

«Ich bin gespannt, wie er aussieht!», meinte Liz.

«Ich auch.»

«Was denn, du wirst doch wohl wissen, wie er aussieht?»

Ich lächelte verklärt. «Kennst du das nicht, wenn man verliebt ist, und man will an den Jungen denken, dass einem plötzlich nicht mehr einfällt, wie er aussieht?»

«Äh … nein.» Liz schaute mich besorgt an.

Ich winkte ab. «Keine Sorge, ich werde ihn schon wieder erkennen!» Unter Tausenden würde ich ihn wieder erkennen.

Die Proben fanden tatsächlich in der kleinen Turnhalle der Grundschule statt.

«Hm, klasse, sehr beeindruckend», lästerte Liz.

«Ach komm, hier trainieren sie doch nur.»

«Trainieren?» Liz zog die Augenbrauen hoch. «Das sagst du da drinnen aber besser nicht.»

«Okay, proben. Meine Güte, ich bin erst seit gestern Theater-Fan, da kenn ich mich halt noch nicht so gut aus.»

«Ja, leider. Hoffentlich geht nichts schief.»

«Was soll denn schon schief gehen? Man bekommt einen Text, den lernt man auswendig. Man kann sich also nicht blamieren, wenn das Hirn wieder mal aussetzt und man blödes Zeug reden will. Außerdem bin ich völlig gelassen, ich hab alles im Griff, ich lass mich nicht aus der Ruhe bringen.»

In dem Moment bog Theo um die Ecke, und ich fühlte mich, als hätte ich einen Schlag in die Magengrube bekommen. Meine Knie gaben nach, Liz musste mich stützen.

«Was ist los?», fragte sie besorgt.

«Da vorn. Da ist er!»

«Er sieht gut aus.»

«Ich weiß», hauchte ich glücklich.

Und schon hatte Theo mich gesehen. Lächelnd kam er auf mich zu.

Diesmal war ich gewappnet: Ich würde lässig und charmant plaudern.

«Hey, was machst du denn schon hier?», fragte er gut gelaunt. «Die Probe ist erst in anderthalb Stunden vorbei.»

«Ich … äh …» Na toll, mein Sprachzentrum setzte aus.

«Wie schade, dass sie die Texte nicht schon hier draußen verteilen», flüsterte Liz mir zu. Dann wandte sie sich an Theo. «Hi. Du hast Sanny so viele tolle Sachen vom Theater erzählt, dass sie es unbedingt selbst mal ausprobieren will.»

Ich nickte. Mehr ging nicht.

Liz schubste mich an und flüsterte: «Hör auf damit, du siehst aus wie ein Wackeldackel.»

Prompt kehrten meine fünf Sinne zurück. «Ich dachte, vielleicht braucht ihr noch jemanden», strahlte ich Theo an.

«Wir haben beim letzten Mal schon angefangen, die Rollen zu verteilen, aber wir können ja mal fragen.»

Ich blinzelte Liz aufgeregt an, sie nickte mir beruhigend zu.

Wir gingen zusammen in die Turnhalle.

Theo zeigte auf eine ältere Frau mit Brille und Lockenmähne. «Das ist Frau Schiller. Sie leitet die Theatergruppe. Am besten fragst du sie wegen einer Rolle. Oder willst du lieber was anderes machen?»

«Nein, nein, ich will schauspielern. Das wollte ich schon immer.»

Theo entdeckte ein paar Leute und meinte: «Ich muss mal kurz zu denen rüber.»

Und was bedeutete das für mich? Hier stehen bleiben und warten? Mitlaufen?

«Okay, dann viel Glück», sagte Theo und ging.

Aha, das hieß also, ich sollte allein zu Frau Schiller gehen.

Ich beugte mich zu Liz. «Wie findest du ihn?»

«Nett.»

«Nett?!»

«Ja, wirklich nett. Er wirkt sehr nett.»

«NETT?»

«Schrei doch nicht so!»

«Er ist umwerfend, genial, einmalig, er ist perfekt!»

«Sag ich doch!»

«Pff, NETT!» Ich schaute Theo verträumt nach.

«Er ist ziemlich in mich verliebt, nicht wahr?»

Liz hatte sich umgedreht und schaute zur Tür.

«He, Liz!»

Sie zuckte abwesend die Schultern: «Schon möglich.»

«Was heißt hier ‹schon möglich›?»

«Was hast du gefragt?»

«Ich hab nix gefragt, ich hab gesagt, dass Theo …»

Liz stand auf einmal hinten an der Tür und unterhielt

sich mit einem Jungen. Na so was! Wann hatte ich Liz denn verloren? Und wer war dieser Typ?

Na toll! Ich drehte mich wieder um, machte einen Schritt nach vorn und rempelte jemanden an.

«Entschuldigung.»

«Macht nichts», sagte der Junge. «Ich bin übrigens Nick.»

«Hallo», sagte ich nur knapp.

«Wie heißt du?»

«Sanny.»

«Du bist neu hier?»

«Ja.»

Ich schaute mich nach Theo um. Er winkte mir fröhlich zu.

«Kann ich dir irgendwie helfen?», fragte Nick.

«Keine Ahnung, ich will dringend auch eine Rolle in euerm Theaterstück.»

«Viel Lärm um nichts.»

«Wie bitte?»

«Na, das ist der Titel des Stücks, das wir aufführen.»

«Viel Lärm um nichts?»

Der Junge nickte, brachte mich zu Frau Schiller und sprach kurz mit ihr.

Dann wandte sich die Frau an mich. «Also, du möchtest hier mitspielen?»

«Ja. Gerne», sagte ich dämlich. Das klang vielleicht doof, so, als ob ich beim Gummitwist oder Verstecken mitmachen wollte.

«Gut, mal sehen.» Die Dame musterte mich. «Hast du schon mal Theater gespielt?»

«Irgendwie noch nicht so richtig», flüsterte ich ihr zu.

«Hast du Probleme mit deiner Stimme?», erkundigte sie sich laut. «Es ist sehr wichtig beim Theater, dass man laut und deutlich spricht.»

«Nein», beruhigte ich sie. «Mit meiner Stimme ist alles in Ordnung.» Um sie zu überzeugen, hatte ich sehr laut und sehr deutlich gesprochen, und alle hatten sich zu mir umgedreht.

Frau Schiller sah mich skeptisch an. «Na schön, dann wollen wir mal sehen. Hast du was vorbereitet?»

Was meinte sie denn jetzt? Was sollte ich denn vorbereiten?

«Wie meinen Sie das?»

«Na, hast du irgendeine Szene, die du vorführen möchtest?»

«Äh, nein.»

Sie wühlte einige Zeit in ihren Papieren.

«Hamlet ist dir ein Begriff?», fragte sie, ohne aufzusehen.

Nachdem ich das Gefühl hatte, dass meine Rolle an einem seidenen Faden hing, wollte ich meine Chancen lieber nicht durch eine ehrliche Antwort kaputtmachen. «Klar!»

«Gut», sie sah mich an und reichte mir einen Zettel. «Dann versuch das doch einfach mal.»

Sie setzte sich auf den Mattenwagen und sah mich interessiert an.

«Was denn, jetzt hier und vor allen?»

Sie nickte und machte eine auffordernde Geste. Inzwischen hatten sich ein paar Leute um uns versammelt. Na gut, ich würde es tun: für Theo! Wo war er überhaupt? Er stand immer noch hinten in einer Ecke mit ein paar anderen, inzwischen über Requisiten gebeugt. Hm, also musste ich sehr laut sprechen.

Ich räusperte mich und sah auf den Zettel. Ich musste einfach nur den Text vorlesen. So schwierig konnte das nicht sein.

«Sein oder nicht sein, das ist hier die Frage: Ob's edler im Gemüt, die Pfeil' und Schleudern ...»

«Nein, nein», unterbrach mich Frau Schiller. «Mit etwas mehr Gefühl!»

Gefühl. Okay, das konnte sie haben. In Sachen Gefühl war ich gerade Expertin geworden!

«Sein oder nicht sein», jubelte ich glücklich und legte alle Verliebtheit und Fröhlichkeit in meine Stimme, «das ist hier die Frage ...»

«Aber Kind. Stell dir vor, du redest mit einem Totenschädel.»

«Iiih, ist ja eklig!», entfuhr es mir.

Die Leute um mich herum kicherten.

«Weißt du, ich glaube, das wird momentan nichts. Vielleicht ein anderes Mal. Wir haben auch schon genug Schauspieler», tröstete mich Frau Schiller.

Ich sah sie entsetzt an. Aber dann war ja mein ganzer Plan dahin. Ich wollte doch in Theos Nähe sein.

«Frau Schiller, wir könnten bei den Statisten noch jemanden gebrauchen. Vielleicht wäre das ja was für Sanny», mischte sich Nick ein.

Frau Schiller zuckte die Schultern. «Wenn sie will, von mir aus.»

«Hey, prima», freute sich Nick. Dann wandte er sich zu mir. «Siehst du, jetzt klappt es doch noch.»

«Nicht so, wie ich mir das vorgestellt hatte.» Ich wollte Theo ja eigentlich beeindrucken und hatte mehr so an eine Hauptrolle gedacht.

«Na», meinte Nick fröhlich, «ist doch besser als nichts, oder?»

Ich zuckte die Schultern.

«Zumindest bist du dabei.»

Stimmt, der Junge hatte Recht. «Genau! Zumindest bin ich dabei», nickte ich.

Auf diese Art würden Theo und ich uns fast täglich sehen. Und er hatte jede Menge Gelegenheiten, mir zu sagen, wie sehr er in mich verliebt war, und in den Pausen konnte er mich pausenlos küssen.

Ich schaute mich um. Wo war Liz abgeblieben?!

12. Kapitel, in dem Konny im Kino die Flucht ergreift

Als wir zum Kino kamen, sah ich bereits von weitem Kai und Felix in der Nähe des Eingangs stehen.

Siedend heiß fiel mir ein, dass wir verabredet waren. Und soweit ich mich erinnerte, hatte keiner von beiden mich gebeten, das Mädchen vom Kiosk mitzubringen.

Ich lief etwas langsamer und fragte Sarah: «Du willst also wirklich ins Kino?»

«Welchen Teil des Satzes ‹Ich will mir einen Film im Kino ansehen› hast du nicht verstanden?»

«Man wird ja noch fragen dürfen.» Ich seufzte. Gab es eine Chance für mich, unerkannt an den beiden vorbeizukommen?

«Was ist, wieso trödelst du?» Sarah blieb stehen.

«Ich hab nachgedacht.»

«Worüber?»

«Ob Kino wirklich eine gute Idee ist.»

«Ist es», meinte Sarah entschieden und ging weiter. «Allerdings sollten wir uns besser jetzt schon auf den Film einigen.»

Ich seufzte wieder. Sarah würde ganz sicher so eine typische Kitsch-Mädchen-Liebes-Schnulze sehen wollen, und Kai, Felix und ich wollten uns «Attacke der Killer-Aliens» ansehen. Ich hasste Liebesfilme. Wie sollte ich Sarah das schonend beibringen?

Aber, hey, Moment mal, das war die halbe Rettung!

Ich würde also mit Kai und Felix auf keinen Fall im selben Kinosaal sitzen. Das war schon mal gut.

Dann musste ich nur noch von den beiden unbeobachtet ins Kino kommen.

«Ist mir egal, welcher Film. Was immer du willst», strahlte ich Sarah an.

«Okay.»

Noch waren wir in einem Pulk von Leuten, die auf das Kino zugingen, einigermaßen geschützt, aber wenn wir näher zum Eingang kamen, gab es keine Chance, dass mich Kai und Felix nicht sahen.

Ich zögerte und blieb wieder stehen.

«Was ist?»

«Hör mal, was hältst du davon, wenn du alleine reingehst und an der Kasse auf mich wartest?»

«Ich halte das für einen ziemlich merkwürdigen Vorschlag.»

«Würdest du es trotzdem machen?»

Sarah zuckte die Schultern. «Ich geh ins Kino, und mir ist es egal, ob du mitkommst oder nicht.»

«Aber ich komm doch mit! Ehrlich! Warte an der Kasse auf mich. Gib mir zwei Minuten, und ich bin da. Okay?»

Sarah verdrehte die Augen und ging ohne ein weiteres Wort direkt auf den Eingang zu. Ich wollte Felix und Kai ansteuern, da sah ich sie mit ein paar Leuten aus unserer Klasse im Gespräch. Perfekt, noch besser, sie waren abgelenkt, ich spurtete hinter Sarah her und erreichte sie an der Kasse. Nun konnte nichts mehr schief gehen.

«Hallo», grinste ich Sarah an.

Sie bestellte: «‹Attacke der Killer-Aliens›, zwei Karten bitte.»

Was? «Das ist ein Männerfilm, mit Action, Mord und Totschlag, ekliges Zeug und so.»

«Und, darfst du das nicht sehen?», fragte sie spöttisch.

Ich schüttelte den Kopf, bezahlte meine Karte und wurde nervös. Vielleicht war es besser, erst im Dunkeln in den Film zu schleichen, damit Kai und Felix uns nicht sahen?

«Los, lass uns warten, bis der Film angefangen hat», schlug ich vor.

«Oder, noch besser: Wir warten, bis er vorbei ist, das erhöht die Spannung.»

Ach, war das alles kompliziert!

«Na gut, dann gehen wir halt jetzt schon rein.» Hoffentlich entdeckten die beiden mich nicht.

Wir betraten den Saal und suchten uns einen Platz.

«Ich brauche ein Platz mit Armlehne», erklärte Sarah. Gut, das war ganz in meinem Sinne. Auf so einen Verliebtenplatz ohne Armlehne hätte ich mich sowieso nie gesetzt. Langsam entspannte ich mich.

Wir unterhielten uns noch über alle möglichen Spionage- und Actionfilme. Sarah hatte mindestens genauso viel Ahnung wie ich. Nicht schlecht für ein Mädchen.

Dann fing der Film endlich an. Wir rutschten in unsere Sitze und konzentrierten uns auf die Leinwand.

Nach zehn Minuten kamen zwei mir bekannte Gestalten ins Kino. Mist. Kai und Felix. Sie setzten sich genau zwei Reihen vor uns.

Na toll. Nun war es nur eine Frage der Zeit, bis sie mich entdecken würden. Ich musste hier raus, bevor der Film zu Ende war. Am besten sofort.

Ich rutschte in meinem Sitz so weit nach unten, wie es ging.

«Alles in Ordnung mit dir?», fragte Sarah.

«Runter, schnell, geh in Deckung!», flüsterte ich ihr panisch zu.

«Hör mal, das ist nur ein Film. Uns kann nichts passieren.»

«Nein, wir müssen hier raus.»

Sie sah mich völlig entgeistert an. «Bist du verrückt? Ich will doch wissen, was passiert.»

«Was Fürchterliches, wenn wir nicht gleich verschwinden.»

«Bist du bei der Mafia, oder was? Hör auf mit dem Blödsinn, ich will wissen, wie der Film weitergeht.»

«Der Gute gewinnt. Und jetzt komm! Bitte!»

Ich zog sie am Hosenbein, und sie tauchte ebenfalls nach unten und kroch mir kopfschüttelnd hinterher.

Wir schlängelten uns zwischen Cola-Flaschen, Menschenbeinen und Handtaschen hindurch.

«Ich hoffe, du hast eine gute Erklärung für diesen Auftritt hier», fauchte sie mir zu.

Das hoffte ich auch!

«Du schuldest mir einen Film», schimpfte Sarah, als wir draußen im Vorraum waren und uns die Staubflusen und Popcornkrümel von den Hosen fegten.

«Tut mir Leid», sagte ich zerknirscht und fischte noch einen Eisstiel von ihrem Ärmel.

Sie sah mich an und schüttelte den Kopf. «Also weißt du, du bist total merkwürdig.»

«Normalerweise nicht. Aber heute ist irgendwie kein Kinotag für mich.»

«Sondern?»

«Lass uns irgendetwas anderes machen. Was immer du jetzt vorschlägst, ich bin dabei. Ganz bestimmt.»

«Du tust, was ich sage? Ohne zu murren?»

«Klar.»

«Gut, komm mit.»

13. Kapitel, in dem Sanny allerlei Überraschungen erlebt

Nach der Probe lief ich kreuz und quer durch die Turnhalle, um Liz zu finden. Wo war sie nur?!

Ich stellte mich angesäuert an den Ausgang. Von Liz keine Spur.

«Ganz in der Nähe ist eine Eisdiele. Wollen wir ein Eis essen gehen?» Nick stand plötzlich neben mir.

«Tut mir Leid, geht nicht, ich bin mit einer Freundin hier.»

«Oh!» Nick schaute sich suchend um.

Gut, ich stand allein da, es klang nicht sehr überzeugend. War mir aber auch egal.

Da sah ich endlich Liz. Sie lief neben dem Jungen her, mit dem sie sich anfangs unterhalten hatte.

«Da ist sie ja», sagte ich erleichtert zu Nick. «Also tschüs!»

Liz sah mich und kam mir entgegen. «Sanny, du glaubst nicht, was passiert ist! Ich hab dir doch von dem Jungen erzählt, den ich so süß finde und der mich schon zweimal angelächelt hat!»

Ich machte ein verständnisloses Gesicht, und Liz führte weiter aus: «Im Kino, letzte Woche, und dann als ich mit meiner Mutter einkaufen war! Doch, Sanny, ich hab dir von ihm erzählt! Das ist er! Er macht die Beleuchtung hier! Und er hat mich sofort angesprochen! Ist das nicht toll!»

«Ich versteh nicht ganz ...»

«Oh mein Gott, das ist so aufregend! Er ist sooo süß und wahnsinnig nett!» Liz quietschte vor Begeisterung. «Er heißt David, und ich glaube, ich bin in ihn verliebt!»

«Na toll, dann hat sich die Aktion ja für dich gelohnt», murmelte ich.

Liz schaute mich vorwurfsvoll an.

«Ich freu mich für dich», sagte ich schnell.

Liz drückte mich. «Danke.»

Ich seufzte. Das war mal wieder typisch.

Liz fliegen wundervolle romantische Situationen einfach so zu. Bei mir schleichen sich immer Komplikationen ein.

Dann stand dieser David neben uns. «Hey, hast du noch Lust, ein Eis essen zu gehen oder eine Cola trinken?», fragte er Liz.

Liz strahlte. «Klar.» Dann fiel ihr Blick auf mich. «Tut mir Leid, geht nicht. Ich bin mit meiner Freundin hier.»

«Vielleicht willst du ja mit uns kommen», wandte sich David an mich.

«Äh, ich weiß nicht, ich ... ich warte noch auf jemand.»

«Auf wen denn?», fragte David.

Ich wurde rot, als ich sagte: «Auf Theo.»

David schaute sich um und rief quer durch den Saal: «Hey, Theo, komm doch mal.»

Theo kam auf uns zu.

«Hey, was hältst du davon, ein Eis essen zu gehen?», fragte David.

Theo zögerte, David klopfte ihm auf die Schulter: «Na komm schon, Theo.»

«Okay.»

Theo wandte sich an mich. «Kommst du auch mit?»

Ich schaute Theo verblüfft an, was war denn das für eine Frage?

«Na klar!»

Liz strahlte mich an und machte unauffällig ein Daumen-hoch-Zeichen.

Im Eiscafé vertieften Liz und David sich in ein Gespräch. Theo beschäftigte sich intensiv mit seinem Eis und erkundigte sich nebenher nach Karl. Das Hundethema langweilte mich. Vielleicht sollte ich Theo fragen, ob er mit mir ins Kino gehen wollte. Noch schöner wäre es natürlich, wenn Theo mich fragen würde.

«Möchtest du vielleicht morgen mit mir ins Kino gehen?», fragte David.

«Oh ja!», rief ich.

David guckte erschrocken: «Ich hatte eigentlich Liz gefragt.»

«Ja, ich weiß», nickte ich und schaute Theo an. «Das ist doch eine gute Idee.»

Theo nickte. «Die beiden werden bestimmt eine Menge Spaß im Kino haben.»

«Nein, ich meine, wir beide könnten auch ins Kino gehen!»

David wandte sich wieder an Liz. «Also, was ist, hast du Zeit?»

«Klar!», rief Liz.

Ich schaute Theo fragend an. «Und, was ist mit dir?»

Theo schüttelte den Kopf. «Nein.»

Nein? Er wollte *nicht* mit mir ins Kino?

«Wieso denn nicht?»

«Ich hab schon was vor.»

Ich schluckte.

«Ich bin doch schon verabredet. Zum Hundeausführen.»

Ich riss entsetzt die Augen auf. «Mit wem?»

«Na, mit dir!»

«Oh», hauchte ich erleichtert.

«Also natürlich nur, wenn du willst?»

Ich nickte. «Müssen wir die Hunde mitnehmen?»

Theo lachte. «Wenn man Hunde ausführen will, hilft es, wenn man die Hunde dabeihat.»

«Hm.»

«Wieso fragst du? Unser Spaziergang war doch ganz lustig. Hat's dir keinen Spaß gemacht?»

«Oh doch, und wie!»

«Oder magst du keine Hunde?»

«Ich liebe Hunde!»

Theo schaute mich an. «Gibt es irgendein anderes Problem?»

Ich schaute Theo an und beugte mich näher zu ihm. Nun beugte sich Theo seinerseits näher zu mir. Er schaute mich interessiert an. Und dann beugten sich auch Liz und David interessiert vor und schauten mich an.

Ich seufzte und lehnte mich wieder zurück.

Theo lächelte: «Dann hol ich dich morgen wieder ab. Okay?»

«Okay.»

Zwar hätte ein Kinobesuch meine Chance auf einen Kuss bestimmt erhöht, aber auf der anderen Seite waren wir beim Spazierengehen allein, und das war auch nicht unwichtig, um geküsst zu werden.

Zufrieden löffelte ich mein Bananeneis.

Nachdem David unbedingt Liz nach Hause begleiten wollte, schlug Liz schnell vor, dass Theo mich heimbringen könnte. Ich lächelte sie dankbar an.

Eine Zeit lang liefen Theo und ich schweigend nebeneinanderher, dann sagte Theo plötzlich zu mir: «Also weißt du, das ist wirklich ein ganz merkwürdiges Gefühl, hier so neben dir zu laufen.»

Oh mein Gott! Jetzt kam die Liebeserklärung und der Kuss. Ich krallte meine Fingernägel in meine Handballen und versuchte, langsam und ruhig zu atmen. Jetzt durfte ich nichts Peinliches sagen, mich nicht dämlich benehmen. Ich musste ganz ich selbst sein. Nee, lieber nicht. Ich musste romantisch sein. Romantisch wirken. Unwiderstehlich wirken. Und auf keinen Fall etwas sagen. Jetzt mussten Blicke Bände sprechen. Oder so. Ich schaute Theo an. «Ja?», hauchte ich.

Theo nickte heftig. «Allerdings. So ganz ohne Hunde.»

«Wie bitte?!»

«Fehlt er dir denn nicht? Mir schon, weil ich eigentlich nie ohne Hund spazieren gehe. Ich weiß gar nicht, was ich mit meiner linken Hand machen soll. Da halte ich ja eigentlich immer die Leine.»

«Wenn du nicht weißt, was du mit deiner Hand machen sollst, kannst du ja meine Hand halten.»

Theo lachte. «Ja, genau, aber dann musst du vor mir herlaufen, an Bäumen schnüffeln und immer kräftig ziehen.»

Toll. Und was sollte das jetzt heißen? Ich schaute Theo von der Seite an, er lachte immer noch.

Ich nickte säuerlich: «Genau daran habe ich gedacht.» Das war ja gründlich schief gelaufen. Trotzdem. Einen Versuch würde ich noch wagen.

«Magst du heute eine Cola?»

«Okay», meinte er.

Diesmal würde ich schnurstracks mit Theo in mein Zimmer gehen, damit wir keinem Mitglied meiner Familie über den Weg liefen.

Als wir mein Zimmer betraten, dachte ich zuerst, ich hätte mich in der Tür vertan. Das war nicht mein Zimmer. Es sah aus wie die Quarantänestation einer Spezialklinik. Alles, aber auch alles war mit durchsichtiger Plastikfolie abgedeckt. Ich schaute Theo erschrocken an. Der schaute sehr erstaunt.

«Interessanter Einrichtungsstil. Hast du das selbst entworfen?»

«Ich hab das noch nie in meinem Leben gesehen!», rief ich erschüttert und tat, was jeder in einer solchen Situation tun würde: Ich rief laut nach meinem Vater.

Keine Sekunde später stand er in der Tür, mit jeder Menge Plastikplanen unter dem Arm. Er lachte mich an: «Na, überrascht?»

«Überrascht?! Was soll das?!»

Er sah Theo und hielt ihm gut gelaunt die Hand hin. «Hey, da ist ja wieder der Freund meiner Tochter, wie schön!» Dann hielt er inne, beugte sich zu mir und fragte leise: «Er ist doch dein Freund, oder nicht? Ich meine, ich will nicht wieder ins Fettnäpfchen treten wie beim letzten Mal.» Er wandte sich an Theo: «Da hab ich nämlich ...»

«Paaaps! Es ist gut. Das ist Theo, wir spielen zusammen Theater und so», sagte ich ganz schnell.

«Und so ...», wiederholte mein Vater dämlicherweise.

«Was ist hier los?», verlangte ich zu wissen und deutete mit ausholender Geste auf das Chaos um mich herum.

«Schau mal aus deinem Fenster!»

Das tat ich. Normalerweise, wenn ich direkt nach unten aus meinem Fenster schaute, konnte ich das Gras in unserem Garten sehen. Jetzt sah ich auf dem Boden nur Beton. Kein schöner Anblick.

«Ich versteh das nicht: Die Aussicht ist schlechter geworden, und zusätzlich hast du auch noch mein Zimmer mit Plastik verunstaltet?»

Mein Vater schaute mich erstaunt an: «Du bekommst doch eine Tür zur Dachterrasse.»

«Wir haben keine Dachterrasse!»

«Ja, jetzt noch nicht, aber bald. Das Dach vom Anbau wird eine Dachterrasse für euch.»

«Ach?»

«Wir machen aus deinem Fenster eine Tür, und du kannst auf dem Dach herumspazieren.»

«Und warum ist mein Zimmer in Frischhaltefolie verpackt?»

Theo schaltete sich ein. «Das gibt ziemlich viel Dreck und Staub, wenn so ein Durchbruch gemacht wird.»

«Der Junge hat Ahnung», nickte mein Vater anerkennend. Er legte Theo den Arm um die Schulter und meinte: «Also, wenn du einen Moment Zeit hast, zeig ich dir mal meine Baupläne.»

«Theo hat keine Zeit», rief ich verzweifelt. Er sollte mir jetzt eine Liebeserklärung machen und mich küssen und keine Baupläne anschauen.

«Was habt ihr denn vor?», erkundigte sich mein Vater auch noch.

«Cola trinken!», fauchte ich ihn an.

Mein Vater schaute sich in meinem Zimmer um. «Aber nicht hier, das ist doch nicht gemütlich. Geht runter in die Küche.»

Ganz toll! Die Familienküche, der ideale Platz, um zum ersten Mal geküsst zu werden.

In der Küche saß der kleine Konny und spielte mit Gummibärchen. Er saß auf dem Boden und hatte die Bären irgendwie mit Garn umwickelt und sie der Reihe nach aufgestellt.

«Was tust du da?»

«Das sind meine Gefangenen!»

«Kannst du nicht woanders spielen?»

«Wo denn? Ins Wohnzimmer darf ich nicht, und Papi verpackt gerade mein Zimmer.»

«Dann geh in mein Zimmer, da ist er schon fertig.»

«Kann ich mir was ausborgen von dir?»

«Was denn?»

«Weiß nicht, ich muss erst mal gucken, was du hast. Am besten einen Schatz.»

«Also, wenn du einen Schatz bei mir findest, viel Spaß damit, aber jetzt geh.»

Ich sammelte Konnys Gefangene auf, die verzwirbelten Kerle waren leider extrem klebrig, und schob Konny zur Küchentür raus.

Eine Sekunde später stand er wieder in der Tür. Er zeigte mit dem Finger auf Theo. «Will der wieder Cola?»

«Nein. Ja. Geh jetzt!»

«Wir haben nämlich keine Cola.»

«Kornelius! Geh jetzt Schätze suchen.»

Ich seufzte.

Ich musste die Nerven behalten und eine romantische Situation kreieren. Aber wie?

Da polterten Kai und Felix in die Küche.

«Hi», grüßte Felix.

«Oh nein», grüßte ich zurück.

«Wir suchen Konny, ist er hier?», erkundigte sich Kai.

«Keine Ahnung.»

«Der ist oben in Sannys Zimmer», sagte Theo hilfsbereit.

«Nein, das ist der kleine Konny. Wo der große ist, weiß ich nicht, und es ist mir auch egal.»

«Ihr habt einen *großen* und einen *kleinen* Konny?», wunderte sich Theo.

«Ja, aber nur eine Sanny.» Für weitere Erklärungen war ich zu erschöpft.

«Wir waren eigentlich im Kino verabredet, aber er ist nicht aufgetaucht», erklärte Kai.

Felix riss Kai am Ärmel. «Ich weiß, wo er ist, los, komm mit.»

Und damit verschwanden die beiden wieder.

Ich ließ mich erschöpft auf einen Stuhl fallen.

Ich schaute Theo an. Er war wirklich tapfer. Er musste mich lieben, sonst wäre er doch schon schreiend weggelaufen.

«Du wolltest 'ne Cola, stimmt's?», erinnerte ich mich. «Ich denke, ihr habt keine?»

«Doch. Wir sagen das bloß immer zum kleinen Konny, weil der keine Cola trinken soll, der ist hibbelig genug.»

«Verstehe.»

Ich hatte gerade die Colaflasche in der Hand, da hörte ich, wie meine Mutter ins Haus kam.

Das war jetzt zu viel, heute würde hier nichts mehr passieren. «Theo, ich muss jetzt gehen», sagte ich erschöpft.

«Wohin?»

«Heim.»

«Du wohnst doch hier.»

«Dann musst du jetzt gehen. Es tut mir echt total Leid, sobald ich eine neue Familie gefunden habe, treffen wir uns wieder.»

Theo lachte, stand auf und sagte: «Also, dann bis morgen, ich hol dich zum Hundeausführen ab, okay?!»

«Nein», rief ich schnell. Ich konnte nicht noch ein Zusammentreffen mit Theo und meiner Familie riskieren.

«Nein? Jetzt, wo ich mich aufs Hundeausführen freue, lässt du mich im Stich? Das kannst du mir nicht antun», rief Theo gespielt dramatisch.

«Tu ich ja auch nicht. Aber wir treffen uns lieber im Park, in Ordnung?»

Theo zuckte die Schultern. «Klar, wenn dir das lieber ist.»

«Oh, ist es! Glaub mir! Park ist wesentlich besser. Es

ist ruhiger, grüner, ungefährlicher, Park ist wirklich der bessere Treffpunkt, es ist ...»

«Schon gut», unterbrach mich Theo leicht irritiert. «Ich komme in den Park, ist wirklich kein Problem.»

Ich atmete erleichtert aus. «Gut.»

Theo schüttelte lachend den Kopf. Dann ging er.

«Also dann», rief ich ihm hinterher, «bis morgen, im ...»

«Park!» Theo vollendete meinen Satz.

«Genau. Park.»

Puh, das wäre geregelt.

Ich rannte sofort in mein verpacktes Zimmer und wühlte nach meinen Orakelfischen.

Jetzt brauchte ich Pixi und Dixi. Dringender denn je! Denn da war die alles entscheidende Frage zu klären: Hatte meine Familie meine Chance auf einen Kuss von Theo ein für alle Mal zerstört? Ich hatte mich bereits durch etliche Lagen Plastik gearbeitet, griff nach dem Fischfutter und bekam den Schreck meines Lebens: Pixi und Dixi waren nicht mehr da! Mitsamt Aquarium. Wie sollte ich denn jetzt mein Leben meistern? Wer würde mir die unverzichtbaren Ratschläge geben? Ich war allein auf mich gestellt. Ausgerechnet jetzt! «Maaaaam!», brüllte ich so laut ich konnte.

Sie kam erschrocken in mein Zimmer gestürzt, gefolgt von meinem Vater. «Was ist denn passiert?»

«Meine Fische sind weg.»

Meine Mutter sah sich suchend um.

Mein Vater schaute mich verwirrt an: «Du hast deine Fische verschusselt?»

«Verschusselt? Ein Aquarium!?»

«Bist du sicher, dass du es zuletzt hier hattest?»

Meine Mutter sah meinen Vater spöttisch an. «Was soll denn diese Frage? Es steht immer hier!»

«Na, wenn die Gnädige alles besser weiß, wo sind dann die Fische?»

«Könnt ihr vielleicht mal für einen Moment aufhören, euch zu streiten? Ich hab ein Problem!», beschwerte ich mich.

Meine Eltern sahen sich gegenseitig vorwurfsvoll an.

«Weit können sie ja nicht sein», tröstete mich mein Vater. «Lass uns einfach mal schauen, vielleicht gibt es ja eine Spur.»

Meine Mutter nahm mich in den Arm. «Wir werden deine Fische schon wieder finden, mein Schatz.»

«Schatz» war das rettende Stichwort. Ich befreite mich aus ihrer Umarmung und lief zur Tür. «Danke für eure Hilfe.»

Ich sauste zum Zimmer meines schatzsuchenden Piraten-Bruders.

Hinter mir hörte ich meine Mutter noch sagen: «Fische verschusseln, klasse Idee. Fast so gut, wie aus unserer Wand einen Schweizer Käse zu machen ...»

«Ach, wer will denn die ganzen Türen?»

«Keine Ahnung. Ich will nur eine. Und zwar an der richtigen Stelle ...»

Ich stürmte das Zimmer meines Bruders, und tatsächlich saß er in seiner Piratenmontur unter einer Plastikplane vor meinem Aquarium.

«Hallo, Sanny!», rief er unbekümmert.

«Hey, da sind ja meine Fische!»

«Das sind Piratenfische!»

«Du hast meine Fische geklaut!»

«Nur ausgeborgt.»

«Beim Ausborgen sagt man demjenigen, von dem man sich was borgt, Bescheid.»

«Du warst nicht da!»

«Trotzdem. Ich will meine Fische zurückhaben!»

«Du leihst dir doch auch immer Puschel aus. Wenn ich deine Fische nicht ausleihen darf, dann kriegst du ihn eben auch nicht mehr.»

Murks. Karl war momentan lebensnotwendig für mich wie Pixi und Dixi. Verhandeln war angesagt.

«Wie lange willst du sie dir denn noch ausborgen?»

«Weiß noch nicht. Bis ich fertig mit Ausborgen bin.»

Das klang zwar logisch, aber ich konnte mit dieser Antwort trotzdem nicht viel anfangen.

«Vielleicht könnte ich mir meine Fische jetzt mal ausborgen? Und du kriegst sie dann wieder zum Ausborgen zurück und kannst sie behalten, bis du fertig bist?» Irgendwie konnte ich mir selbst kaum folgen.

Käpt'n Hook anscheinend schon. «Okay, aber wenn du sie dir jetzt ausborgst, musst du mir was anderes dafür borgen.»

Ich überlegte. «Borgst du mir mal Karl?»

«Wen?»

«Puschel!»

Konny nickte.

«Gut, dann borg ich dir jetzt Puschel, solange ich mir meine Fische ausborge, okay?» Ich war verwirrt. Der kleine Konny nicht.

«Okay», meinte er.

Ich war mir nicht sicher, wer jetzt das bessere Geschäft gemacht hatte, Piraten-Konny oder ich. Genau genommen war ich mir noch nicht mal sicher, ob das überhaupt ein Geschäft war.

Hoffentlich hatten Pixi und Dixi nicht zugehört, sonst wären sie womöglich so verwirrt, dass sie zu keiner gescheiten Voraussage mehr fähig waren.

Konny stand auf und gab mein Aquarium frei.

«Wie hast du das denn überhaupt tragen können?»

«Hab ich nicht.»

«Und wie ist es in dein Zimmer gekommen?»

«Einer der Handwerker hat's mir rübergetragen. Er ist mein Hilfspirat.»

«Konny, so was kannst du doch nicht machen!»

«Wieso denn nicht?! Das Aquarium ist doch viel zu schwer für mich!»

Mein Vater musste mein Aquarium zurück in mein Zimmer tragen.

Meine Mutter hatte begonnen, die Plastikplanen wieder von den Möbeln zu entfernen.

Mein Vater war nicht glücklich darüber: «Was machst du denn da?»

«Wie sollen die Kinder hier schlafen? Unter Plastikplanen? Das dauert noch ewig, bis deine Dachterrasse fertig ist. Ich will auf gar keinen Fall Türen in den Kinderzimmern, bevor nicht die Dachterrasse fertig und das Geländer angebracht ist!»

Mein Vater rieb sich das Kinn. «Da war ich wohl zu voreilig. Hm.»

Meine Mutter wurde friedlicher. Wahrscheinlich, weil mein Vater ansatzweise eine Fehlplanung zugab. «Kann ja mal passieren», meinte sie. «Merkwürdig eigentlich: Im Büro hattest du immer alles im Griff, aber hier bei uns zu Hause geht alles drunter und drüber.»

Mein Vater lächelte vorsichtig. «Ich weiß auch nicht, wie das kommt.»

Meine Mutter lächelte ebenfalls. «Aber ich: Diese Kinder bringen einen um das letzte bisschen Verstand. Selbst der beste Architekt kann hier nicht in Ruhe arbeiten.» Sie drückte ihm einen verrutschten Kuss auf die Wange und meinte: «Ich muss nochmal los, ich hab noch einen Termin auf einer Baustelle, wir können ja heute Abend beim Essen weiterreden.»

Essen! Ich hatte vergessen einzukaufen! Ludmilla hatte also doch Recht gehabt. Noch wäre Zeit zu gehen, aber jetzt war es wichtiger herauszufinden, ob mich jemand noch küssen wollte, nachdem er meine Familie kennen gelernt hatte.

14. Kapitel, in dem Konny zum Problemfall erklärt wird

«Das hatte echt überhaupt nichts mit dir zu tun. Ich schwör's», versuchte ich Sarah zu erklären, während ich einen der Tische vor dem Kiosk abwischte.

«Da klebt noch etwas Ketchup.» Sarah hatte sich gemütlich hingesetzt, aß ein Eis und gab mir Anweisungen, was zu tun sei.

«Hey, bin ich hier der Putzmann, oder was?!»

«Nein, aber du hattest mir versprochen zu tun, was ich sage.»

Stimmt. Ich versuchte mit aller Kraft das Ketchup vom Tisch ins Tuch zu befördern. «Ich wollte nur einfach die anderen Jungs nicht treffen.»

«Du wolltest deine Freunde nicht treffen? Und dafür muss ich mitten in einem spannenden Film auf dem Bauch aus einem Kinosaal robben? Ehrlich, Konny, das ist mehr als schräg.»

«Wir haben uns doch dieses Versprechen gegeben.»

«Welches Versprechen? Sich keine Action-Filme anzuschauen?»

Sarah war echt hartnäckig. Was sollte ich ihr jetzt sagen? Irgendwas erfinden? Oder die Wahrheit?

«Wir wollen uns nicht mehr mit Mädchen treffen», murmelte ich leise. Und ertränkte mein Wischtuch in einem Eimer Wasser.

«Was?»

«Wir wollen uns nicht mehr mit Mädchen treffen», brüllte ich ihr zu. «Und auch nicht verlieben oder küssen.»

Sie sah mich verblüfft an. Dann grinste sie. «Na, das ist doch der erste vernünftige Satz heute!»

Bitte?!

«Siehste, ich hab dir doch gesagt, dass wir Konny hier treffen», hörte ich die feixende Stimme von Felix hinter mir.

Ich wirbelte herum. Mist, war das Kino schon aus? Wo war die Zeit hin!

«Hey, Jungs, wie geht's?» Ich hob lässig die Hand. Leider die Hand mit dem roten Wischtuch. Als ich es bemerkte, versuchte ich es möglichst schnell und unauffällig in meine Hosentasche zu stecken. Dummerweise war das Tuch ordentlich nass, und es fühlte sich unangenehm feucht und kalt an.

«Wo seid ihr eigentlich gewesen?»

«Im Kino! Wo wir eine halbe Stunde auf dich gewartet haben!», beschwerte sich Felix.

«Zehn Minuten», korrigierte ich überflüssigerweise.

«Wo warst du denn?», erkundigte sich Kai.

«Wieso? Ich hab hier auf euch gewartet. Wir wollten doch angeln.»

«Ich glaube, der Einzige, der angeln wollte, warst du.

Aber keine Fische», meinte Felix anzüglich und schaute Sarah an.

Ich schubste ihn. «Hör mit dem Blödsinn auf, ja?»

«Aber wir wollen doch sowieso nie Fische angeln», warf Kai ein.

«Also, was ist, muss das jetzt ein großes Thema werden, oder was?! Es war eben ein Missverständnis, okay!» Ich wollte die peinliche Diskussion so schnell wie möglich beenden.

Aber Felix ließ nicht locker, er hatte diesen Killer-Instinkt und trat nach, auch wenn man schon am Boden lag. «Und wieso spielst du hier die Putzkolonne?»

Nicht mit mir, ich würde mir keine Blöße geben!

«Reine Tierliebe», grinste ich Felix kumpelhaft an, beugte mich zu ihm und flüsterte: «Die Maus hat mich gebeten, ihr behilflich zu sein, und hey – du kennst mich – ich bin ein hilfsbereiter Typ.» Ich machte eine Handbewegung zu Sarah, die mich erstaunt ansah.

Felix sah mich ebenso erstaunt an: «Sie hat dich hier Tische putzen lassen? Was ist mit dir los?!»

«Hey, jeder hat 'n Hobby, oder? Also! Ich schreib dir ja schließlich auch nicht vor, was du in deiner Freizeit machen sollst!»

«Du wischst lieber Tische ab, als dich mit uns im Kino zu treffen?!» Felix sah mich kopfschüttelnd an. «Hast du sie noch alle?»

«Das ist schon irgendwie ungewöhnlich», nickte Kai. Nicht einmal Kai konnte ich überzeugen. Dann riss er plötzlich die Augen auf und stöhnte: «Oh Gott, ich glaube, ich weiß, was los ist: Konny ist ...»

Ich schnappte Kai und nahm ihn in den Schwitzkasten, um ihn am Weiterreden zu hindern. Felix kam Kai zu Hilfe. Nur mit Mühe konnte er Kai befreien.

Ich hörte Sarah stöhnen: «Oh Mann, ich glaub's ja nicht!»

Ich traute mich nicht, Sarah anzugucken, aber ich hatte ihren Blick auf meinem Rücken gespürt. Ich glaube, dort hab ich jetzt einen blauen Fleck. Vorsichtig schielte ich zu ihr rüber, aber sie sah mich nur ungerührt an, stand auf und ging.

Kurz bevor sie am Kiosk war, kam sie nochmals zurück.

«Ich hätte gerne mein Tuch zurück», sagte sie und hielt ihre Hand auf.

Himmel! Sie sprach doch nicht etwa von dem nassen Putztuch, das ich mir panisch in die Hosentasche gestopft hatte, als die Jungs kamen.

«Ich habe keine Ahnung, wovon du redest!»

«Ich rede von dem nassen Putztuch, das du dir panisch in die Hosentasche gestopft hast, als deine Freunde kamen», sagte sie gnadenlos.

Ich reichte ihr das Tuch. Sie nahm es und ging.

Ich schaute Felix und Kai an und erklärte schwach lächelnd: «Das ist ein Zaubertrick: Wir lassen ein nasses Putztuch verschwinden.»

Felix guckte mitleidig.

Ich zuckte die Schultern: «Ich arbeite noch dran.»

Kai und Felix sahen sich an und nickten sich zu.

Ich setzte ein breites Grinsen auf. «Also, Jungs, das war ja jetzt echt irgendwie ein blödes Missverständnis.»

Felix und Kai schauten sich wieder an, Felix sagte leise: «Nicht hier.» Dann zerrten sie mich vom Kiosk weg.

Als wir in sicherer Entfernung waren, schauten die beiden mich mitleidig an.

«Dich hat's erwischt!», sagte Felix ganz trocken.

«Alle für einen, wir für Konny!», sagte Kai und legte mir tröstend seine Hand auf die Schulter. «Keine Angst, Kumpel, wir passen auf dich auf.»

«Was? Spinnt ihr jetzt völlig? Was soll das, mir geht es prima!»

«Wohl ein bisschen zu prima», meinte Felix. «Los, wir bringen dich erst mal nach Hause.»

«Hey, ich kann allein laufen, klar?» Verstohlen blickte ich über meine Schulter in Richtung Kiosk und Sarah.

«Sie ist nicht mehr da», informierte mich Kai, der meinem Blick gefolgt war.

«Wer?»

«Komm, Junge, gib es zu. Es ist passiert», meinte Felix.

«Seid ihr jetzt total bescheuert?»

«Das muss dir nicht peinlich sein», fing jetzt auch noch Kai an. «So was passiert.» Er sah auf meine Hose und das inzwischen nasse Hosenbein. «Das allerdings könnte dir peinlich sein. Hoffentlich gibt das keinen Fleck. Flecken kann Ludmilla nämlich gar nicht ausstehen.»

«He, Konny steckt in echten Schwierigkeiten, und du redest von Flecken?!»

«Du hast ja keine Ahnung, in was für Schwierigkeiten ihn die Flecken erst bringen können», gab Kai zurück.

«Wovon redet ihr eigentlich die ganze Zeit?», mischte ich mich wieder ein.

«Von Flecken!», verkündete Kai.

Felix sah ihn kopfschüttelnd an. «Davon, dass du dich verliebt hast!»

«Ich?! Mich?! Verliebt?!»

«Gibt's hier ein Echo?»

«So ein Blödsinn. Ich hab mich doch nicht verliebt. So was mache ich doch nicht mehr. Und in wen denn auch?» Ich lachte laut. «Mann, ihr habt vielleicht Ideen. Verliebt!» Ich schüttelte den Kopf.

Felix und Kai sahen sich sorgenvoll an.

«Es ist schlimmer als gedacht», sagte Felix.

Kai nickte. «Wir dürfen ihn nicht mehr aus den Augen lassen!»

Felix legte mir den Arm um die Schulter. «Ab heute wird immer einer von uns bei dir sein!»

«Ich muss aber um acht zu Hause sein», wandte Kai ein.

«Konny doch auch», gab Felix zurück.

«Ach so! Na dann.»

Ich schüttelte Felix' Arm ab. «Lasst mich bloß in Ruhe, ihr seid ja wohl völlig durchgeknallt!» Ich drehte mich um und ging.

«Wo willst du hin?», rief Kai und war sofort neben mir.

«Nach Hause», schnauzte ich ihn an und lief schneller.

«Dann läufst du aber in die falsche Richtung. Hier geht es zurück zum Weiher.»

Ach wirklich? Wie leicht man doch die Orientierung verlieren kann.

Ich drehte mich um und ging in die andere Richtung. «Das weiß ich auch», knurrte ich.

Und eskortiert von den beiden, machte ich mich auf den Heimweg.

Verliebt?! Ich? Pah!

An der Haustür erwartete mich Ludmilla. Sie lächelte grimmig: «Du auch vergessen? Da?»

«Was?»

«Essen? Nix einkaufen? Da?»

Ich nickte eingeschüchtert.

«Ha», rief sie triumphierend aus. «Ich wissen vorher schon! Vater vergessen, Sanny vergessen, Konny vergessen! Heute nix Abendessen. Große Ärger mit Frau kriegen. Ich gehen!»

Mein Vater und ich standen etwas betröppelt da und schauten Ludmilla hinterher.

Dass sie um diese Uhrzeit ging, war normal. Sie kam immer mittags, kochte für uns, weil meine Mutter berechtigte Angst hatte, dass mein Vater uns verhungern ließ oder Kochexperimente an uns ausprobierte, räumte auf, putzte, kümmerte sich um die Wäsche, bereitete das Abendessen vor und ging wieder.

Nun lag es also an meinem Vater, seiner Frau zu erklären, dass er vergessen hatte, fürs Abendessen einzukaufen. Sein Problem.

«Wieso hast du vergessen einzukaufen, Konny?», meckerte er mich an.

Oh, er würde es also zu meinem Problem machen. Na toll.

«Und du warst im Baumarkt statt im Supermarkt», versuchte ich zu kontern.

Mein Vater schaute böse.

«Können wir es nicht auf Sanny schieben?», schlug ich freundlich vor.

Mein Vater dachte für eine Zehntelsekunde ernsthaft darüber nach, dann schüttelte er den Kopf.

«Was sagst du denn jetzt zu Mam, wenn sie heimkommt?»

Mein Vater überlegte, dann lächelte er plötzlich: «Ich lade euch alle zum Essen ein heute Abend!»

«Keine Lust», brummte ich.

Mein Vater sah mich scharf an: «Oh doch, mein Junge, du hast Lust! Sonst sag ich, dass du vergessen hast einzukaufen!»

Na, wenn das so war. «Hey, Paps, wollen wir heute Abend nicht mal zur Abwechslung nett essen gehen?»

Er nickte: «Braver Junge!»

15. Kapitel, in dem Sanny einen Hundekuchen für Theo backt

Ich stand in meinem Zimmer und starrte auf mein Aquarium. Was sollte denn das jetzt? Ich hatte eine ganz einfache Frage gestellt: Wird Theo mich je küssen? Und dann die Futtermethode angewandt.

Pixi schwamm oben und futterte eifrig, aber Dixi lungerte unten am Boden herum und zählte wohl Sandkörner. Was wollten sie mir damit sagen? Sie waren doch sonst immer einer Meinung!

Liz hatte mir heute Morgen in der Schule vorgeschwärmt, wie toll es mit David gestern im Kino gewesen war, sie hatten sich sogar geküsst! Ich konnte nicht mithalten, weil bei mir und Theo während unserer Hundeausführerei nichts, aber auch gar nichts passiert war. Zumindest nichts annähernd Kussmäßiges.

Dabei hatte ich mir so viel Mühe gegeben. Mit Ludmillas Hilfe hatte ich einen Kuchen für Theo gebacken. In Hundeform. War gar nicht so einfach. Sah aber echt gut aus.

Während unseres Spaziergangs hielt ich Ausschau nach einer romantischen Bank, wir setzten uns, ich schaute Theo in die Augen und überreichte ihm mein Geschenk.

In meinem romantischsten Tonfall sagte ich zu ihm: «Ich hab dir einen Hundekuchen mitgebracht.»

Theo wickelte den Kuchen aus. «Wow, klasse.»

Er brach ein Stück ab und warf es Romeo zu. Bevor ich einschreiten konnte, hatte er ein weiteres Stück abgebrochen und Karl damit gefüttert.

Ich schluckte. Mühsam brachte ich hervor: «Der war für dich!»

«Hundekuchen?»

«Es war kein Hundekuchen! Es war ein Marmorkuchen in Hundeform!»

Theo lachte. «Tut mir echt Leid, Sanny.»

So viel zu romantischen Geschenken. Und wieder kein Kuss!

Ich war gerade dabei, Pixi und Dixi zu beschimpfen, weil sie sich nicht einigen konnten, da flog die Tür auf, Konny kam rein und warf sich wie üblich auf mein Bett. Der große Konny, der Idiotenbruder.

«Ich muss mit dir reden», verkündete er.

«Ach, und wer zwingt dich? Sag mir den Namen, und ich regle das für dich. Dann haben wir beide Ruhe.»

«Da ist dieses Mädchen», fing Konny an. Eine von Konnys herausragenden Eigenschaften ist, nie zuzuhören und nicht die Bohne darauf einzugehen, was der andere sagt.

«Ach nee», spottete ich. «Und hier ist auch ein Mädchen, und zwar ein Mädchen, das seine Ruhe haben will.»

«Das will das andere Mädchen, glaube ich, auch», seufzte Konny.

«Und schon ist sie mir sympathisch!»

«Sei doch mal ernst.»

«Ich bin ernst. Ich will meine Ruhe. Ich hab auch Probleme.»

«Echt? Was nicht okay mit deinem Hundeausführer?»

Vor lauter Verblüffung, dass Konny nicht nur zugehört, sondern sogar nachgefragt hatte, vergaß ich sogar, höhnisch zu sein. «Na ja, ich frage mich, wann Theo mich endlich küsst.»

«Schlaue Idee, *dich* das zu fragen», spottete Konny. «Frag ihn!»

«Hey, Mister Superhirn ist wieder unterwegs», fauchte ich.

«Sollte ich was dazu sagen oder nicht?»

«Du solltest einfach wieder rausgehen!»

«Typisch Mädchen, wenn es ernst wird, haut ihr ab!»

«Hast du eine Vollmacke?!»

«Das ist ein Piratenüberfall, gebt mir all eure Schätze!» Der kleine Konny stand gemeinsam mit Karl im Piraten-Outfit vor uns und bedrohte uns mit Kochlöffeln.

«Sonst was? Sonst müssen wir kochen?», fragte der große Konny und deutete auf die Kochlöffel.

«Das sind Piratensäbel», klärte ihn der kleine Konny auf.

«Du kannst uns nicht überfallen», schaltete ich mich ein.

«Warum nicht?» Der kleine Konny sah mich an. «Das ist ein Schiff und ich bin Pirat, also kann ich euch überfallen.»

«Aber das hier ist kein Handelsschiff, sondern eine Kriegsflotte, und wir sind die Admirale und überlegen gerade, wie wir euch Piraten das Handwerk legen können», kam mir der große Konny zu Hilfe.

Piraten-Konny überlegte. «Dann sollte ich heimlich hier bleiben und euch belauschen», schlug er vor.

Ich schüttelte den Kopf. «Keine gute Idee.»

«Genau», stimmte mir Problem-Konny zu. «An deiner Stelle würde ich lieber deine Schätze in Sicherheit bringen. Sie irgendwo vergraben und so.»

Konny, der Pirat, sah Konny, den Problembeladenen, erstaunt an. «*Vergraben* Piraten denn auch Schätze?»

«Na, aber was denkst du denn?! Wie sollen sie sonst überhaupt welche finden können?»

Piraten-Konny überlegte, dann strahlte er. «Das ist ja toll!»

«Wuff», machte Karl, und sein Säbel-Kochlöffel fiel aus dem Maul. Der kleine Konny hob ihn wieder auf, und die beiden gingen.

An der Tür drehte Piraten-Konny sich nochmal kurz um. «Aber danach raub ich euch aus!»

Konstantin stand auf und machte die Tür hinter den beiden zu. «Die Jungs und ich haben doch diesen blöden Nicht-küssen-Schwur getan.»

«Einen was?»

«Na, wir wollen keine Mädchen küssen.»

«Was küsst ihr denn dann? Gänseblümchen? Gummibärchen?»

«Blödsinn. Wir wollen gar nicht küssen. Männer küssen nicht!»

«*Das* ist Blödsinn», warf ich ein. «David war mit Liz gestern im Kino und hat sie geküsst!»

«Im Ernst?», fragte Konny erstaunt.

«Ja! Liz hat's gut. David ist schon ihr zweiter Freund! Und beide Male ist sie geküsst worden! Und Theo macht nicht die geringsten Anstalten, mich zu küssen.» Ich sah Konny misstrauisch an. «Theo ist nicht zufällig in eurem komischen Club?»

Konny schüttelte den Kopf. «Nein, nur Kai und Felix. Jetzt mal im Ernst, Sanny: Frag doch den Hundefreund, wieso er dich nicht küsst.»

«Spinnst du? Nie im Leben! So funktioniert das nicht. Man fragt nicht direkt. Man analysiert erst mal die Situation. Danach bringt man vorsichtig die Rede auf das Thema und versucht herauszuhören, woran man ist.»

«Das ist wieder typisch Sanny! Du weißt hoffentlich, dass das nicht normal ist. Kein Mensch macht sich solche Gedanken!»

«Jungs vielleicht nicht, Mädchen schon! Mädchen

denken nach, besprechen Dinge, analysieren Handlungen und Worte. Sie versuchen Situationen zu schaffen, in denen bestimmte Dinge passieren können. Und sie wollen bestimmte Dinge gesagt bekommen!»

«Wieso redest du derart nebulös? Sind wir beim Geheimdienst? Muss ich jetzt irgendeinen Code knacken, um zu kapieren, was du meinst?»

«Oh, ich kann es dir mit einem Satz sagen: Mädchen sind schlauer als Jungs.»

«Da kann ich dir mit einem Wort antworten: Hä?»

«Bitte – ich sag's doch!»

«Sanny, was ihr für schlau haltet, sind in Wirklichkeit unnötig eingebaute Komplikationen! Dauernd deutet ihr irgendwas als Zeichen und interpretiert Sachen in ganz banales Zeug rein. Wenn ein Junge sagt: ‹Ich habe heute keine Zeit›, dann heißt das einfach nur: Er hat heute keine Zeit! Und sonst nix. Aber ihr lest darin natürlich so geheime Botschaften wie: Der Typ hat sich gestern in ein anderes Mädchen verliebt, und mit der will er heute Nachmittag durchbrennen, und er will sie unter Garantie heiraten. So ein Schuft! Nie wieder werde ich ein Wort mit ihm reden!»

Ich schaute Konny regungslos an.

«Dabei hat der arme Kerl nur einen Zahnarzttermin und deshalb keine Zeit!»

«Dann hätte er das ja gefälligst sagen können! Aber wenn er es unnötig verkompliziert, dann ist es ja kein Wunder, wenn ...»

«Verkompliziert?!», unterbrach mich Konny. «Hörst du mir denn gar nicht zu?!»

Ich hatte keine Lust, mit ihm zu streiten. «Also, was ist mit dem Mädchen, das du so toll findest?»

«Hab ich gesagt, dass ich sie toll finde?»

«Also, was ist das Problem?»

«Nein danke, nachdem ich dir zugehört habe, will ich wirklich keinen Ratschlag von dir, und genau genommen hab ich plötzlich auch kein Problem mehr.» Er stand auf.

«Unter Garantie hast du dich völlig bescheuert benommen! Wahrscheinlich typisch wie ein Junge!»

«Was willst du denn? Ich bin ein Junge!», blökte Konny.

«Und jetzt ist sie sauer auf dich?», fragte ich ungerührt weiter.

«Scheint so.»

«Warum sagst du es ihr dann nicht einfach?», schlug ich vor.

«Was soll ich ihr sagen?»

«Na, dass du ein Idiot bist ...»

Konny sah mich genervt an.

«Ich meine, dass du dich wie ein Idiot verhalten hast und es dir Leid tut», schwächte ich ab.

«Hm.»

«Es tut dir doch Leid, oder?», fragte ich sicherheitshalber nach. Bei Konny konnte man da nie so sicher sein.

«Vielleicht.»

«Du solltest dich bei dem Mädchen – wie heißt sie eigentlich?»

«Sarah!»

«Okay, du solltest dich bei Sarah entschuldigen. Und ihr sagen, dass du sie magst.»

«Wozu soll das denn gut sein?»

Hatte er denn nicht aufgepasst?! «Damit sie weiß, dass du in sie verliebt bist! Für Mädchen ist das wichtig. Wir wollen so was hören. Du solltest ehrlich sein.»

«Ach, wie originell. Ehrlich sein! Ist das der neuste Geheimtipp?»

Salbungsvoll sagte ich: «Man kommt nur mit Ehrlichkeit weiter.»

An die Tür gelehnt, grinste Konny mich an und sagte: «Dein T-Shirt sieht übrigens völlig bescheuert aus.»

Empört sprang ich auf.

Er zuckte die Schultern und sagte: «Ich übe nur schon mal, ehrlich zu sein.»

Ich warf ihm den Theaterführer an den Kopf. «Verschwinde. Und wenn du das nächste Mal ein Problem hast, wende dich gefälligst an die Heilsarmee oder ans Tierasyl!»

Konny lachte und flüchtete aus meinem Zimmer.

Ich ging wieder zum Aquarium. Keine Veränderung: Pixi fraß, Dixi verkroch sich im Sand. Okay, jetzt war eine Interpretation angesagt.

Wird Theo mich küssen oder nicht?

Ich beobachtete die beiden Fische, überlegte haarscharf und wusste plötzlich, was es zu bedeuten hatte: Pixi teilte mir mit, dass Theo mich küssen möchte, und Dixi gab mir damit, dass sie sich so am Boden herumdrückte, zu verstehen, dass Theo zu schüchtern ist, es zu tun.

Ich musste es Theo leicht machen und ihn fragen, ob er mich küssen wollte. Dann musste er nur noch ja sagen, mich küssen, und ich würde für immer im siebten Himmel schweben.

Ahh, ich fühlte mich so viel besser.

Gut genug sogar, um Liz anzurufen und mich nach ihr und David zu erkundigen. Zwar freute ich mich für Liz, dass mit ihr und David alles so gut lief, aber deshalb wollte ich noch lange keine ausführlichen Details hören. Das führte mir nämlich schmerzlich vor Augen, wie holprig es bei mir und Theo lief.

16. Kapitel, in dem Konny
versucht ehrlich
zu sein

Ehrlichsein. Hm, so richtig überzeugt war ich zwar nicht, aber ich wollte es ausprobieren.

Allerdings musste ich erst mal unbemerkt das Haus verlassen. In unserem Vorgarten stand nämlich Kai Wache. Die Jungs hatten sich wirklich einen Einsatzplan überlegt, um mich vor einer Katastrophe zu retten. Eigentlich nett, aber fürchterlich nervig und komplett unnötig. Denn ich musste jetzt dringend mit Sarah reden. Ganz ehrlich und so.

Ich schaute aus dem Fenster. Kai saß neben dem Gartentor und las. Er hatte sich allen Ernstes ein Buch mitgebracht. Sah also nicht so aus, als würde er demnächst wieder verschwinden. Aber Kai auszutricksen durfte eigentlich nicht so schwierig sein.

Ich brauchte nur ... einen Piratenbruder!

Ich machte mich auf die Suche nach Konny; zuerst im Wohnzimmer zwischen Betonmischern und Stapeln von Türrahmen. Ob meine Mutter das wusste?

«Was wird das denn hier?», erkundigte ich mich bei den Handwerkern.

«Deine Mutter hat gesagt, es gibt hier keine Tür in der

Wand», meinte einer und klopfte auf die Mischmaschine, «also, machen wir das letzte Loch auch wieder zu.»

«Und die Türen?»

«Die sind für oben, für eure Zimmer.»

In dem Moment kam der kleine Konny mit seinem Piratenhund und jagte einen Handwerker vor sich her. «Ergib dich und gib mir all dein Gold», rief Konny.

Der Handwerker, der mit mir gesprochen hatte, seufzte und wandte sich an Konny. «He, Piratenkapitän, ich kauf dir den Mann ab. Wie viel ist es diesmal?»

Konny stoppte und überlegte. «Zwei!», sagte er.

Der Handwerker seufzte noch einmal und zog zwei Tafeln Schokolade aus der Hemdtasche. Das schien wohl schon so etwas wie ein Ritual zu sein.

Konny war zufrieden, nahm die Schokolade und erklärte den anderen Handwerker zu einem freien Mann.

«He, Käpt'n», rief ich Konny zu. «Ich hätte da fette Beute für dich!»

Konny kam interessiert näher.

«Draußen im Vorgarten liegt eine schwer beladene Fregatte vor Anker. So was lässt sich kein Pirat, der etwas auf sich hält, entgehen. Dürfte ein leichtes Spiel werden, sie zu entern.»

«Was krieg ich dafür?»

«Alles Gold, das er besitzt», sagte ich.

Konny strahlte und sah nach draußen. «Die Frikadelle ist schon so gut wie geerntet!»

«Fregatte, Konny. Fregatte! Und es heißt entern!»

Der kleine Konny schaute mich tadelnd an. «Du weißt doch gar nicht, was ich vorhabe!»

«Stimmt, aber jetzt gehst du raus zu Kai, okay?»

Kornelius zog sich sein Piratentuch tiefer ins Gesicht, steckte Karl einen Kochlöffel ins Maul und ging raus.

Währenddessen schlich ich mich durch unseren Garten, dann durch Flohmüllers Garten, und schon war mir die Flucht geglückt.

Ich war auf dem Weg zum Kiosk ganz schön aufgeregt. Das kommt bestimmt von diesem Ehrlichsein, überlegte ich mir. Genau, das war's.

Sarah war zum Glück allein. Aber ich hatte einen riesigen Kloß im Hals, als ich auf sie zuging.

«Hallo, Sarah», quietschte ich. Dieses Ehrlichsein war aber gar nicht gut für die Stimme.

«Hallo», sie sah mich an. «Deine Spielkameraden sind heute nicht da. Vielleicht versuchst du es mal auf dem Kinderspielplatz.»

Ich schluckte. «Hör mal, ich will ehrlich sein. Es tut mir Leid.»

Sarah sah mich erstaunt an. «Ach, und was tut dir Leid?»

«Na, das mit der Maus.»

«Welche Maus?» Sarah sah mich verwirrt an.

Hey, Moment mal, wenn sie das nicht gehört hatte, dann brauchte ich mich dafür ja auch nicht zu entschuldigen. Ich sollte ehrlich sein, aber nicht dumm!

«Äh, ich meine nicht Maus, sondern Haus», versuchte ich das Thema zu wechseln.

«Haus? Was für ein Haus?»

Ja, das war eine gute Frage. «Na, Lichtspielhaus und dieses Kioskhaus hier. Aber lass uns doch diese blöden Häuser mal vergessen.»

«Du hast damit angefangen.»

«Wie auch immer, ich wollte mich für mein Benehmen entschuldigen.»

«Okay, aber wieso hast du dich so blöd benommen?»

Also «blöd» war aber jetzt doch etwas übertrieben. Ich räusperte mich und begann: «Weißt du, das liegt daran, dass ich diese seltene Krankheit habe.»

Sarah zog die Augenbrauen hoch. «Ist das so?»

Ich nickte. «Ja, leider, ich rede nicht so gerne darüber. Aber ich finde, dir schulde ich die Wahrheit. Es ist eine ganz seltene Krankheit. Aber keine Angst, sie ist nicht ansteckend.»

«Das beruhigt mich. Und?»

«Und was?»

«Du wolltest mir was über deine Krankheit erzählen.»

Bitte, sie wollte es so. «Es ist eine Form von Zuckerüberempfindlichkeit in Verbindung mit zu viel frischer Luft. Das bewirkt bei mir gewisse Wahnvorstellungen.»

Sarah nickte. «Ja, so was habe ich schon mal gehört. Das ist ganz schön hart.»

Echt?! Wow, ich war ja gut.

«Allerdings. Man leidet echt Höllenqualen.»

«Ja, das kann ich mir vorstellen.»

«Und gestern habe ich vergessen, meine Tropfen zu nehmen. Deshalb ist das alles dann auch passiert.»

«Ach, es gibt inzwischen etwas dagegen?»

Äh, nicht? Hm, jetzt war ich etwas in der Bredouille. «Nun, es ist ein Testprogramm. Ich habe mich freiwillig gemeldet. Es ist noch in der Erprobung.»

Sarah nickte.

Hey, na bitte, wer sagt es denn! Das war doch sehr gut gelaufen! Ich war zufrieden.

«Gut, also um deine ganze Krankengeschichte nochmal kurz zusammenzufassen: Du wolltest vor deinen Freunden cool dastehen und hast dich deshalb so blöde benommen.»

Was?! Moment mal. Wer hatte denn so was erzählt? Sarah grinste.

Da grinste ich auch.

Und dann kam das mobile Eingreifkommando!

«Ich hab dir gesagt, er ist wieder hier. Er hätte dir nicht entwischen dürfen», schimpfte Felix und stürzte sich auf mich.

«He, Jungs, alles okay», wiegelte ich ab.

Ohne Chance. Kai schnappte meinen rechten Arm, Felix hatte schon meinen linken, und sie zerrten mich rückwärts weg.

Sarah lachte und winkte mir nach.

«Hey, wie wäre es morgen mit Kino? Ich schulde dir ja noch einen Film», rief ich ihr zu.

«Okay, hol mich ab!»

«Sie hat ja gesagt», freute ich mich und sah abwechselnd zu Kai und Felix. «Sie hat einfach ja gesagt.»

«Ist ja schon gut. Wir bringen dich hier weg. Bleib ganz ruhig», redete Felix auf mich ein.

Plötzlich stoppte Kai. «Moment, hab was vergessen. Ich bin gleich wieder da.»

Er ließ mich los und lief schnell nochmal zum Kiosk.

«Was ist denn jetzt noch los?»

«Ich brauch noch Brausefrösche. Damit musste ich mich doch bei Konnys Bruder loskaufen. Sonst hätte er mich auf eine Pirateninsel entführt.»

Felix verdrehte die Augen.

Der Kleine hatte ja ein gut gehendes Geschäft. Als Pirat würde er es noch weit bringen.

Kai kam zurück und schnappte sich wieder meinen Arm.

Als wir weit genug vom Kiosk entfernt waren, ließen mich die beiden los. Dummerweise, ohne mir vorher Bescheid zu sagen, und so landete ich erst mal auf dem Hosenboden. «Hey, was soll denn das jetzt?»

«Na, jetzt kannst du wieder allein gehen», schnaufte Felix.

«Hört mal, Jungs, lasst uns diesen blöden Schwur vergessen. Das war eine idiotische Idee von mir. Ich hab mich verliebt!»

17. Kapitel, in dem Sanny
die entscheidende Frage stellt

Ich hatte einen Plan. Einen neuen Plan. Das Hundekuchen-Fiasko hatte mich nicht entmutigt. Ohne Plan kam man im Leben nicht weit. Vor allem nicht in Liebesangelegenheiten.

In meiner Tasche hatte ich meine neue Romantik-Ausrüstung: eine Packung Salzstangen, eine rote Rose, die lang versprochene Flasche Cola mit zwei Strohhalmen, romantische Musik, eine Duftkerze und Pfefferminzbonbons.

Wir würden gleichzeitig mit den beiden Strohhalmen aus der Colaflasche trinken und uns so näher kommen. Dann würden wir eine Salzstange knabbern, jeder von einer Seite, und wenn wir in der Mitte angelangt wären, dann würden wir uns tief in die Augen schauen, und ein Kuss wäre dann keine Frage mehr, sondern eine logische Konsequenz. Die Rose war mehr so atmosphärisch gedacht, als Symbol der Liebe. Ich würde diese Rose betrachten, daran riechen und sie zärtlich ansehen, das müsste ziemlich romantisch wirken.

Auf dem Weg zum Park, wo ich mich wieder mit Theo verabredet hatte, ging mir die ganze Sache mit der Ehrlichkeit nochmal durch den Kopf.

Ehrlich sein! Vielleicht könnte ich das ja auch noch irgendwo einbauen. Was, wenn ich Theo ganz ehrlich fragen würde, ob er mich küssen wollte. Hm. Wie fragt man so was? Hey, Theo, möchtest du mich küssen?

«Hallo, Sanny!»

Ich schrak zusammen. War ich schon da? Anscheinend. «Oh, äh, hallo.»

Theo sah sich suchend um. «Wo ist Karl?»

Ich sah mich ebenfalls suchend um. «Karl?»

Theo hielt die Hand in Oberschenkelhöhe. «Etwa so hoch, Fell, bellt und hat eine Leine um den Hals.»

Der Hund! Ich hatte Karl zu Hause vergessen! So ein Murks.

«Er hatte keine Lust», erklärte ich Theo.

«Bitte!?» Theo lachte. «Was war los? Hat ihm das Fernsehprogramm so gut gefallen?»

«So ungefähr. Wir können doch auch einfach nur deinen Hund ausführen.»

Theo zuckte die Schultern. «Wenn du willst.»

Wir gingen los. Ich hatte mich gerade gegen die direkte Frage entschieden. Fragen ist doof.

Ich wollte lieber bei meinem ersten Plan bleiben. Ich brauchte nur noch eine passende Situation.

«Wollen wir uns nicht mal setzen?», fragte ich.

«Jetzt schon? Wir sind doch gerade erst losgelaufen.

Da kann ich deinen Hund verstehen, dass er keine Lust hatte mitzukommen.»

«Ich hab einen Stein im Schuh.» Ich setzte mich auf eine Bank, lehnte mich zurück und atmete tief ein.

«Meinst du, du kannst den Stein ausatmen?», fragte Theo. «Wäre mal was Neues.»

«Blödsinn!» Ich kramte in meiner Tasche rum und brachte die Cola zum Vorschein. «Möchtest du einen Schluck?»

«Hey, und ich dachte, das wird nie was mit der versprochenen Cola.» Theo schien sich zu freuen, nahm mir die Flasche aus der Hand und setzte sie an den Mund, während ich etwas ratlos die beiden Strohhalme in der Hand hielt. Er wischte sich über den Mund, rülpste und gab mir die Flasche zurück.

Na toll. Die Salzstangen brachte ich jetzt lieber nicht zum Einsatz, wer weiß, was er damit anstellen würde.

Da sich Theo immer noch nicht neben mich gesetzt hatte, sondern wartend vor der Bank stand, gab ich fürs Erste auf. Ich schüttelte einen imaginären Stein aus meinem Schuh und stand wieder auf.

Na gut, der erste Versuch war ein Schlag ins Wasser. Machte nix. Nur nicht entmutigen lassen.

Vielleicht brauchte man für einen Kuss ja eine romantischere Situation als einen Stein im Schuh.

Was war romantisch? Sonnenuntergänge!

«Meinst du, das wird heute ein schöner Sonnenuntergang?», fragte ich.

Theo sah nach oben, wo die Sonne unübersehbar am Himmel stand. «So in sechs bis sieben Stunden bestimmt.»

So lange würde ich nicht warten wollen. Außerdem müsste ich dann längst zu Hause sein.

Ich zog die Rose aus meiner Tasche und schaute sie verträumt an. Theos Blick fiel darauf. «Oh, du hast einen Verehrer?»

«Waas? Wie kommst du denn darauf?»

Theo deutete auf die Rose. «Na, von wem hast du denn die rote Rose?»

Ich schaute die Rose an, als hätte sie eine ansteckende Krankheit.

«Wie heißt er denn?», grinste Theo.

Ach Gott, lief das schief!

«Keine Ahnung. Nein. Die hab ich … Ich bin … Ich weiß auch nicht, wie die in meine Tasche kommt.»

Mist! Mist! Mist! Ich warf die Rose weg.

Mann, war das mühsam. Ich beschloss, den Rest meiner Romantik-Requisiten in der Tasche zu lassen.

Ich musste mir rasch etwas Neues einfallen lassen. Ich könnte stolpern, Theo würde mich auffangen, und wir würden uns tief in die Augen blicken – das könnte perfekt sein.

Ich sah mich um, ob irgendwo größere Steine herumlagen, über die ich unauffällig stolpern könnte. Dabei lief ich Theo vor die Füße. Er stolperte, konnte sich aber wieder fangen.

«He, Sanny, du solltest dir mal Seitenspiegel einbauen lassen.»

Gut, so viel dazu.

Jetzt würde ich Theo ganz direkt und ehrlich fragen.

Ich würde mit einer leichten Frage anfangen, einer Frage, die er mit «ja» beantworten könnte, und dann würde ich auf die Kussgeschichte zu sprechen kommen.

«Sag mal, Theo, bist du eigentlich in mich verliebt?»

Theo sagte nichts.

Ich hielt die Luft an, und die Zeit schien stillzustehen.

Theo schaute mich an. Ich hielt es nicht mehr aus. Was musste er so lange überlegen? Ich schloss die Augen.

Nichts geschah.

Ich öffnete die Augen wieder, Theo sah mich immer noch an. «Wer sagt denn so was?»

Oh nein! Mit Ehrlichkeit kam ich jetzt nicht mehr weiter. «Meine Freundin Liz», log ich.

«Also, das ist ja wirklich eine völlig verrückte Idee. Wie kommt sie denn bloß darauf?!» Theo fing an zu lachen.

Ich spürte, wie mir heiß und übel wurde. Gott, war das grauenvoll! Damit hatte ich überhaupt nicht gerechnet. Das war die Oberpleite.

Ich versuchte zu lachen und hörte mich wie durch einen Schleier sagen: «Ich weiß ja auch nicht, Liz spinnt manchmal.»

«Ich meine, wo wir uns doch so super verstehen.»

Was? Hatte ich etwas falsch verstanden?

«Das würde ich doch nicht aufs Spiel setzen wollen. Es war so klasse, dass ich dich getroffen habe. Meine Mutter zwingt mich nämlich, täglich mit dem Hund spazieren zu gehen, und das nervt tierisch. Seit wir beide uns treffen, freue ich mich richtig aufs Hundeausführen. Du bist echt total nett, auch weil du irgendwie anders bist.» Theo redete und redete. «Wenn du weißt, was ich meine.» Er sah mich an.

«Aber klar, hundertprozentig», sagte ich gepresst und versuchte zu lächeln. «Geht mir genauso.» Ich hatte keine Ahnung, wovon er sprach. «Also, wenn Liz mich fragt, dann sag ich ihr ‹nein›?»

«Ja.»

«Ja?»

«Ja: ‹Nein›, ich bin nicht in dich verliebt. Du bist doch auch nicht in mich verliebt!»

«Ich?! Nee! Ich verliebe mich grundsätzlich nicht!»

Theo nickte. «Das bringt nur Komplikationen. Gute Freundschaften sind viel besser.»

Ich nickte und versuchte die Tränen runterzuschlucken.

«Und viel wertvoller», dozierte Theo weiter. «Hast du was im Auge?»

«Allerdings», murmelte ich. «Deshalb muss ich jetzt dringend nach Hause.»

«Soll ich dich begleiten?»

141

Ich schüttelte den Kopf. «Lass mal.» Ich drehte mich um und rannte nach Hause. Tränenüberströmt.

«Okay, wir sehen uns dann bei der Probe», rief er mir noch hinterher.

Wohl kaum. Wenn ich erst mal zu Hause war, würde ich das Haus nie wieder verlassen. Mein einziger Kontakt zur Außenwelt wären meine Familie, Ludmilla und diverse Handwerker. Kurz gesagt: Mein Leben war zu Ende. Und ich hatte mich bis auf die Knochen blamiert!

Zu Hause schnappte ich mir das Telefon.

«Liz, er wird mich nie küssen! Er ist noch nicht einmal in mich verliebt!», schluchzte ich in den Hörer.

18. Kapitel, in dem Konny schon wieder ins Kino geht

Als ich zum Kiosk kam, wartete Sarah bereits auf mich. Sie gab mir eine Tüte Brausefrösche. «Hier, aber iss nicht alle auf einmal, wegen Zucker und frischer Luft und so.»

«Danke. Ich werde sie mir einteilen. Wollen wir los?»

Sie sah sich suchend um. «Darfst du denn ohne deine beiden Bodyguards rumlaufen?»

«Die haben heute frei», grinste ich sie an.

«Na, hoffentlich wissen die das auch. Nicht, dass sie dich nachher im Kino wieder einfangen. Ich möchte den Film diesmal gerne bis zum Ende sehen.»

Kein Problem, Kai und Felix würden uns nicht stören. Ich hatte den beiden erzählt, ich hätte Hausarrest, weil ich das Flohpulver für den Hund auf den Küchentisch gestellt hatte, sodass es beinahe als Zutat in den Kuchen gewandert wäre. Und das war nicht mal gelogen. Ludmilla hatte mich ganz schön rundgemacht, als sie mühsam das Etikett entziffert hatte. «Was du chaben vor? Ich dir geben Chundefutter morgen! Das auch großer Spaß!»

Kai war erschüttert: «Du hättest euch alle vergiften können!»

«Nö, aber keiner von uns hätte mehr Flöhe!»

143

«Ihr habt Flöhe?»

«Klar, deshalb haben wir ja das Flohpulver.»

Felix schüttelte den Kopf. «Konny, du bist ein Schwätzer!»

An dieser Geschichte stimmte jedes Wort. Fast. Natürlich hatte mir Ludmilla keinen Hausarrest verpasst. Schon deshalb nicht, weil sie immer froh war, wenn ich aus dem Haus war.

Aber auf alle Fälle konnte ich Felix und Kai davon überzeugen, dass ich unser Haus nicht verlassen durfte. Somit sparten sie sich ihre Bewachung.

Sarah und ich gingen los. Ich genoss jede Sekunde.

«Bist du eigentlich schon lange hier? Ich hab dich vorher noch nie gesehen.»

«Und das beunruhigt dich, was?» Sarah lachte. «Nein, keine Angst, du hast kein Augenproblem, wir sind erst vor kurzem zu meinem Großvater gezogen, und mein Vater hat hier einen Job angenommen.»

Als wir am Kino ankamen, sah ich mich doch sicherheitshalber nochmal schnell um, ob irgendeine Spur von Kai und Felix zu sehen war. Nein.

Ich kaufte die Kinokarten, und wir suchten uns einen Platz mit Armlehne.

Sarah machte es sich gemütlich, und ich wurde immer aufgeregter. Ich hatte nämlich beschlossen, dass ich Sarah mitteilen würde, dass ich sie echt total gerne mochte. Denn falls meine durchgeknallte Schwester nicht völlig danebenlag, hörten Mädchen so was ja gerne. Ich atmete tief ein. Gut, dass wir saßen, meine Knie und Beine fühlten sich ein wenig wackelig an.

«Weißt du, Sarah», fing ich an. «Es gibt da etwas, was ich dir sagen möchte.»

Sarah sah mich an.

Ich schwieg.

Sarah wartete. «Und? Tust du es auch?»

Ich sah sie fragend an.

«Na, möchtest du mir nur etwas sagen, oder sagst du es mir auch tatsächlich?»

In meinem Kopf rauschte es, und meine Zunge schien ein kleines Nickerchen zu machen. Sie rührte sich nicht.

Egal, jetzt oder nie. Es musste raus. Sarah, es gibt da etwas, was ich unheimlich gerne mag. Und das bist du. Ja, das klang doch gut. Also, auf jetzt.

«Sarah, es gibt da etwas ...» Oh Gott, war das meine Stimme? Ich quiekte wie ein Meerschweinchen, wenn man ihm den Salat wegnimmt.

Sarah sah mich erstaunt an.

Ich räusperte mich und versuchte meine Stimme so tief wie möglich klingen zu lassen.

«Also, es gibt da etwas, was ich unheimlich gerne mag», brummte ich im allertiefsten Bass.

Oh nein, wie hörte sich das denn jetzt an?! Wo war meine normale Stimme geblieben?!

Sarah sah mich jetzt noch fragender an. «Und das ist Stimmen imitieren?»

Ich schüttelte den Kopf. Nein, du, du bist es!, rief es in meinem Kopf. Genau das sollte ich nun sagen. Wenn sich mein Mund nur nicht so trocken angefühlt hätte, als hätte ich mit meinem Unterkiefer die Sahara umgepflügt. Ich musste erst etwas trinken.

«Ich mag unheimlich gerne Cola», sagte ich, sprang auf und rannte nach draußen.

Sarah sah mir kopfschüttelnd hinterher.

Im Vorraum lehnte ich mich erschöpft gegen eine Säule. Warum war es denn bloß so schwer, diesen einen Satz zu sagen?

Ich bewaffnete mich mit zwei Colas und ging mutig wieder zurück in den Saal.

Ich setzte mich und gab Sarah einen Becher.

Sie grinste. «Ich bin echt froh, dass ich jetzt weiß, dass du Cola so gerne magst.»

Mädchen können ganz schön grausam sein.

Wir tranken Cola und unterhielten uns ein bisschen über Kinofilme. Das lief ganz wunderbar. Kopf, Stimme, Zunge, Sprachbereich funktionierten einwandfrei.

Gut, okay, also würde ich jetzt einen zweiten Versuch starten. Aber schon wieder rief mein Körper zu einer Totalblockade auf. Trotzdem. Es musste sein. Am besten, ich sagte es ganz schnell, dann hatte ich es hinter mir.

«Sarahichmussdiretwassagenichhabmichnämlichirgendwieindichverliebt», ratterte ich in einer Affengeschwindigkeit herunter.

Dummerweise hatte Sarah gerade ihre Cola getrunken und schlürfte die letzten Reste derart geräuschvoll durch ihren Strohhalm, dass ihr meine Liebeserklärung komplett entging.

«Was? Entschuldige, ich hab dich nicht verstanden. Was liebst du?»

«Ähh ...» Meine Gedanken rotierten. «Popcorn. Ich liebe Popcorn. Es geht nichts über einen guten Film und Popcorn.»

Puh, ich atmete tief durch.

Sarah zuckte die Schultern. «Okay, dann hol ich mal welches.»

Sie stand auf und ging. Ich sah ihr seufzend hinterher. Als Sarah mit dem Popcorn zurückkam, fing der Film an, und ich entschied, meine Liebeserklärung zu verschieben.

Wir sahen uns den Film an. Also, Sara sah den Film an. Ich sah Sarah an. Und ich war im Himmel.

«Hör mal, Sarah, ich muss dir was sagen», flüsterte ich.

«Pst, jetzt nicht», flüsterte sie zurück, ohne die Augen von der Leinwand zu nehmen. «Es ist gerade total spannend.»

Hm, jetzt also nicht reden.

Ich änderte meinen Plan. Ich würde einfach Taten sprechen lassen. Ein Mann redet nicht viel, er handelt.

Und was sagt genauso viel wie eine Liebeserklärung? Ein Kuss. In meinem Fall war ein Kuss sogar noch viel mehr wert. Schließlich hatte ich nach meinem Erlebnis mit Kim ja panische Angst davor. Das war also der ultimativ größte Liebesbeweis, den ich Sarah bringen konnte.

Ich lehnte mich zu ihr und wollte meinen Mund in Position bringen.

Sie missverstand das und hielt mir das Popcorn hin. Ich nahm es und zog mich wieder zurück.

Okay, nächster Versuch. Vielleicht sollte ich es ganz schnell tun und den Überraschungseffekt nutzen. Bald war der Film zu Ende. Mir blieb nicht mehr viel Zeit.

Ich beugte mich zu ihr und küsste sie. Und ich traf sogar ihren Mund!

YES!!! Ich hatte es getan. Es war doch ganz einfach gewesen! Jetzt war alles klar, und unserer perfekten Beziehung stand nichts mehr im Wege. Triumphierend und glücklich sah ich Sarah an – und erstarrte.

Sie funkelte mich böse an. «Du Idiot! Genau an der spannendsten Stelle! Du hast mir schon wieder den Film verdorben. Was ist denn bloß los mit dir?!» Wütend stand sie auf und verließ das Kino.

Alle drehten sich zu mir um. Ich versank ganz tief in meinem Kinosessel und entschied, hier zu bleiben. Für alle Ewigkeit. In diesem Kinosessel würde ich bis ans Ende des Tonfilms ausharren und meiner verlorenen Liebe nachtrauern.

Warum war wieder alles schief gelaufen?!

Ich liebte sie doch!

19. Kapitel, in dem Sanny ihre Theaterkarriere beenden will

«Du musst da weiter hingehen!», brüllte mich Liz an.

«Tu ich aber nicht!», brüllte ich zurück. «Was für einen Grund hätte ich denn noch?»

Wir brüllten uns nicht etwa an, weil wir uns stritten, sondern weil wir im Wohnzimmer standen und hinter uns die Handwerker einen höllischen Lärm veranstalteten. Eine Betonmischmaschine lief, ein Radio tönte in voller Lautstärke, und die Handwerker unterhielten sich noch nebenher.

Ich würde viel lieber heulend in meinem Zimmer sitzen. Aber Liz sah das anders. Sie wollte mich unbedingt dazu bewegen, in diese blöde Theaterprobe zu gehen.

«Du musst da hingehen, sonst weiß Theo doch sofort, dass du in ihn verliebt bist.»

Den letzten Satz hatten auch die Handwerker mitbekommen. Denn sie hatten ihre Pause angefangen, und damit herrschte von einer Sekunde auf die andere absolute Stille.

Alle sahen zu mir herüber. Auch Ludmilla.

«Warum soll Theo denn nicht wissen, dass das Mädel in ihn verliebt ist?», fragte Handwerker 1 Handwerker 2.

Der zuckte die Schultern: «Vielleicht soll es eine Überraschung werden», schlug der vor und biss in seine Butterstulle.

Handwerker 3 meinte: «Damit überrascht man niemand», und trank einen Schluck aus seiner Thermoskanne.

Handwerker 1 nickte und meinte: «Ich finde, sie sollte es ihm sagen.»

Ich schaute entsetzt zu Ludmilla, würde sie mich retten?

Sie ergriff Gott sei Dank das Wort. «Du erst fragen, ob er in dich verliebt! Wenn nix, dann du nix in ihn verliebt! Da?!»

Die Handwerker schauten sich erstaunt an. «Ach so geht das.»

Ludmilla murmelte nur kurz: «Alle Männer dumm in Kopf», und ging wieder in die Küche.

Ich zog Liz schnell aus dem Haus. «Nur damit du es weißt, ich gehe nicht zur Probe.»

Liz grinste: «Willst du lieber wieder zurück ins Haus und deine Liebesprobleme mit den Handwerkern diskutieren?»

«Es war einfach eines der schlimmsten und peinlichsten Erlebnisse in meinem ganzen Leben», jammerte ich.

«Nö, du hattest durchaus schon ähnlich peinliche Situationen.»

Es geht wirklich nichts über eine gute Freundin.

«Aber das hier muss gar nicht peinlich werden. Das

kann man noch retten. Wenn du jetzt die Nerven behältst und tust, als wäre nichts geschehen, ist es doch gar nicht peinlich! Theo weiß doch nicht, dass du in ihn verliebt warst.»

«Bist!»

«Warst!»

Ich schaute Liz böse an.

«Ludmilla hat dir doch gesagt, wie du es machen musst. Wenn er nicht in dich verliebt ist, dann bist du auch nicht in ihn verliebt!»

«Das ist idiotisch!»

«Na ja, irgendwie hast du Recht. So was geht eigentlich gar nicht.»

Ich schaute Liz an. «Pah, natürlich geht das. Ich werde mich jetzt auf der Stelle entlieben! Theo! Pff, wer ist Theo! Der kann mir gestohlen bleiben!»

«Gut, dann lass uns jetzt zur Probe gehen.»

Kurz darauf standen wir vor der Theater-Turnhalle.

«Sag mal, Liz, wenn er mir jetzt total egal ist, dann muss ich ihn doch nicht auch noch treffen.»

«Aber natürlich, genau darum geht es. Du musst so tun, als wäre nichts geschehen.»

«Nichts geschehen!», rief ich ärgerlich. «Na hör mal, ich renn durch Wald und Flur mit dem Kerl, und der küsst mich nicht! Und noch nicht mal verliebt ist er in mich!»

Liz legte tröstend den Arm um mich.

Die ersten Leute kamen aus der Turnhalle raus. Die Probe war vorbei!

Jetzt kam auch Theo. Ich zuckte zusammen und musste leider feststellen, dass mein Gehirn und meine Knie immer noch im Ausnahmezustand waren.

«Hallo, Sanny», rief Theo und kam fröhlich lächelnd auf mich zu. «Wo warst du denn? Hast du keine Lust mehr auf Theater?»

Ich schwieg. Liz schubste mich an.

«Äh, ich hab mich nur ein klein wenig verspätet.»

Theo sah auf die Uhr. «Hm, also ‹ein klein wenig› ist gut. Wann tauchst du denn dann auf, wenn du dich so richtig verspätest? Eine Woche später?»

Ich lächelte gequält. War ja auch nicht witzig.

«Ist morgen wieder Hundeausführen angesagt?»

«Nein!», rief ich.

Theo zuckte zurück und sah mich fragend an.

Ich schwieg.

«Sanny ... äh, Karl ... Die Kornblums haben keinen Hund mehr», sagte Liz.

«Ehrlich?», fragte Theo mich.

«Wir mussten ihn ins Heim geben. Es wurde immer schlimmer mit ihm. Er hat zum Schluss nur noch vor dem Fernseher rumgelegen», sagte ich.

Theo sah mich völlig entgeistert an.

Liz auch.

«Er ist weggelaufen», erklärte Liz schnell.

«Echt jetzt?», fragte Theo leicht verunsichert.

Ich nickte.

«Na, dann komm doch einfach so mit. Dann führen wir eben nur meinen Hund aus?»

Ich schüttelte den Kopf. «Nein, das deprimiert mich nur.»

Er lächelte. «Tut mir Leid. Ich kann ja mal die Augen aufhalten. Vielleicht sehe ich ihn irgendwo.»

«Das glaube ich kaum», rang ich mir ab. Aber auch nur, weil mich Liz in den Arm kniff.

Ich musste hier weg. Aber leider konnte ich mich nicht von der Stelle rühren.

«Okay, also dann, man sieht sich», versuchte Liz Theo zum Gehen zu bewegen.

Theo nickte, machte Anstalten zu gehen, dann schaute er Liz an und meinte: «Also, weißt du, Liz, du hast schon manchmal merkwürdige Ideen.»

Liz schaute groß. «Was meinst du?»

Ich bekam den Schreck meines Lebens, er würde doch jetzt nicht etwa die Sache anbringen, dass es Liz' Idee gewesen war, dass er in mich verliebt war?!

Theo schüttelte den Kopf. «Nur so», und machte sich auf den Weg.

Puh, Glück gehabt.

Liz schaute ihm nach. «Irgendwie ist der schon komisch. Und dass er doof ist, wissen wir schon deshalb, weil er nicht in dich verliebt ist. Jeder Junge mit Verstand würde sich auf der Stelle in dich verlieben!»

«Schon gut, vergiss es. Ich bin eben ein hoffnungsloser Fall. Jetzt, wo es mir gelungen ist, mich zu verlieben, stellen wir fest, dass sich leider niemand in mich verliebt, und deshalb wird mich wohl nie jemand küssen. Ich werde Konnys Club beitreten, dem Nichtküsserclub, vielleicht nehmen sie ja auch Mädchen auf.»

Ich war völlig fertig. Mein Kopf war leer, meine Beine fühlten sich schwer an.

«Hallo», klang es zaghaft neben uns.

Nick stand da und sah mich aufmerksam an.

«Alles okay mit dir? Du warst gar nicht bei der Probe.» Er lächelte schüchtern. «Ich hab dich vermisst.»

«Ach, es ist alles so schwer», seufzte ich.

«Hm, das dachte ich am Anfang auch, aber man gewöhnt sich daran», versuchte mich Nick aufzumuntern.

Ich sah ihn erstaunt an.

«Doch, wirklich», sagte er eifrig. «Wenn du willst, bringe ich es dir bei.»

«Was willst du mir beibringen?», fragte ich verwirrt.

«Na, Statist sein. Und du wirst sehen, das macht echt Spaß.» Er wurde wieder schüchterner. «Wir können ja mal zusammen üben», schlug er vor.

«Das ist doch eine prima Idee», mischte sich jetzt Liz ein und lächelte abwechselnd Nick und mich an.

Bevor Nick noch weitere gute Ideen hatte, wollte ich mich auf den Heimweg machen. Ich schaute Liz auffordernd an. Liz war hin und her gerissen, weil nämlich David abwartend dastand und sie anschaute.

Ich nickte ihr zu und meinte: «Viel Spaß mit David.»

Liz drückte mich, flüsterte mir ins Ohr: «Du bist ganz süß, Sanny», und huschte zu David.

Nick stand noch etwas unschlüssig rum, dann lächelte er auf einmal. «Mein schönes Fräulein, darf ich wagen, meinen Arm und Geleit Ihr anzutragen?»

«Wie bitte?!» Ich starrte ihn entgeistert an.

Nick machte ein unglückliches Gesicht. «Ich dachte, du interessierst dich fürs Theater. Du müsstest jetzt antworten: ‹Bin weder Fräulein, weder schön, kann ungeleitet nach Hause gehn.›»

«Und wieso sollte ich das sagen?»

Nick zuckte die Schultern: «Weil Gretchen das so gesagt hat.»

«Welches Gretchen?»

«Es ist eine Szene aus dem ‹Faust›! Von Goethe», stammelte er entschuldigend. «Ich dachte … also … vielleicht würde es dich aufmuntern.»

«Oh. Hat Gretchen damit gemeint, dass sie allein sein will?»

«Ähm, ja.»

«Gut, dann bin ich Gretchens Meinung.»

Ich ging.

Dann bekam ich ein schlechtes Gewissen. Ich drehte mich nochmal zu Nick um. Er sah etwas bedröppelt aus.

«Nick?»

«Ja?»

«Ist nichts Persönliches, hat nichts mit dir zu tun. Ich hab nur so furchtbar schlechte Laune, okay?»

Nick strahlte. «Okay.»

Wieso strahlte er, wenn ich ihm sagte, dass ich furchtbar schlechte Laune hatte?

Zu Hause traf ich gleich auf meine Mutter. Ein Blick genügte ihr, und sie nahm mich in den Arm. «Schatz, was ist?»

Ich wollte mich bei ihr ausheulen, ihr sagen, wie furchtbar mein Leben ist. Und sie würde mich trösten.

Ich schniefte ein wenig, schaute sie an und dachte nach. Was würde es denn bringen, wenn ich meiner Mutter mein Herz ausschüttete? Sie wäre sowieso auf meiner Seite, würde Theo als Dummkopf beschimpfen, und ich wäre dann sauer auf sie, weil sie schlecht über Theo redete. Oder sie würde sagen, ich würde mich aber auch dämlich anstellen, und sie würde Theo in Schutz nehmen, und dann wäre ich ebenfalls sauer auf sie.

Also sagte ich: «Nichts, alles okay.» Kein guter Anfang für ein offenes Gespräch. Aber mir war jetzt nicht nach einem Gespräch zumute.

Meine Mutter schob mich ein wenig von sich, schaute mich an und meinte: «Sanny, versuchst du wieder Dinge zu erzwingen?»

Ich antwortete nicht.

«Mach doch nicht immer so viel Druck, lass doch einfach mal den Dingen ihren Lauf», fuhr sie fort.

Nee danke, mütterliche Weisheiten brauchte ich jetzt wirklich nicht. Nicht von ihr und nicht solche.

«So wie du?», fragte ich herausfordernd.

Meine Mutter guckte groß: «Was meinst du?»

Ich wies auf unsere Baustelle: «Na, du lässt doch auch nicht den ‹Dingen ihren Lauf›.»

Meine Mutter schnappte empört nach Luft. «Das ist ja wohl was anderes! Hier herrscht das reine Chaos. Dein Vater …»

«Aber das ist doch nicht Paps' Schuld.»

Aber meine Mutter war auf dem Kriegspfad, sie wollte sich nicht beruhigen lassen. «Das weiß ich, aber dein Vater sollte wenigstens zugeben, dass Haushalt und Kinder eben doch kein Klacks sind!»

Besagter Vater kam just in diesem Moment zur Tür rein. Mit ein paar Rollen Entwürfen unter dem Arm.

«Ah, gut, dass du schon da bist, Susanne. Schau dir das mal an», meinte er gut gelaunt und begann, auf der Betonmischmaschine einen Plan auszurollen. «Ich habe ein paar Alternativpläne gemacht …»

«Wieso hast du denn schon wieder neue Pläne gemacht?», unterbrach meine Mutter entnervt.

«Nachdem du alle meine Türen wieder hast zumauern lassen», an dieser Stelle guckte er meine Mutter böse an, «musste ich ja wohl umdisponieren.»

«Aber nein! Die Idee anzubauen war ja in Ordnung. Die Idee mit der Dachterrasse ist hervorragend. Das neue Zimmer hier unten ist prima. Aber ich will keinen Durchbruch im Wohnzimmer!»

«Aber das ist der kürzeste Weg!»

«Ich will aber keine weitere Tür im Wohnzimmer. Außerdem laufen dann immer alle durchs Wohnzimmer.»

«Was stört dich denn daran? Du bist doch sowieso nicht zu Hause, du arbeitest doch jetzt!»

Oh nein, fing das wieder an.

«Du hast mich immer um mein ‹gemütliches, ruhiges Hausfrauendasein› beneidet. Denk daran, es war deine Idee.»

«War es nicht! Du hast mich reingelegt.»

Meine Mutter zuckte die Schultern. «Du weißt, was du tun musst: Wenn du zugibst, dass dir der Haushalt und die Kinder über den Kopf wachsen, tauschen wir zurück!»

«Pah, nie im Leben», rief mein Vater sofort. «Ich hab hier alles im Griff, der Haushalt ist eine Kleinigkeit. Alles nur eine Frage der richtigen Organisation!»

«Wo ist eigentlich der kleine Konny?», erkundigte sich meine Mutter süffisant.

Mein Vater verlor etwas an Farbe. Der kleine Konny war wirklich ein Schwachpunkt in der Welt meines Vaters, denn der Kleine war einfach nicht zu bändigen. Mein Vater rannte etwas hektisch nach draußen. Meine Mutter schaute meinem Vater lächelnd hinterher.

«Wo ist Kornelius?», fragte ich meine Mutter erstaunt. «Machst du dir denn keine Gedanken um ihn?»

Meine Mutter grinste: «Nein, mach ich mir nicht. Er ist oben im Badezimmer. Ich hab ihn eben wieder bei Flohmüllers abgeholt. Nachbars Garten übt wirklich eine magische Anziehungskraft auf ihn aus. Ausgerechnet dieser Garten muss es sein! Wo der doch so picobello gepflegt ist. Frau Flohmüller hat mich im Büro angerufen, deshalb bin ich ja auch schon zu Hause. Der kleine Konny hatte jede Menge Blumenzwiebeln ausgegraben und wollte sie als ‹Beute› zu uns rüberschleppen.» Meine Mutter schaute mich bedeutungsvoll an: «Ich musste ganz schön lange reden, bis Frau Flohmüller mir geglaubt hat, dass wir ihn nicht dazu angestiftet haben.» Sie seufzte: «Ich hab ihn erst mal in die Badewanne gesteckt, und dort überfällt er jetzt Seifenschalen und Schwämme und sucht nach weiteren Schätzen.»

Von oben bellte es laut.

Ich grinste meine Mutter an: «Und wo ist Karl?»

«Puschel? Ach du grüne Neune, hat Kornelius den etwa wieder mit in die Wanne genommen?»

Sie hatte noch nicht ausgesprochen, da sauste sie schon nach oben.

Ich ging in den Garten und erlöste meinen Vater: «Konny ist in der Badewanne!», rief ich.

«Ist mir recht, aber ich suche gerade den kleinen Konny.»

«Von dem rede ich!»

«Oh», mein Vater machte ein fröhliches Gesicht und ging wieder ins Haus. «Na bitte, sag ich doch, alles im Griff. Ich weiß auch nicht, was deine Mutter immer hat.»

20. Kapitel, in dem Konny
von Sarah ein
Angebot bekommt

«Ich hab immer noch nicht kapiert, was schief gelaufen ist», sagte ich deprimiert und schwenkte meine Angel hin und her.

«Hey, hör bloß auf.» Kai sprang auf und machte einen Satz zu mir. «Sonst beißt wieder einer an.» Er griff nach der Angelschnur, um sie wieder zu beruhigen.

«'tschuldigung», murmelte ich, drehte mich auf meinem Stein wieder dem Wasser zu und starrte auf die glatte Oberfläche.

Kai ging wieder zurück zu seinem Grill, auf dem er gerade versuchte, eine Tiefkühl-Pizza in einen esstauglichen Zustand zu bringen.

Die Jungs und ich waren zum Angeln am Weiher. Natürlich ganz weit weg von unserem üblichen Platz. Und vom Kiosk. Und von Sarah.

«Dabei hab ich sie doch einfach nur geküsst! Was ist denn daran so schlimm?!»

«Deswegen sollen schon Leute Schluss gemacht haben», grinste Felix.

Ich sah ihn böse an. «Das war damals was ganz anderes. Außerdem waren wir ja noch nicht mal zusammen.»

«Wie tragisch. Ihr wart noch nicht mal zusammen und gleich schon wieder getrennt!» Kai sah betroffen aufs Wasser.

Ich schielte zu ihm rüber. Ob er sich über mich lustig machte und ich Streit mit ihm anfangen musste? War aber wohl nicht der Fall. Nicht bei Kai. Außerdem war ich sowieso viel zu deprimiert, um mit irgendjemandem Streit anzufangen.

«Ich hätte mich an unsere Abmachung halten sollen», seufzte ich.

«Du hattest eine Abmachung mit Sarah?», fragte Kai ganz erstaunt.

«Nein, mit euch, du Nasenbär! Überhaupt, wo wart ihr denn, als ich euch gebraucht habe?!»

Kai und Felix sahen mich erstaunt an.

«Du hast gesagt, du hättest Hausarrest!», meckerte Felix.

Ich ignorierte ihn. «Ihr hättet mich warnen sollen ...»

Felix und Kai nickten sich zu: «Haben wir.»

«... mich zurückhalten sollen ...»

Kai nickte: «Haben wir auch.»

«... notfalls mit Gewalt ...»

Felix zuckte die Schultern: «Haben wir auch.»

«Na, ihr wart ja sehr erfolgreich! Ich sitz schon wieder in der Patsche. Und ich war derjenige, der es euch doch von Anfang an gesagt hat! Aber ihr natürlich ...»

Felix kam zu mir und klopfte mir auf die Schulter. «Hey, Kumpel, beruhig dich mal.»

Kai kam dazu und klopfte mir auf die andere Schulter. Jetzt kam ich mir vor wie ein Bongo.

«Ich hab 'ne Idee», verkündete Kai.

«Oh, vergiss es. Ich werde nicht zu ihr gehen und mit ihr reden. Ich werde mich nicht entschuldigen oder ihr sagen, dass ich sie total klasse finde oder irgendetwas in der Art. Kommt gar nicht in Frage, die Zeiten sind vorbei. Zum Teufel mit dem Ehrlichsein, damit hat man nur Ärger, und alles geht schief!»

Kai sah mich total verblüfft an. «Eigentlich wollte ich nur einen Club gründen», sagte er fast schüchtern.

«Jetzt hör doch mit deinem blöden Hundeclub auf», stöhnte Felix.

«Wieso denn Hundeclub?», wunderte sich Kai. «Ich will einen Club der Nichtverliebten und Nichtküsser gründen. So wie Konny das von Anfang an wollte. Er hat Recht, das ist dringend nötig. Sieh ihn dir doch mal an.»

Felix sah mich an, nickte dann. «Stimmt, er sieht echt ziemlich bescheuert aus, wie er hier so rumhängt.»

Ich stöhnte auf.

«Hast du die Liste noch?», fragte Kai.

«Welche Liste?»

«Na, die mit den vielen Gründen.»

Ich schüttelte den Kopf. «Hab ich weggeworfen, ich dachte, ich brauch sie nicht mehr.»

«Okay, dann machen wir jetzt ein neue.» Kai war voller Tatendrang und steckte sogar Felix damit an.

«Ja, genau. Wenn wir die Liste haben, geht's dir bestimmt besser.» Felix schnappte sich den leeren Pizza-Karton, um mit der neuen Liste zu beginnen. Kai steuerte noch einen Kugelschreiber bei, den er in seiner Tasche gefunden hatte.

«Also, man sollte nicht küssen, weil man sonst seine Freunde verliert», fing Felix an.

«Genau», stimmte ihm Kai zu, «und auch das Mädchen, das man küsst.»

Ich warf Kai einen bösen Blick zu.

«Und weil man dann sauer auf seine Freunde ist», notierte Kai sofort den nächsten Grund.

«Also, hör mal ...», fauchte ich, aber Felix fiel mir ins Wort.

«Und man nervt anschließend ganz fürchterlich seine Freunde.»

Ich stöhnte und ließ mich vornüberfallen.

Kai diktierte weiter: «Und man hängt völlig merkwürdig in der Gegend rum ...»

«Hier bist du! Da habt ihr euch ja wirklich den letzten Winkel ausgesucht.»

Wir schreckten auf.

Sarah kam auf uns zu und sah sich um.

«Na, schon was angebissen?», fragte sie grinsend. «Dahinten gibt's einen Springbrunnen, der ist garantiert fischfrei, wieso versucht ihr nicht da euer Glück?»

Felix stellte sich schützend vor mich. «Hast du dich verlaufen?», knurrte er.

Er zerrte Kai neben sich, sodass die beiden eine Mauer vor mir bildeten. Ich versuchte unauffällig zwischen ihren Beinen hindurchzusehen.

«Nein, ich hab Konny gesucht. Ich bin schon den ganzen Weiher abgelaufen», erklärte Sarah fröhlich.

Sie hatte mich gesucht? Wozu?

«Konny will aber nicht gesucht werden», verkündete Felix.

Hey, halt, vielleicht will ich ja doch gesucht werden!!! Inzwischen hatte ich eine Position gefunden, aus der heraus ich Sarah und nicht nur die Beine von Felix und Kai sehen konnte.

«Ach, arbeitest du neben deinem Job als Bodyguard auch noch als Konnys Medium?», fragte Sarah ihn lächelnd.

Darüber musste Felix erst mal nachdenken. Er stellte sich dabei ein bisschen anders hin und nahm mir wieder die Sicht. Murks. Ich versuchte, immer noch auf dem Stein sitzend, eine andere Position zu finden, in der ich wieder etwas sehen konnte.

Sarah wandte sich jetzt an Kai. «Und was hast du hier für eine Funktion?»

Kai überlegte. «Ich gründe einen Club für Konny und schreibe an der Liste mit.»

«Wow.» Sarah gab sich beeindruckt.

In dem Moment verlor ich bei meinen Verrenkungen leider das Gleichgewicht und fiel hintenüber.

Alle drei sahen mich erstaunt an.

«Alles okay?», fragte Sarah. «Wieder zu viel Zucker und frische Luft?»

Jetzt sahen Kai und Felix sie erstaunt an.

Ich rappelte mich auf und stand etwas dumm da.

«Hör mal», sagte Sarah zu mir. «Ich möchte diesen Film jetzt endlich mal zu Ende gucken, und ich bin immer noch bereit, das Risiko auf mich zu nehmen, mit dir dahin zu gehen. Also hab ich gedacht, wir starten einen neuen Versuch. Was meinst du?»

Ich sah sie fragend an. «Was für einen Versuch?», krächzte ich. Da, schon wieder diese Stimmprobleme.

«Den Versuch, diesen Film anzuschauen!»

«Ach so.»

«Also, was ist? Kommst du mit?», fragte sie lächelnd.

Felix ging dazwischen. «Darüber müssen wir erst beraten.» Er zog mich nach hinten. Kai blieb bei Sarah.

«Welcher Film ist es denn?», wollte Kai wissen.

«Die Killer-Aliens und der Superagent.»

«Der ist echt klasse!», nickte Kai.

«Deshalb würde ich ihn ja auch so gerne sehen», grinste Sarah.

«Ich auch», rief ich dazwischen.

Ich hatte mich entschieden. Wann bekam man denn schon mal eine zweite Chance?! Außerdem hatte sie mich am ganzen Weiher gesucht. Vielleicht mochte sie mich ja doch?

Felix rüttelte mich: «Merkst du das denn nicht? Es geht schon wieder los. Du verlierst deinen Verstand. Du wirst dich wieder benehmen wie ein Hornochse und anschließend uns wieder Vorwürfe machen, wieso wir dich nicht gerettet haben! Hörst du mir überhaupt zu?»

Ich schaute Felix verständnislos an: «Lass mich los, ich muss zu ihr! Ich bin verliebt in sie! Ich will mit ihr ins Kino! Und die Chancen stehen gut, dass sie auch in mich verliebt ist, schließlich ist sie ja hier. Sie hat mich gesucht. Jetzt muss ich irgendwas Heldenhaftes tun, ich muss sie beeindrucken, ich muss ...»

Felix drehte sich um. «Kai, komm her!»

Kai ließ Sarah stehen und eilte herbei.

Felix deutete mit dem Kopf auf mich. «Wir müssen ihn in Sicherheit bringen, er redet wie im Fieberwahn.»

Kai nickte ernst, die beiden stellten sich rechts und links von mir auf und ergriffen jeweils einen Oberarm. Ich drehte mich zu Sarah um, die an unserer Angelstelle stand, den Kopf schüttelte und groß guckte. «Ist alles in Ordnung, Konny?»

Ich strahlte: «Alles klar! Wir treffen uns morgen vorm Kino!»

21. Kapitel, in dem Sanny einen Anruf bekommt

Ich war entsetzt darüber, wie sehr es mich aus der Bahn geworfen hatte, dass Theo nicht in mich verliebt war. Ich hatte zu nichts mehr Lust, wollte nichts essen, nichts trinken, nicht reden, war sogar zu deprimiert, um mit Konstantin zu streiten. Es war einfach furchtbar. Endlich war ich verliebt, war bereit für meinen ersten Kuss – und nichts klappte. Was machte ich bloß falsch?

Liz lernte einen Jungen kennen, verliebte sich in ihn, er sich in sie, sie verabredeten sich, küssten sich, alles genau so, wie es die Natur vorgesehen hatte. Oder zumindest, wie es die Hollywood-Filme vorsahen.

Wieso passierte mir so etwas nicht?!

Vielleicht sollte ich nicht so schnell locker lassen und Theo noch eine zweite Chance geben? Vielleicht brauchte er mehr Zeit? Konnte sich aus einer Freundschaft auch Liebe entwickeln?

Pixi und Dixi sollten das entscheiden. Wozu hatte ich schließlich Orakelfische!

Ich suchte gerade nach dem Fischfutter, da stand plötzlich mein Bruder Konny neben mir. Konny. Der Große. Der ohne Hirn.

«Was erwartet ein Mädchen von einem Jungen, wenn es mit ihm ins Kino geht?»

«Dass er sie küsst», war meine frustrierte Antwort.

«Nein, stimmt nicht. Hab ich schon probiert.» Er sah mich fragend an.

«Dann küss sie halt nicht.»

«Was ist denn mit dir los? Ich hab ein ernsthaftes Problem. Nicht zuletzt wegen deines blöden Ratschlags mit dem Ehrlichsein.»

«Ach, meinst du vielleicht, ich bin glücklich?! Die ganze Sache mit Theo hat sich erledigt.»

«Hm, tut mir echt Leid», sagte Konny und klopfte mir tröstend auf die Schulter.

Fast hätte ich angefangen, meinen Bruder zu mögen. Fast. Aber dann fügte er noch einen Satz hinzu: «Also gut, dann kümmern wir uns doch jetzt mal um die, die noch ein Leben haben!»

«Verschwinde!!», heulte ich los, schubste ihn aus meinem Zimmer und schlug die Tür zu.

«Hey, was soll denn das?!», schimpfte er von draußen.

Ich setzte mich vor mein Aquarium und starrte ins Wasser. Am besten, ich sah Theo gar nicht mehr. Auch nicht mehr bei den Theaterproben. Oder doch?

Zeit für ein Orakel.

«Soll ich mit dem Theaterspielen weitermachen?», wollte ich wissen.

Ich nahm etwas Futter und streute es hinein.

Sofort schossen Pixi und Dixi nach oben und mampften, was das Zeug hielt.

«Im Ernst?!»

Sie futterten unbeeindruckt weiter. Hey, gab es womöglich doch noch eine Chance mit Theo?

Pah, Fische! Was wissen die denn schon!

In dem Moment klopfte es wieder.

«Bleib bloß draußen, du hirnamputierte Seeschnecke», brüllte ich durch die geschlossene Tür.

Draußen räusperte sich jemand. «Wie redest du denn mit deinem Vater!»

Oh, ich ging zur Tür und öffnete. «'tschuldigung.»

Gleich kam auch Konstantin angerannt. «Darfst du etwa in ihr Zimmer?»

«Ich weiß nicht.» Mein Vater schaute mich fragend an: «Darf ich?»

«Was willst du denn in meinem Zimmer?»

«Eigentlich nichts.»

«Und wieso klopfst du dann an?»

«Da ist ein Anruf für dich.»

«Wer ist denn dran?», fragte Konstantin meinen Vater.

«Das geht dich doch gar nichts an!», meckerte ich.

«Ich versuche ja nur an deinem Leben teilzunehmen.»

Ich wandte mich an meinen Vater: «Verbiete ihm das!»

Mein Vater schaute etwas hilflos. «Soll ich dem Jungen sagen, er soll ein anderes Mal wieder anrufen?»

Ich riss die Augen auf. «Ein Junge?! Wieso sagst du das denn nicht gleich!»

Ich raste Richtung Treppe.

«Besonders feinfühlend bist du ja nicht gerade», teilte mein Bruder meinem Vater mit.

«Was ist denn los mit ihr?»

«Sie hat Probleme.»

Mein Vater lief hinter mir her. «Ist alles okay, Sanny, kann ich was für dich tun?»

«Nein.»

«He, Paps, für mich kannst du was tun», rief Konny und lief hinter meinem Vater her. Na toll, jetzt standen wir zu dritt unten im Flur vor dem Telefon.

«Also, pass auf», meinte Konstantin zu meinem Vater, «was würdest du tun, wenn du mit einem Mädchen ins Kino gehst, von dem du weißt, dass es nicht geküsst werden will?»

Ich nahm den Telefonhörer in die Hand und schaute beide wütend an. «Entschuldigt bitte!», zischte ich.

«Schon okay», nickte mein Vater freundlich.

«Ich versuche zu telefonieren!»

«Na klar.»

«Also, was ist, Paps, was würdest du tun?», fing der große Konny schon wieder an.

Mein Vater schien kurz zu überlegen. «Einen spannenden Film aussuchen.»

Ich war am Rande der Beherrschung: «Hey, was ist?! Könnt ihr mir mal bitte ein bisschen Privatsphäre gönnen!»

Mein Vater machte ein entschuldigendes Gesicht.

«Aber sicher doch.» Aber statt dass er und Konny sich verkrümelten, redeten sie nur leiser.

Also ging ich ins Wohnzimmer, so weit die Telefonschnur reichte. So, nun war ich allein. Fast allein, wenn man von den Handwerkern absah. Aber die waren beschäftigt. Gut. Mit lautlosem Arbeiten, sie verputzten nämlich die Wohnzimmerwand neu. Allerdings hatte ich das Gefühl, dass sie meinem Telefonat mehr Aufmerksamkeit schenkten als ihren Verputzarbeiten.

Ich atmete tief durch und schaute den Hörer an. Hatte ich den Mut, mit Theo zu reden? Vielleicht hatte er es sich anders überlegt und wollte mir jetzt doch seine Liebe gestehen. Okay, ich würde mit ihm reden. Handwerker hin, Handwerker her, die Liebe ging vor.

Aber halt! Wie sah ich aus? Wieso war hier denn kein Spiegel?! Nie ist einer da, wenn man einen braucht!

Egal, bevor Theo die Geduld verlieren würde, hielt ich schnell den Hörer ans Ohr.

«Hallo?», hauchte ich ins Telefon.

«Sanny, bist du es?», fragte eine Stimme, die gar nicht nach Theo klang. So ein Witzbold, jetzt verstellte er auch noch seine Stimme.

«Ja, ich bin's», säuselte ich in den Hörer.

«Oh, gut, ich hatte eben schon einen Piraten dran, der mich telefonisch ausrauben wollte», sagte die Stimme.

Oh Gott, wie peinlich.

«Tut mir Leid, Theo», meinte ich.

«Ich bin's, Nick!»

«Was? Wer?» Wieso Nick? Wieso nicht Theo?

«Ähm, stör ich dich gerade?»

«Ach nein.» Wieso rief mich Nick an?

«Wie geht's denn so?»

«Ach danke.» Vielleicht im Auftrag von Theo?

«Soso.» Nick räusperte sich. «Ich hab mir von Frau Schiller deine Nummer geben lassen, weil du doch gestern so deprimiert warst.»

«Aha?» Ist Nick da etwa so was wie die telefonische Theaterseelsorge?

«Ich dachte, ich frag dich mal, ob du morgen vielleicht Lust auf einen Spaziergang hast?»

Mir fiel keine Antwort ein.

«Bist du noch dran?», fragte Nick.

«Ja.» Wieso rief mich Theo nicht an?!

«Gut, äh ... ich dachte, wir können doch dann ein bisschen laufen üben.»

«Laufen üben?!»

«Na, ich meine für die Statistenrolle.»

«Ach so, ja, ich weiß nicht. Ich dachte, vielleicht höre ich auf mit dem Theaterspielen.» Wieso sollte ich mich jetzt noch mit einem klauenden Autor und einem Totenschädel auseinander setzen, wo doch sowieso keine Hoffnung mehr auf Theo bestand.

«Das solltest du nicht tun!», sagte Nick heftig.

«Nein?» Er hatte mich etwas irritiert.

«Na, ich meine, es wäre doch schade. Ich finde dich nämlich echt gut, so als Statist und so», murmelte er.

Hm, er schien ja wirklich an meine Karriere zu glauben. Eigentlich nett von ihm. Vielleicht sollte ich mit ihm spazieren gehen. Was soll's. Schlimmer konnte es sowieso nicht mehr werden.

«Okay», sagte ich ohne viel Enthusiasmus.

«Hey, super! Ich hole dich dann morgen ab», freute sich Nick. «Ist drei okay?»

«Ja, das passt. Bis morgen.»

Als ich aufgelegt hatte, sah ich, dass die drei Arbeiter mich beobachtet hatten. Einer nickte mir ermutigend zu. «Nur zu, Frollein. Nur nicht aufgeben.»

«Das war ein anderer Junge.»

Der zweite Handwerker pfiff durch die Zähne. «Na, das ging aber schnell.»

Handwerker Nummer 3 legte ein verständnisvolles Gesicht auf. «Das ist nun mal so bei den jungen Leuten», erklärte er seinem Kollegen.

«Aber nicht bei mir», schimpfte ich los. «Ich bin in Theo verliebt, und es wird Jahre dauern, bis ich über ihn hinweg bin!»

Ludmilla streckte den Kopf aus der Küche. «Theo gesagt dich lieben?»

Ich schüttelte den Kopf.

«Dann du nicht mehr verliebt und gehen aus mit andere Junge!», bestimmte sie.

Ludmilla duldete keinen Widerspruch, also hielt ich meinen Mund. Außerdem hatte ich Nick ja sowieso schon zugesagt.

22. Kapitel, in dem Konny zum dritten Mal ins Kino geht

«Grab weiter, Kornelius! Beeil dich. Es ist echt wichtig!»

Mein kleiner Bruder und ich knieten im Garten bei Flohmüllers, und ich hatte jetzt schon das vierte Loch ausgehoben. Dabei hatten wir den Schneebesen zutage befördert, den Ludmilla seit zwei Tagen vermisste, die Brotdose eines Handwerkers und die elektrische Zahnbürste meiner Mutter.

Karl sah mich traurig und mit einem eindeutig neidischen Blick an, denn ich hatte gleich zu Beginn unserer Aktion erklärt: «Karl gräbt nicht!»

Der kleine Konny hatte nur die Schultern gezuckt. «Los, Puschel, such!» Der Hund stürzte daraufhin zu einem Busch und grub, was das Zeug hielt.

Ich schaute meinen kleinen Bruder ungläubig an. «Hey, ich hab dir doch eben gesagt, dass Karl nicht graben darf!»

«Karl gräbt gar nicht!», meinte Kornelius lässig.

Ich deutete auf Karl, den Hund, der das Wurzelwerk des Busches schon zur Hälfte freigelegt hatte.

Der kleine Konny lächelte mich milde an: «Das ist Puschel! Du hast nichts von Puschel gesagt!»

Daraufhin hatte ich Karl-Puschel an einen Baum gebunden, und wenn er die Nase auch nur in die Nähe des Bodens brachte, mahnte ich ihn mit einem scharfen Tadel zum Innehalten. Allerdings musste ich das etwa alle eineinhalb Sekunden tun, und es war auch weniger, dass Karl mir gehorchte, es war eher so, dass er durch mein Rufen abgelenkt wurde und kurz aufschaute, bevor er wieder mit der Schnauze in die Erde stieß.

Wir mussten uns beeilen. Nicht nur weil Frau Flohmüller jederzeit vom Einkaufen zurückkommen würde, sondern auch weil mir die Zeit davonlief. Ich war doch mit Sarah im Kino verabredet. Aber vorher musste ich mein Portemonnaie finden. Konny hatte es bei einem Beutezug in die Finger bekommen und im Garten vergraben.

«Vielleicht war es doch unter dem Rosenstrauch?», überlegte Konny.

«Warum kannst du die Sachen nicht einfach unter dein Kopfkissen legen oder unters Bett schieben?!», beschwerte ich mich, während ich dem Rosenstrauch den Boden unter den Wurzeln weggrub.

«Das machen Piraten nicht», sagte der Knirps ungerührt und sah sich schon wieder suchend im Garten um. «Ich glaube, es war doch da vorne oder dahinten bei dem Baum.»

«Wie kommst du bloß darauf, die Sachen alle zu vergraben?», stöhnte ich, während ich anfing, unter dem Baum zu graben.

Konny sah mich erstaunt an. «Aber das hast du doch gesagt.»

«Ich hab was?»

«Gesagt, dass ich meine Schätze vergraben soll.»

Bevor ich weiter darauf eingehen konnte, hörte ich schmatzende Geräusche hinter mir. Karl lag neben seinem Baum, nach wie vor angebunden, aber nun war vor ihm ein kleines Loch und er kaute genüsslich auf etwas herum.

«Hey, Moment mal!» Ich sprang auf und entriss ihm meine Geldbörse. Sie war nass und erdig. Ich sah sie angewidert an.

«Siehst du, Puschel ist ein guter Findehund und der beste Piratenhund, den es gibt», sagte Konny stolz und legte Karl die Arme um den Hals.

Der revanchierte sich mit einem Hundeschmatzer quer über Konnys Gesicht, und der Pirat sah jetzt aus, als hätte er sich einen Tunnel unterm Ozean durchgegraben.

Ich rannte los. Mist. Genau jetzt sollte ich eigentlich am Kino sein und Sarah begrüßen.

Sarah wartete bereits, als ich atemlos angekeucht kam.

«Na», grinste sie, «was war diesmal los?»

«Würdest du einen Piratenüberfall als Ausrede akzeptieren?», keuchte ich.

«Bei dir inzwischen schon», lachte sie.

Ich wollte die Karten kaufen, ging zu dem Schalter,

nahm mein Portemonnaie heraus und öffnete es. Dabei kroch mir ein kleiner Regenwurm über die Hand, und etwas Erde fiel heraus.

«Ach, wie süß, ein Maskottchen, oder ist das die Währung in dem Land, aus dem du kommst?», fragte Sarah.

Ich stöhnte leidend auf.

Sarah legte mir die Hand auf den Arm. «Lass mal, ich hab unsere Karten schon gekauft.» Sie deutete auf den Regenwurm. «Den sollten wir aber hier lassen, der hat keine Karte.»

Ich setzte den Regenwurm in einen Blumenkübel, und wir gingen ins Kino.

Ich war hin und her gerissen. Ich freute mich riesig und hatte Panik. Gleichzeitig.

Auf der einen Seite war ich oberhappy, dass wir wieder zusammen ins Kino gingen – und mit viel Glück würde ich diesmal nichts vermasseln, und Sarah könnte endlich den Film von Anfang bis Ende sehen –, auf der anderen Seite hatte ich panische Angst, wieder was falsch zu machen. Und zwar doppelte Angst, denn ich hatte von Felix und Kai die Genehmigung bekommen, dieses eine Mal noch mit Sarah ins Kino zu gehen. Und wenn ich mich anschließend wieder wie ein Idiot aufführen würde, dann würden sie radikal einschreiten und mich unter Verschluss halten. In meinem eigenen Interesse, egal, wie sehr ich um meine Freiheit betteln und winseln würde. Während ich also hier meine letzte Chance bekam, saßen die beiden zusammen und schrieben an der Liste für Nichtküsser. Felix meinte mit gespielt erschütterter Stimme, allein mich zu beobachten, wie ich mich zum Affen machte, hätte ihn von der Gefährlichkeit von Küssen überzeugt. Ich nahm es ihm zwar nicht ab, aber ich dachte, er hätte zurzeit nichts Besseres zu tun, sprich: Er war nicht verknallt, und er tat Kai einen Gefallen, der mit Feuereifer dabei war.

«Was meinst du, ab der wievielten Vorstellung des gleichen Films man hier wohl Rabatt bekommt?», fragte Sarah mich.

Ich zuckte die Schultern. «Ich glaube, das Angebot gibt's nur, wenn man auch bis zum Schluss bleibt.»

Sarah lachte und war so guter Laune, dass ich langsam auch etwas entspannter wurde.

Ich besorgte uns noch Cola und Popcorn, und wir gingen in den Kinosaal.

Als wir uns einen Platz suchten, zögerte ich.

«Wenn du willst, können wir uns ja an ganz verschiedene Enden des Raumes setzen», bot ich an.

Sarah sah mich misstrauisch an. «Hast du schon wieder irgendeinen Blödsinn vor?»

«Nein, überhaupt nicht!» Ich machte bei dieser Beteuerung eine so heftige Bewegung mit der Hand, in der ich mein Popcorn hielt, dass ich es ziemlich gleichmäßig über zwei Sitze und drei Hinterköpfe verteilte.

Die Hinterköpfe drehten sich empört um.

«Hey, was soll'n das?»

«'tschuldigung, Zuckerschock», sagte Sarah und zog mich schnell an die andere Seite des Kinos.

Dort schlug ich Sarah so ziemlich jeden freien Platz vor. Sie zog mich mit sich, drückte mich auf den Sitz und setzte sich daneben.

«Hast du immer solche Entscheidungsprobleme?»

«Nur wenn ich auf Bewährung ins Kino gehen darf.»

«Verstehe. Sag mal, was hast du eigentlich mit den ganzen Brausefrösche gemacht? Doch nicht etwa gegessen, oder?»

«Nein, das war die Piratenbeute für meinen Bruder. Er ist seit neuestem Pirat. Ich schätze mal, er hat sie dann vergraben oder so.»

«Dein Bruder ist Pirat?»

«Ja und sein Hund auch.»

«Piratenhund. Aha. Ihr seid schon eine etwas sehr merkwürdige Familie, was? Ich wusste gar nicht, dass Piratsein heute noch als Beruf anerkannt wird.»

«Oh, es ist mein kleiner Bruder. Er ist fünf.»

«So was in der Art hatte ich gehofft.»

«Aber mit der merkwürdigen Familie hast du trotzdem Recht. Bis vor ein paar Tagen hatten wir drei große Löcher in der Hauswand, weil sich meine Eltern nicht einigen konnten, wo die Tür hinkommt.»

«Vielleicht solltet ihr mal einen Architekten zu Rate ziehen.»

«Meine Eltern sind beide Architekten.»

«Verstehe, da liegt das Problem.»

179

Ich nickte. Dieses Mädchen hatte den Durchblick.

Inzwischen war das Licht etwas dunkler geworden, und die Werbung näherte sich ihrem Ende.

Sarah drehte sich zu mir. «Also, Konny, pass auf. Der Film fängt gleich an. Und diesmal will ich ihn ganz in Ruhe und völlig ungestört sehen. Wenn du also wieder auf dem Bauch aus dem Kino robben willst, vergiss es. Und falls du mich küssen willst, dann tu es bitte jetzt, solange die Werbung noch läuft!»

Ich zuckte zusammen. Wie meinte sie denn das?

Ich schielte unsicher zu ihr.

Sie lächelte mich an und beugte sich zu mir rüber ...

23. Kapitel, in dem Sanny endlich ihren großen Auftritt bekommt

Im Vorgarten machte der kleine Konny einen ziemlichen Tumult, Karl bellte wie verrückt. Durchs Haus dröhnten Schlagbohrer und Gehämmer. Nun wurde der Durchbruch zum Anbau gemacht.

Der Anbau war fertig, meine Mutter hatte durchgesetzt, dass die Tür zum neuen Zimmer in den Flur und nicht ins Wohnzimmer kam. Mein Vater hatte den Handwerkern eine Prämie versprochen, für jeden Tag, den sie vor dem genannten Termin fertig wurden. Erstaunlich, was so eine in Aussicht gestellte Belohnung ausrichten konnte, auf einmal hatten wir die doppelte Anzahl von Handwerkern im Haus. Oben auf unserer Dachterrasse wurde sogar schon das Geländer montiert, und heute noch sollten die Fenster in unseren Zimmern mit Türen ausgetauscht werden. Mein Vater war in seinem Element, meine Mutter hatte ihr Gemecker eingestellt und ihn sogar zwei- oder dreimal gelobt. Nur leider wollte er immer noch nicht zugeben, dass so ein Hausfrauen-Job anstrengend war. Kein Wunder, für ihn war es ja auch nicht anstrengend, er machte ja nichts. Auf Dauer kam er damit bestimmt nicht durch, denn meine Mutter zeigte langsam auch schon Ermüdungserscheinungen. So toll war es wohl doch nicht, jeden Tag ins Büro zu gehen. Sie würde sich bestimmt was einfallen lassen.

Ich langweilte mich.

Liz hatte keine Zeit für mich, sie traf sich mit David. Konny war mit seiner Sarah ins Kino gegangen.

Der kleine Konny hatte sich mit Karl nach draußen verzogen, um ein paar «Gefangene zu machen». Hoffentlich erwischte es nicht den Briefträger.

Alle amüsierten sich, nur ich hatte kein Leben.

Ich saß vor meinem Aquarium und hatte mindestens zwei Pfund Fischfutter ins Wasser geschüttet, aber Pixi und Dixi hatten sich unter zwei Wasserpflanzen verkrochen, bestimmt wegen des Höllenlärms hier. Somit konnte ich mein Fisch-Orakel auch vergessen.

Missmutig stapfte ich nach unten. Die Haustür ging auf, und der kleine Konny führte einen ziemlich fest verschnürten Gefangenen ins Haus.

«Nick!», rief ich erschrocken. Ich hatte ganz vergessen, dass wir verabredet waren.

Nick lächelte.

«Konny! Was machst du da, lass ihn sofort frei!»

Der kleine Konny schüttelte den Kopf. «Geht nicht, er ist mein Austauschgefangener.»

«Was heißt ‹Austausch›? Kommt er aus England oder was?»

Konny sah Nick an, der mindestens genauso verwirrt aussah wie der Kleine. «Kommst du aus England?»

«Vergiss England, ist nicht wichtig. Bitte, lass Nick jetzt wieder frei, Konny.»

«Nein, das geht nicht, ich muss ihn eintauschen!»

«Sagt wer?»

«Das war mein Vorschlag», meldete sich Nick. «Erst wollte er mich vergraben, und deshalb hatte ich vorgeschlagen, er solle mich lieber eintauschen.»

Ich atmete tief durch, nur die Ruhe bewahren. «Und gegen was möchtest du ihn eintauschen?»

«Keine Ahnung, gegen dich?»

«Nein, das geht nicht.»

«Lösegeld», half mir Nick weiter.

«Genau», rief ich, «gute Idee. Was hältst du davon, Konny?»

«Ich hätte aber lieber richtiges Geld.»

«Lösegeld ist richtiges Geld!» Ich kramte in meiner Hosentasche. «Sind zehn Cent okay?»

Konny nickte.

Nick schaute mich etwas enttäuscht an.

«Ein Euro!», steigerte ich mein Angebot.

Konny schüttelte heftig den Kopf. «Nee, ich hätte lieber die zehn Cent.»

Ich sah Nick an, zuckte die Schultern und wollte Konny die zehn Cent geben.

Aber der hatte es sich inzwischen anders überlegt: «Nein, ich will doch lieber einen Gefangenen.»

Ich versuchte trotzdem Konnys Piratenknoten zu lösen und Nick zu befreien. «Es tut mir so Leid.»

Nick lächelte freundlich. «Hey, ist doch nicht schlimm, immerhin scheine ich dir ja einen Euro wert zu sein.»

Jetzt hatte ich ihn befreit.

Konny war damit nicht einverstanden. «He, was soll das, das ist mein Gefangener. Du darfst ihn nicht freilassen! Ich hab die Frikadelle zuerst gesehen! Es sei denn, ich krieg deine Fische dafür.»

«Ich werde gegen Fische eingetauscht?», fragte Nick leicht enttäuscht. «Und was meint er mit Frikadelle?»

«Dürfen die Fische bei mir schlafen?», feilschte jetzt der kleine Konny weiter.

«Es sind besondere Fische. Aber die Frikadelle kann ich dir nicht erklären», informierte ich Nick. Dann gab ich dem Piraten Anweisung: «Die Fische schlafen auf keinen Fall in deinem Bett.»

So langsam wuchs mir das hier alles über den Kopf, was hatte ich Konny eben erlaubt?! «Moment mal. Du lässt sie in Ruhe, sie bleiben in meinem Zimmer, okay?!»

«Gut, was krieg ich dann?»

«Such dir was Schönes aus Konnys Zimmer aus, ja?»

Nick sah mich an und deutete auf den kleinen Konny. «Aus seinem eigenen Zimmer?»

«Nein. Er ist der kleine Konny, wir haben noch einen großen.»

Nick schaute sehr verwirrt, ich wollte keine weiteren Erklärungen abgeben.

«Am besten verlassen wir auf der Stelle dieses Irrenhaus», schlug ich schnell vor, bevor die Handwerker und Ludmilla jetzt womöglich auch noch dazukamen und Vorschläge für Kompensationszahlungen für Konnys Piratengefangenen machten oder aber mein Liebesleben und meine Verabredungen mit Nick diskutierten.

Wir gingen.

Nick schien etwas verlegen. «Also, hallo erst mal. Ich ... ähm ... ich hab dir was mitgebracht.» Er gab mir ein kleines Päckchen.

«Ah. Danke.» Ich schüttelte es.

Nick sah mir irritiert zu.

«Eine Tafel Schokolade?», mutmaßte ich.

Nick schüttelte den Kopf. «Nein, nicht ganz.»

Ich packte im Gehen aus und war etwas überrascht. Es war ein kleines Buch. «Johann Wolfgang Goethe. Faust. Der Tragödie erster Teil.»

Nick strahlte. «Genau!»

«Soll ich das jetzt lesen?»

«Nein, ich dachte nur. Wir haben uns doch neulich darüber unterhalten.»

Ich sah ihn fragend an.

«Schönes Fräulein und so.»

Mein Gesichtsausdruck änderte sich nicht.

«Das Mädchen, das allein sein will», machte Nick schüchtern einen letzten Versuch.

Jetzt verstand ich. «Ah, alles klar. Fein. Danke.» Ich steckte das Buch in meine Tasche.

Nick sah etwas enttäuscht aus. Irgendwie tat er mir Leid. «Ist echt eine liebe Idee. Danke. Kann man bestimmt mal brauchen.»

Nick erholte sich wieder und brachte zumindest ein kleines Lächeln zustande.

«Dieser Theaterkram macht dir echt Spaß, was?», fragte ich, während wir weitergingen.

«Ja, total», nickte Nick. «Ich mag Theater. Und ich finde es einfach großartig, auf der Bühne zu stehen.»

«Aber warum spielst du denn dann keine richtige Rolle?»

Nick sah mich verständnislos an. «Aber das tue ich doch. Ich bin Statist. Und ich bin ein richtig guter Statist. Statisten sind wichtig. Stell dir doch mal die aufwendigen Hollywood-Filme vor ohne Statisten, nur mit den Hauptdarstellern, ganz schön langweilig, was?! Das ist wie eine Wiese ohne Gras.»

So hatte ich das noch nie gesehen. Ich sah Nick von der Seite an. Er meinte es wirklich so. Und irgendwie hatte er Recht.

«Wo gehen wir eigentlich hin?», wollte ich wissen.

«Lass dich überraschen.»

«Es hat was mit Theater zu tun?», vermutete ich.

Nick lächelte.

«So, wir sind da», sagte Nick etwas schüchtern.

Wir standen vorm Theater. Aber einem richtigen, keiner Turnhalle.

«Wow», sagte ich. «Wir gehen in ein Theaterstück?»

«Nicht nur das», sagte Nick stolz, «wir machen bei der Aufführung mit.»

«Was?!»

Er wurde wieder etwas unsicher. «Na ja, ich dachte, wenn du mal auf so einer richtigen Bühne gestanden hast, dann macht dir Statist sein vielleicht auch etwas mehr Spaß.»

Ich sah ihn erstaunt an. «Kriegen wir da keinen Ärger? Ich meine, wir können doch nicht einfach auf die Bühne laufen und ein bisschen Statist spielen.»

«Das machen wir ja auch nicht. Ich kenne den Regisseur und die meisten Leute hier. Ich arbeite hier oft als Statist oder was sie sonst so brauchen. Ich hab gefragt, ob ich dich mitbringen kann. Die hatten nichts dagegen. Heute ist Kostümprobe, morgen ist die Aufführung. Und du darfst mitmachen, wenn du willst. Los, komm.»

Nick zog mich zum Bühneneingang. Wir gingen hinein, und alle grüßten Nick freundlich.

«He, Nick, wieder im Lande?»

«Hallo, Nick, war eine tolle Vorstellung gestern.»

Ich war ziemlich beeindruckt. Ich war ja noch nie in einem richtigen Theater hinter der Bühne gewesen. Das war total interessant.

Nick führte mich herum, erklärte mir, wie alles funktionierte, zeigte mir die Kulissen und erläuterte, wofür die vielen Hebel und Seile waren.

Dann bekamen wir unsere Kostüme.

Als wir uns umgezogen hatten und uns wieder gegen-
überstanden, musste ich lachen. Ich hatte ja noch Glück
gehabt und ein langes Kleid bekommen. Aber Nick
stand jetzt in Strumpfhosen da.

Er machte eine entschuldigende Geste. «So sind die
Leute damals im 14. Jahrhundert herumgelaufen.»

«Und in was für einem Stück?», wollte ich wissen.

«In ‹Romeo und Julia›.»

«Na toll!» Meine gute Laune verschwand schlagartig.

«Was nicht in Ordnung?», erkundigte sich Nick besorgt. «Magst du das Stück nicht?»

«Das ist doch diese Liebesschnulze, oder?»

«Na ja, es ist eine der berühmtesten Liebesgeschichten
der Welt.»

«Hah, siehst du! Ich kann Liebesgeschichten zurzeit
nicht ertragen. Immer geht alles gut aus. Das nervt.»

«Keine Angst, das hier nicht. Zum Schluss sind sie
beide tot!»

Ich schaute Nick entsetzt an. Er wollte gerade noch etwas sagen, aber da wurden wir auf die Bühne gerufen.

Wir standen in einem Pulk von Statisten.

«Was hast du denn gegen Liebesgeschichten?», fragte
Nick leise.

Ich schnaubte: «Sie sind realitätsfremd. So was passiert im echten Leben nie.»

Nick sagte nichts.

Ich fuhr fort: «Also zumindest bei mir nicht. Einmal
in meinem Leben möchte ich so etwas auch erleben!»

«Was?»

«Na, dass ein Junge mir tief in die Augen schaut, sagt, dass er unsterblich in mich verliebt ist, und mich küsst!»

Nick schluckte und sah mich von der Seite an. «Also eigentlich dachte ich ja, wir lernen uns erst kennen. Aber okay, wenn du willst.»

Ich schaute Nick an, ich hatte keine Ahnung, wovon er sprach.

«Muss das mit dem ‹unsterblich› sein?», fragte er etwas unsicher.

«Unsterblich? Nein, was meinst du?»

Aber Nick reagierte nicht, er sammelte all seinen Mut, schaute mir in die Augen und sagte: «Sanny, ich glaube, ich bin in dich verliebt.»

Ich starrte ihn an. Gehörte das jetzt zum Stück oder was?

«Und dann küsse ich dich jetzt mal, okay?», fuhr er fort.

Und bevor ich begriffen hatte, was er meinte, küsste er mich.

Plötzlich wurde es merkwürdig still auf der Bühne. Ich sah mich um, alle starrten uns an, inklusive Orchester. Und dann johlten und applaudierten alle Schauspieler.

Ich konnte es nicht fassen: Mein erster Kuss, und das mitten auf einer Bühne, und anschließend gibt es Applaus! Das war doch nicht normal!

ENDE

Die Autorin

Wenn man Hortense Ullrichs Familie kennt (zwei Teenager-Töchter, zwei unzähmbare Hunde, ein unerschütterlicher Ehemann), dann wundert man sich nicht, dass es in ihren Büchern drunter und drüber geht. Eventuelle Ähnlichkeiten mit lebenden Personen, besonders Teenagern, sind also nicht «rein zufällig», sondern chaotische Realität.

Bevor Hortense Ullrich begann, Bücher für Kinder und Jugendliche zu schreiben, arbeitete sie als Journalistin und Drehbuchautorin. Acht Jahre verbrachte sie mit ihrer Familie in New York, inzwischen lebt sie in Bremen.

Außerdem bei rotfuchs von ihr erschienen:

«1000 Gründe, sich ~~nicht~~ zu verlieben» (21236), «1000 Gründe, ~~keinen~~ Liebeskummer zu haben» (21322) und «1000 Gründe, ~~keine~~ Liebesbriefe zu schreiben» (21379).

BR 104/2 Foto: privat

Chaos*Küsse*Katastrophen – die Reihe zum Verlieben

Hortense Ullrich bei rotfuchs:
1000 Gründe, ~~nicht~~ das Glück zu suchen

1000 Gründe,
sich ~~nicht~~ zu verlieben
rotfuchs 21236

1000 Gründe, ~~nicht~~ zu küssen
Sanna fragt sich, wie sie den süßen
Theo dazu bringt, sie endlich zu
küssen. Im Gegensatz zu Sanna will
ihr Zwillingsbruder Konny nie wieder etwas mit Verlieben und Küssen
am Hut haben. Schließlich gibt es
doch 1000 gute Gründe, warum
man nicht küssen sollte. Allerdings
fällt ihm plötzlich kein einziger
mehr ein, als er Sarah trifft ...
rotfuchs 21279

1000 Gründe, ~~keinen~~
Liebeskummer zu haben
rotfuchs 21322

1000 Gründe, ~~keine~~
Liebesbriefe zu schreiben
rotfuchs 21379

1000 Gründe,
~~nicht~~ Amor zu spielen
rotfuchs 21406

1000 Gründe, sich ~~nicht~~ zu
verlieben/~~nicht~~ zu küssen
Chaos, Küsse, Katastrophen XXL
rotfuchs 21421/August 2008

1000 Gründe, ~~nicht~~ mit den
Kornblums zu verreisen

rotfuchs 21443, April 2008

Mehr Infos im rotfuchs-Magazin *fuxx!* und unter *www.fuxx-online.de*

BR 68/3

© Gerrit Schön

Chaos, Küsse, Katastrophen bei rotfuchs

**Die Reihe für Mädchen ab 12 Jahre
zum Taschengeldpreis**

Angela Gerrits
☐ **Ich trau mich,
ich trau mich nicht**
rororo 21256
☐ **Lisa & Lucia –
verliebt hoch zwei**
rororo 21273
☐ **Kusswechsel**
rororo 21347
☐ **Liebeskummer auf Italienisch**
rororo 21368

Renée Karthee
☐ **Herzflüstern**
rororo 21304
☐ **Herz auf Trab**
rororo 21335
☐ **Herzsprünge im Galopp**
rororo 21363

Ulrike Kuckero
☐ **Paulas Tage Buch**
rororo 21255
☐ **Paulas Sorgenbuch**
rororo 21309
☐ **Paulas New York Buch**
rororo 21350

Hortense Ullrich
☐ **1000 Gründe, ~~keinen~~
Liebeskummer zu haben**
rororo 21322
☐ **1000 Gründe, sich ~~nicht~~
zu verlieben**
rororo 21236
☐ **1000 Gründe, ~~nicht~~ zu küssen**

rororo 21279

Mehr Infos im rotfuchs-Magazin *fuxx!* und unter *www.fuxx-online.de*